La guerre des
Clans
VI

Une sombre prophétie

L'auteur

Pour écrire *La guerre des Clans*, **Erin Hunter** puise son inspiration dans son amour des chats et du monde sauvage. Erin est une fidèle protectrice de la nature. Elle aime par-dessus tout expliquer le comportement animal grâce aux mythologies, à l'astrologie et aux pierres levées.

Du même auteur :

Retour à l'état sauvage
(Tome I)
À feu et à sang
(Tome II)
Les mystères de la forêt
(Tome III)
Avant la tempête
(Tome IV)
Sur le sentier de la guerre
(Tome V)

Vous aimez les livres de la collection

LA GUERRE DES
CLANS

Écrivez-nous
pour nous faire partager votre enthousiasme :
Pocket Jeunesse, 12, avenue d'Italie, 75013 Paris.

Erin Hunter

LA GUERRE DES CLANS

Livre VI

Une sombre prophétie

Traduit de l'anglais par Aude Carlier

POCKET JEUNESSE

Titre original :
The Darkest Hour

Loi n° 49 956 du 16 juillet 1949 sur les publications
destinées à la jeunesse : mars 2008.

© 2004, Working Partners Ltd.
Publié pour la première fois en 2005 par Harper Collins *Publishers*.
Tous droits réservés.
© 2008, éditions Pocket Jeunesse, département d'Univers Poche, pour la
présente édition et la traduction française.
La série « La guerre des Clans » a été créée par Working Partners Ltd,
Londres.

ISBN 978-2-266-17698-9

Pour Vicky Holmes et Matt Haslum,
qui m'ont aidée à trouver la destinée de Cœur de Feu.

Remerciements tout particuliers à Cherith Baldry.

SUR LE SENTIER DE LA GUERRE
(Livre V de *La guerre des Clans*)
RÉSUMÉ

Étoile Bleue, le chef du Clan du Tonnerre, n'est plus que l'ombre d'elle-même. Cœur de Feu tâche de la servir au mieux, mais lorsqu'elle décide d'attaquer le Clan du Vent, il lui désobéit pour éviter un combat meurtrier et inutile. Le jeune lieutenant s'aperçoit alors qu'une meute de chiens sanguinaires rôde dans la forêt. Griffe de Tigre, son ennemi juré, trouve un moyen de les mener directement jusqu'au camp du Tonnerre. Il faut fuir, et vite ! Au péril de leur vie, les plus valeureux guerriers du Clan parviennent à éloigner la meute et à la diriger vers la rivière. Cœur de Feu est prêt à se sacrifier pour les siens. Mais contre toute attente, Étoile Bleue lui sauve la vie en se jetant avec les chiens dans les gorges du cours d'eau. Elle meurt peu après. Cœur de Feu sera dorénavant le meneur de son Clan.

CLANS

CLAN DU TONNERRE

CHEF

ÉTOILE DE FEU – mâle au beau pelage roux (ex-Cœur de Feu).
APPRENTI : NUAGE ÉPINEUX

LIEUTENANT

TORNADE BLANCHE – grand chat blanc.

GUÉRISSEUSE

MUSEAU CENDRÉ – chatte gris foncé.

GUERRIERS

(mâles et femelles sans petits)

ÉCLAIR NOIR – chat gris tigré de noir à la fourrure lustrée.
APPRENTI : NUAGE DE BRUYÈRE

LONGUE PLUME – chat crème rayé de brun.

POIL DE SOURIS – petite chatte brun foncé.
APPRENTI : NUAGE D'ÉPINES

POIL DE FOUGÈRE – mâle brun doré.
APPRENTI : NUAGE D'OR.

PELAGE DE POUSSIÈRE – mâle au pelage moucheté brun foncé.
APPRENTI : NUAGE DE GRANIT

TEMPÊTE DE SABLE – chatte roux pâle.

PLUME GRISE – chat gris plutôt massif à poil long.

PELAGE DE GIVRE – chatte à la belle robe blanche et aux yeux bleus.

BOUTON-D'OR – femelle roux pâle.

FLOCON DE NEIGE – chat blanc à poil long, fils de Princesse, neveu d'Étoile de Feu.

APPRENTIS

(âgés d'au moins six lunes, initiés pour devenir des guerriers)

NUAGE D'ÉPINES – matou tacheté au poil brun doré.

NUAGE DE BRUYÈRE – chatte aux yeux vert pâle et à la fourrure gris pâle constellée de taches plus foncées.

NUAGE DE GRANIT – chat aux yeux bleu foncé et à la fourrure gris pâle constellée de taches plus foncées.

NUAGE ÉPINEUX – chat au pelage sombre et tacheté aux yeux ambrés.

NUAGE D'OR – chatte écaille de tortue, aux yeux verts.

SANS VISAGE – chatte blanche au pelage constellé de taches rousses.

REINE (femelles pleines ou en train d'allaiter)

FLEUR DE SAULE – femelle gris perle aux yeux d'un bleu remarquable.

ANCIENS (guerriers et reines âgés)

UN-ŒIL – chatte gris perle, presque sourde et aveugle, doyenne du Clan.

PETITE OREILLE – chat gris aux oreilles minuscules, doyen du Clan.

PLUME CENDRÉE – femelle écaille, autrefois très jolie.

PERCE-NEIGE – chatte crème mouchetée, qui était l'aînée des reines.

CLAN DE L'OMBRE

CHEF **ÉTOILE DU TIGRE** – grand mâle brun tacheté aux griffes très longues, ancien lieutenant du Clan du Tonnerre.

LIEUTENANT **PATTE NOIRE** – grand chat blanc aux longues pattes noir de jais, ancien chat errant.

GUÉRISSEUR **RHUME DES FOINS** – mâle gris et blanc de petite taille.

GUERRIERS **BOIS DE CHÊNE** – matou brun de petite taille.

PETIT ORAGE – chat très menu.

FLÈCHE GRISE – mâle gris pommelé, ancien chat errant.

FEUILLE ROUSSE – femelle roux sombre, ancienne chatte errante.
APPRENTI: NUAGE DE CÈDRE

CROCS POINTUS – chat moucheté de très grande taille, ancien chat errant.
APPRENTI: NUAGE FAUVE

REINE   **FLEUR DE PAVOT** – chatte tachetée brun clair haute sur pattes.

CLAN DU VENT

CHEF   **ÉTOILE FILANTE** – mâle noir et blanc à la queue très longue.

LIEUTENANT   **PATTE FOLLE** – chat noir à la patte tordue.

GUÉRISSEUR   **ÉCORCE DE CHÊNE** – chat brun à la queue très courte.

GUERRIERS   **GRIFFE DE PIERRE** – mâle brun foncé au pelage pommelé.

PLUME NOIRE – matou gris foncé au poil moucheté.

OREILLE BALAFRÉE – chat moucheté.

PELAGE DORÉ – chatte brun doré.

MOUSTACHE – jeune mâle brun tacheté.
APPRENTI: NUAGE D'AJONCS

ŒIL VIF – chatte gris clair au poil moucheté.

REINES   **PATTE CENDRÉE** – chatte grise.

BELLE-DE-JOUR – femelle écaille.

AILE ROUSSE – petite chatte blanche.

CLAN DE LA RIVIÈRE

CHEF   **ÉTOILE DU LÉOPARD** – chatte au poil doré tacheté de noir.

LIEUTENANT   **PELAGE DE SILEX** – chat gris aux oreilles couturées de cicatrices.
APPRENTI: NUAGE D'ORAGE

GUÉRISSEUR

GUERRIERS

PATTE DE PIERRE – chat brun clair à poil long.

GRIFFE NOIRE – mâle au pelage charbonneux.

GROS VENTRE – mâle moucheté très trapu.
APPRENTI: NUAGE DE L'AUBE

PELAGE D'OMBRE – chatte d'un gris très sombre.

PATTE DE BRUME – chatte gris-bleu foncé aux yeux bleus.
APPRENTI: NUAGE DE PLUME

VENTRE AFFAMÉ – chat brun foncé.

REINES

PELAGE DE MOUSSE – reine écaille de tortue.

REINE-DES-PRÉS – chatte blanc crème.

CLAN DU SANG

CHEF

LIEUTENANT

FLÉAU – petit chat noir doté d'une patte blanche.

CARCASSE – énorme chat noir et blanc.

DIVERS

GERBOISE – mâle noir et blanc qui vit près d'une ferme, de l'autre côté de la forêt.

NUAGE DE JAIS – petit chat noir au poil lustré, avec une tache blanche sur la poitrine et le bout de la queue, ancien apprenti du Clan du Tonnerre qui vit avec Gerboise.

PRINCESSE – chatte domestique brun clair au poitrail et aux pattes blancs.

FICELLE – gros chaton noir et blanc qui habite une maison à la lisière du bois.

Charnier

Camp
de l'Ombre

Chemin du Tonnerre

Camp
du Tonnerre

Grand Sycomore

Rochers
aux Serpents

Combe
sablonneuse

Grands
Pins

Cabane à
couper le bois

Ville des Bipèdes

Clan
du Tonnerre

Clan
de la Rivière

Clan
de l'Ombre

Clan
du Vent

Clan
des Étoiles

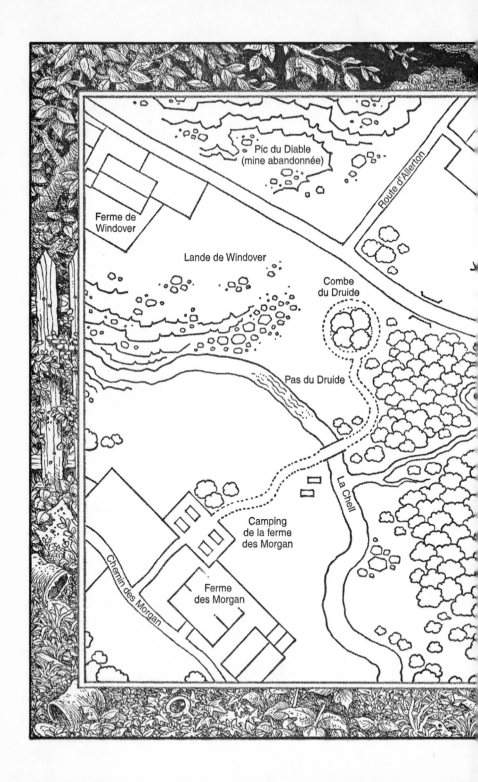

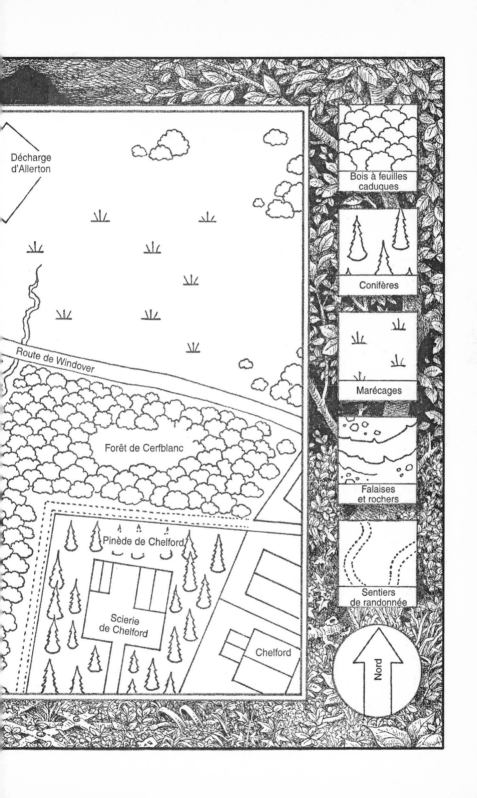

Décharge
d'Allerton

Route de Windover

Forêt de Cerfblanc

Pinède de Chelford

Scierie
de Chelford

Chelford

Bois à feuilles
caduques

Conifères

Marécages

Falaises
et rochers

Sentiers
de randonnée

Nord

PROLOGUE

Lᴀ ᴘʟᴜɪᴇ ᴛᴏᴍʙᴀɪᴛ à n'en plus finir. Elle clapotait sur le sol noir et dur du chemin du Tonnerre, le long d'interminables rangées de nids de Bipèdes. De temps en temps, un monstre passait en grognant. Les yeux brillants, il emportait au loin un Bipède blotti au creux de sa fourrure métallique.

Deux chats se faufilèrent à pas feutrés entre les nids sans s'éloigner du mur, là où les ombres étaient les plus épaisses. La fourrure du premier, un félin gris famélique à l'oreille déchirée, aux yeux perçants, était collée et noircie par la pluie.

Le deuxième était un grand chat à la fourrure tachetée et large d'épaules. Les muscles saillaient sous son pelage trempé, ses yeux ambrés luisaient dans la pénombre, et son regard hésitait à se poser, comme s'il s'attendait à une attaque.

Il s'abrita à l'entrée d'un nid de Bipèdes et maugréa :
« C'est encore loin ? Cet endroit pue horriblement. »
Le matou gris se retourna pour lui répondre :
« On y est presque.
— J'espère bien. »
Le félin tacheté se remit en route avec une grimace. Ses oreilles s'agitaient constamment pour chasser les

gouttes de pluie. Une lumière jaune et aveuglante jaillit soudain : il se crispa tandis qu'un monstre les dépassait dans un rugissement en soulevant une vague d'eau souillée qui empestait les ordures de Bipèdes. Le chat ne put réprimer un râle lorsque la vague s'abattit sur ses pattes et éclaboussa son pelage.

Tout dans ce camp de Bipèdes le dégoûtait : la surface dure sous ses coussinets, la puanteur des monstres, celle des Bipèdes qu'ils portaient dans leur ventre, les bruits inconnus et, plus que tout, le sentiment d'impuissance qui l'assaillait : jamais il n'aurait pu survivre ici sans guide. Il n'était guère habitué à dépendre des autres. Dans la forêt, il connaissait chaque arbre, chaque cours d'eau, chaque terrier. Il était considéré comme le plus fort et le plus dangereux des guerriers de tous les Clans. Et voilà que ses talents et ses sens aiguisés ne lui servaient à rien. Il se sentait comme sourd, aveugle et infirme, réduit à suivre son compagnon comme un chaton sans défense derrière sa mère.

Mais ça en valait la peine. Les moustaches du félin frémirent lorsqu'il pensa à son plan : il allait faire de ses pires ennemis de vulgaires proies sur leur propre territoire. Si les choses se passaient comme prévu, cette expédition dans le territoire des Bipèdes lui fournirait tout ce dont il avait toujours rêvé.

Le chat gris l'entraîna vers un endroit à découvert qui empestait le monstre. Les flaques d'eau reflétaient des lumières orange artificielles. Il s'arrêta aux abords d'une allée étroite et entrouvrit les mâchoires pour mieux humer l'air.

Son compagnon l'imita puis, dégoûté par l'odeur de pourriture, se lécha les babines.

« C'est ici ? demanda-t-il.

— Oui, répondit le guerrier gris, tendu. À partir de maintenant, souviens-toi de ce que je t'ai dit. Celui que nous allons rencontrer a de nombreux chats sous sa coupe. Nous devons le traiter avec respect.

— Flèche Grise, aurais-tu oublié qui je suis ? interrogea le grand mâle en se dressant devant son compagnon.

— Non, Étoile du Tigre, siffla l'autre, les oreilles rabattues. Je n'ai pas oublié. Mais ici, tu n'es plus chef de Clan.

— Allons-y, qu'on en finisse. »

Flèche Grise se coula dans l'allée. Il s'arrêta peu après, lorsqu'une silhouette massive apparut devant eux.

« Qui va là ? » gronda un robuste matou noir et blanc sorti de l'ombre. Ses muscles puissants apparaissaient sous sa fourrure plaquée par la pluie. « Identifiez-vous. Nous n'aimons pas les étrangers, par ici.

— Salut, Carcasse, miaula le guerrier gris. Tu te souviens de moi ? »

Le chat noir et blanc plissa les paupières et resta silencieux un instant.

« Alors comme ça, tu es revenu, Flèche Grise ? miaula-t-il enfin. Tu prétendais pourtant que la vie serait meilleure dans la forêt. Qu'est-ce que tu fiches ici ? »

Il fit un pas en avant, mais Flèche Grise ne se déroba pas et sortit les griffes.

« Nous voulons voir Fléau. »

Carcasse renâcla, mi-amusé, mi-méprisant.

« Je ne crois pas que lui aura envie de vous voir. Et qui c'est, celui-là ?

— On m'appelle Étoile du Tigre. Je viens de la forêt et je veux parler à ton chef. »

Le regard de Carcasse passait d'Étoile du Tigre à Flèche Grise.

« Et tu lui veux quoi ? »

Les yeux ambrés d'Étoile du Tigre brillèrent, semblables aux lumières qui se réfléchissaient sur les pierres humides autour d'eux.

« Cela concerne ton chef, pas ses subalternes. »

Carcasse cracha et sortit les griffes, mais Flèche Grise s'empressa de s'interposer.

« Fléau doit entendre sa proposition, insista-t-il. Tout le monde pourrait y trouver son compte. »

Le colosse noir et blanc hésita un instant avant de s'écarter pour les laisser passer. Malgré l'hostilité qui se lisait sur son visage, il n'ajouta rien.

Étoile du Tigre s'avança le premier, prudemment, tandis que les lumières disparaissaient derrière eux. De chaque côté de l'allée, des chats squelettiques se glissaient derrière des tas d'ordures, leurs yeux luisaient tandis qu'ils surveillaient la progression des deux intrus. Étoile du Tigre banda ses muscles. Si l'entrevue tournait mal, il devrait peut-être se battre pour se sortir de là.

Un mur se dressait au bout de l'allée. Le chef de Clan inspecta l'endroit, guettant le meneur de tous ces chats qui vivaient dans le camp de Bipèdes. Il s'attendait à voir une bête plus massive encore que l'imposant Carcasse, si bien qu'il remarqua à peine le petit chat noir tapi dans l'ombre d'une porte.

Flèche Grise le poussa du museau puis fit un signe de tête en direction du félin noir.

« Voilà Fléau.

— C'est lui, Fléau ? » L'exclamation d'Étoile du Tigre, incrédule, couvrit le bruit de la pluie battante. « Il n'est pas plus gros qu'un apprenti !

— Chh ! » La panique déforma le visage de Flèche Grise. « Ce n'est peut-être pas un Clan comme nous en avons l'habitude, mais ces chats sont prêts à tuer pour leur chef.

— On dirait que j'ai de la visite. » La voix aiguë du matou noir crissa désagréablement. « Je ne pensais pas te revoir un jour, Flèche Grise. On m'avait dit que tu étais parti vivre dans la forêt.

— C'est vrai, confirma l'intéressé.

— Alors que viens-tu faire ici ? demanda son ancien chef, en maugréant. Tu as changé d'avis et tu es venu me supplier d'accepter ton retour ? Tu crois que je tolérerais une chose pareille ?

— Non, Fléau, répondit le chat gris en soutenant le regard hostile qui le dévisageait. La vie est agréable, dans la forêt. Il y a beaucoup de gibier, et pas de Bipèdes...

— Tu n'es pas venu pour vanter les mérites de ton mode de vie, l'interrompit Fléau avec un battement de queue. Ce sont les écureuils qui vivent dans les arbres, pas les chats. »

Étoile du Tigre s'avança, écartant son guide d'un mouvement d'épaule.

« Je suis Étoile du Tigre, le chef du Clan de l'Ombre, déclara-t-il. Et j'ai une proposition à te faire. »

CHAPITRE PREMIER

Tandis que Cœur de Feu portait son défunt chef jusqu'à sa dernière demeure, les rayons du soleil s'insinuaient entre les arbres dénudés. Les crocs fermement plantés dans la nuque de son mentor, il remontait l'itinéraire emprunté par la meute de chiens lorsque les guerriers du Clan du Tonnerre les avaient attirés vers les gorges – vers leur fin. Son corps tout entier lui semblait engourdi, et son esprit ressassait l'horrible réalité : Étoile Bleue était morte.

La forêt elle-même lui paraissait différente, presque plus étrange que le jour où il s'y était aventuré pour la première fois, alors qu'il n'était encore qu'un chat domestique. Rien n'avait l'air réel ; il avait l'impression qu'à tout instant les arbres et les roches allaient se dissiper comme de la brume. Un silence sans fin, inhabituel, étouffait le moindre bruit. La raison de Cœur de Feu lui soufflait que le gibier avait détalé à cause du vacarme de la meute, mais du fond de sa douleur, il lui semblait que la forêt elle-même observait un silence endeuillé.

La scène dans les gorges repassait en boucle devant ses yeux. Il revit les mâchoires baveuses du chef de meute et sentit de nouveau ses crocs acérés s'enfoncer dans sa nuque. Il se rappela comment Étoile Bleue avait surgi de nulle part pour se jeter sur le chien et l'entraîner – avec elle – au fond des gorges. Il se crispa au souvenir de l'impact glacé lorsqu'il avait sauté dans l'eau pour sauver son mentor de la noyade ; ils avaient lutté désespérément contre le courant jusqu'à ce que Patte de Brume et Pelage de Silex, deux guerriers du Clan de la Rivière, leur viennent en aide.

Cœur de Feu se rappelait avant tout son désarroi, son incrédulité lorsqu'il s'était étendu près de son chef sur la rive, réalisant qu'elle venait de sacrifier sa dernière vie pour le sauver, lui, et tout le Clan du Tonnerre.

Tandis qu'il ramenait le corps d'Étoile Bleue au camp, avec l'aide de Patte de Brume et de Pelage de Silex, il s'arrêtait à intervalles réguliers pour humer l'air, guettant la moindre odeur de chien ; il avait déjà envoyé son ami Plume Grise sur le chemin pour vérifier que, dans leur course effrénée vers les gorges, les molosses n'avaient attrapé aucun membre du Clan du Tonnerre. Jusqu'à présent, au grand soulagement de Cœur de Feu, Plume Grise n'avait rien trouvé.

Après avoir contourné un fourré de ronces, le guerrier roux reposa une fois de plus le corps de son mentor et leva le museau. Il fut soulagé de ne sentir aucune odeur suspecte. L'instant d'après, Plume Grise apparut au détour d'un tas de fougères mortes.

« Rien à signaler, Cœur de Feu, rapporta-t-il. À part des sous-bois piétinés.

— Bien. » Il était donc possible que les rescapés de la meute se soient enfuis, terrorisés, rendant la forêt aux chats sauvages des quatre Clans. Devenus des proies sur leur propre terrain de chasse, les membres du Clan du Tonnerre venaient de connaître trois lunes terribles... mais ils avaient survécu. « Continuons, reprit-il. Je veux vérifier que notre camp est un endroit sûr avant le retour du Clan. »

Épaulé par les deux guerriers du Clan de la Rivière, il souleva le corps d'Étoile Bleue et l'emporta à travers les arbres. Au sommet du ravin qui donnait sur l'entrée du camp, Cœur de Feu s'immobilisa. Il se souvint brièvement que, le matin même, lui et ses guerriers avaient retrouvé des lapins morts qu'Étoile du Tigre avait déposés pour guider les chiens jusqu'à eux. Au bout de la piste, ils avaient découvert le cadavre de la douce reine, Plume Blanche, massacrée pour donner aux chiens le goût du sang. Mais tout semblait maintenant paisible. Lorsque Cœur de Feu huma l'air une nouvelle fois, seules des odeurs familières lui parvinrent du camp.

« Attendez ici, miaula-t-il. Je vais jeter un œil.

— Je t'accompagne, proposa aussitôt Plume Grise.

— Non, répliqua Pelage de Silex en lui barrant la route avec sa queue. Je pense que Cœur de Feu a besoin de le faire seul. »

Remerciant d'un signe le lieutenant du Clan de la Rivière, Cœur de Feu s'élança dans le ravin, à l'affût du moindre bruit suspect. Rien. Le même silence étrange régnait toujours sur la forêt.

Lorsqu'il sortit du tunnel d'ajoncs et gagna la clairière, il prit le temps d'observer le camp en détail. Il était possible qu'un ou plusieurs chiens ne soient jamais arrivés jusqu'aux gorges, ou qu'Étoile du Tigre ait envoyé des guerriers du Clan de l'Ombre pour envahir les lieux. Mais tout était calme. Les poils de son pelage se dressèrent devant l'étrange spectacle du camp déserté ; néanmoins, il n'y avait aucun signe de danger, ni aucune odeur d'un guerrier du Clan de l'Ombre.

Pour s'assurer que tout était en ordre, il alla inspecter les tanières et la pouponnière. Des souvenirs décousus lui revinrent : l'étonnement du Clan lorsqu'il leur avait parlé de la meute de chiens, la poursuite effrénée à travers la forêt alors qu'il sentait l'haleine chaude du chef de meute derrière lui. Au pied du Promontoire, tout en écoutant le murmure du vent à travers les arbres, Cœur de Feu se rappela le jour où Étoile du Tigre s'était tenu là, fièrement dressé devant le Clan alors que l'ampleur de sa trahison venait d'être révélée. Il avait juré qu'il se vengerait lorsqu'on l'avait exilé, et Cœur de Feu était sûr que cette manœuvre – envoyer les chiens dans le but de détruire le Clan du Tonnerre – ne serait pas la dernière.

Enfin, Cœur de Feu se faufila précautionneusement dans le tunnel de fougères qui menait à la tanière de Museau Cendré. Un coup d'œil à l'intérieur lui permit de voir les herbes médicinales soigneusement rangées le long du mur. Un souvenir plus fort que les autres reflua alors, et il revit Petite Feuille et Croc Jaune, les guérisseuses qui avaient précédé Museau Cendré. Cœur de Feu les avait aimées toutes les deux, et le chagrin de les avoir perdues se mêla à celui qu'il éprouvait pour son chef disparu.

Étoile Bleue est morte, leur dit-il en silence. *Vous a-t-elle rejointes, au sein du Clan des Étoiles ?*

Il revint sur ses pas, jusqu'au sommet du ravin. Plume Grise montait la garde pendant que Patte de Brume et Pelage de Silex faisaient la toilette du chef défunt.

« Tout va bien, annonça Cœur de Feu. Plume Grise, je veux que tu partes tout de suite vers les Rochers du Soleil. Dis au Clan qu'Étoile Bleue est morte, mais rien d'autre. Je leur expliquerai tout à leur retour. Avertis-les simplement qu'ils peuvent rentrer sans crainte.

— Pas de problème », répondit Plume Grise, les yeux brillants.

Il fit demi-tour d'un bond et fila à travers la forêt vers les Rochers du Soleil, où le Clan s'était réfugié.

Étendu près du corps d'Étoile Bleue, Pelage de Silex ronronna, amusé.

« On voit bien à qui va la loyauté de Plume Grise, fit-il remarquer.

— C'est vrai, renchérit Patte de Brume. Aucun chat du Clan de la Rivière ne pensait qu'il resterait parmi nous. »

La mère des chatons de Plume Grise appartenait au Clan de la Rivière. Après la mort de cette dernière pendant la mise bas, le guerrier avait rejoint le Clan ennemi pour vivre auprès de ses petits, mais au fond de son cœur, il n'avait jamais quitté le Clan du Tonnerre. Forcé à combattre son Clan natal, il avait choisi de sauver la vie de Cœur de Feu. En conséquence, le chef de son Clan d'adoption, Étoile du Léopard, l'avait banni. Cœur de Feu comprenait à présent que cet exil avait permis à Plume Grise de retrouver sa véritable place.

Après un signe de tête en direction des deux guerriers qui l'accompagnaient, Cœur de Feu souleva de nouveau le corps de son mentor, puis les trois félins manœuvrèrent pour descendre Étoile Bleue dans le ravin et la porter jusqu'au camp. Ils purent enfin la déposer dans son antre, sous le Promontoire, où elle demeurerait jusqu'à ce que son Clan l'ait saluée une dernière fois. Puis, on l'enterrerait avec tous les honneurs que méritait un chef si sage et si noble.

« Merci de votre aide », miaula Cœur de Feu. Il hésita un instant avant de poursuivre, sachant trop bien ce qu'impliquerait son invitation. « Voulez-vous rester pour assister à la cérémonie ?

— C'est une offre généreuse, répondit Pelage de Silex, un peu étonné que Cœur de Feu soit prêt à laisser les membres d'un Clan rival assister à un rite si intime. Mais le devoir nous appelle dans notre propre Clan. Nous devons y retourner.

— Merci, Cœur de Feu, ajouta Patte de Brume. Ta proposition nous touche, mais notre Clan ne comprendrait pas que nous l'acceptions. Ils ne savent pas qu'Étoile Bleue était notre mère, n'est-ce pas ?

— En effet, répondit le guerrier roux. Seul Plume Grise est au courant. Mais Étoile du Tigre a entendu votre conversation avec Étoile Bleue, sur... sur la rive. Il est possible qu'il révèle cette information lors de la prochaine Assemblée. »

Le frère et la sœur échangèrent un regard. Puis Pelage de Silex se redressa, une lueur de défi dans les yeux.

« Qu'il dise ce qu'il veut, proclama-t-il. Je l'annoncerai moi-même aujourd'hui à notre Clan. Nous n'avons pas honte de notre mère. C'était un chef noble... et notre père, un lieutenant exceptionnel.

— C'est vrai, le soutint Patte de Brume. Personne ne peut le nier, même s'ils venaient effectivement de Clans différents. »

Dans leur courage et leur détermination, Cœur de Feu retrouva leur mère, Étoile Bleue. Elle les avait abandonnés à leur père, Cœur de Chêne, le lieutenant du Clan de la Rivière, et les deux chats avaient grandi en pensant qu'ils étaient nés dans le Clan paternel. En découvrant la vérité, ils avaient d'abord haï Étoile Bleue, mais ce matin-là, tandis qu'elle se mourait sur la rive, ils lui avaient pardonné. Dans sa douleur, Cœur de Feu était soulagé que son chef ait pu se réconcilier avec ses petits avant de rejoindre le Clan des Étoiles. Lui seul savait à quel point elle avait souffert d'être séparée d'eux.

« J'aurais aimé mieux la connaître, soupira Pelage de Silex, comme s'il lisait dans les pensées du rouquin. Tu as eu de la chance de grandir dans son Clan et de devenir son lieutenant.

— Je sais. »

Cœur de Feu contempla tristement la chatte gris-bleu qui gisait, immobile, sur le sol sablonneux. Elle semblait toute petite, et vulnérable, maintenant que son noble esprit avait quitté son corps pour aller chasser avec le Clan des Étoiles.

« Pouvons-nous lui dire au revoir en privé ? lui demanda Patte de Brume, hésitante. Juste un instant ?

— Bien sûr. »

Le guerrier roux quitta l'antre à pas feutrés, laissant Pelage de Silex et Patte de Brume accomplir la cérémonie du partage avec leur mère, pour la première et dernière fois.

Tandis qu'il longeait le Promontoire, il entendit des chats traverser le tunnel d'ajoncs. Il hâta le pas, et aperçut Pelage de Givre et Perce-Neige pénétrer timidement dans la clairière, hésitant à quitter l'abri de feuilles. Poil de Fougère et Bouton-d'Or suivirent, tout aussi inquiets.

Cœur de Feu fut blessé de voir ses guerriers se méfier de leur propre camp. Ses yeux cherchèrent une silhouette bien particulière : Tempête de Sable, la chatte au pelage roux clair qu'il aimait plus que tout. Il fallait qu'il sache si elle était sortie indemne de sa course folle visant à attirer les chiens loin du camp.

Le lieutenant repéra son neveu, Flocon de Neige : le guerrier blanc escortait doucement Sans Visage, une jeune chatte qui avait subi de terribles blessures face à la meute, lors d'une confrontation précédente. Vint ensuite Museau Cendré qui clopinait dans le tunnel, un assortiment d'herbes dans la gueule. Derrière elle, Nuage Épineux et Nuage d'Or piétinaient avec impatience : les deux plus jeunes apprentis du Clan étaient également les rejetons d'Étoile du Tigre.

Cœur de Feu aperçut enfin Tempête de Sable, au côté de Fleur de Saule. Les trois chatons de cette dernière bondissaient de-ci, de-là, inconscients du danger auquel leur Clan avait dû faire face.

Un ronronnement monta de la gorge du lieutenant lorsqu'il courut vers sa belle pour presser son museau contre son flanc. La guerrière lui lécha les oreilles avec fougue et, lorsque Cœur de Feu la regarda, ses prunelles vertes le fixèrent avec chaleur.

« Je m'inquiétais pour toi, Cœur de Feu. Ces chiens étaient tellement énormes ! Je n'avais jamais eu aussi peur de toute ma vie.

— Moi non plus, avoua le rouquin. Pendant que je les attendais, je ne pouvais m'empêcher de penser qu'ils t'avaient peut-être attrapée.

— Qu'ils m'avaient attrapée, moi ? » Tempête de Sable s'écarta de lui, agitant le bout de la queue. L'espace d'un instant, il eut peur de l'avoir vexée, mais il vit l'étincelle de malice dans son regard. « Je courais pour toi et pour le Clan, Cœur de Feu. J'avais l'impression d'être portée par le Clan des Étoiles ! »

Elle gagna le centre de la clairière et inspecta les environs, l'air soudain plus sombre.

« Où est Étoile Bleue ? Plume Grise nous a dit qu'elle avait péri.

— Oui. J'ai essayé de la sauver, mais la lutte contre le courant l'avait épuisée. Elle est dans son antre. » Il hésita avant d'ajouter : « Avec Patte de Brume et Pelage de Silex. »

Tempête de Sable fit volte-face, le pelage dressé par l'inquiétude.

« Il y a des guerriers du Clan de la Rivière dans notre camp ? Pourquoi ?

— Ils m'ont aidé à sortir Étoile Bleue de l'eau. Et... elle était leur mère. »

La chatte roux pâle se figea, les yeux écarquillés de stupeur.

« Comment ? Mais... »

Cœur de Feu l'interrompit en pressant son museau contre le sien.

« Je t'expliquerai tout plus tard, promit-il. Pour le moment, je dois m'assurer que le Clan va bien. »

Tandis qu'ils parlaient, les derniers arrivants s'étaient faufilés dans le tunnel d'ajoncs avant de se rassembler en un cercle irrégulier autour d'eux. Cœur de Feu avisa Nuage de Granit et Nuage de Bruyère, les deux apprentis qui s'étaient élancés les premiers pour attirer les chiens loin du camp.

« Bravo, vous deux, miaula-t-il aux deux chats, qui ronronnèrent.

— Nous nous sommes cachés dans le noisetier, comme tu nous l'avais ordonné, et nous avons sauté au sol dès que nous avons vu les chiens, expliqua Nuage de Granit.

— Oui, il fallait qu'on les empêche d'arriver jusqu'au camp, ajouta Nuage de Bruyère.

— Vous avez fait preuve d'un grand courage, les félicita leur lieutenant en repensant au corps martyrisé de Plume Blanche, leur mère assassinée par Étoile du Tigre. Je suis fier de vous. Et votre mère le serait également. »

Nuage de Granit sembla soudain aussi vulnérable qu'un chaton.

« J'étais mort de peur, admit l'apprenti. Si j'avais su à quoi ressemblaient ces chiens, je ne crois pas que j'aurais osé.

— Nous étions tous terrifiés, le rassura Pelage de Poussière qui s'approcha et donna un gentil coup de langue au jeune félin. Je n'ai jamais couru aussi vite de ma vie. Vous deux, vous vous en êtes sortis comme des chefs. »

Ses louanges s'adressaient aux deux apprentis, mais Pelage de Poussière n'avait d'yeux que pour Nuage de Bruyère. Cœur de Feu réussit à dissimuler son amusement. Tout le monde connaissait l'affection du guerrier brun pour la petite chatte.

« Toi aussi, tu as fait ce qu'il fallait, Pelage de Poussière, miaula le lieutenant. Le Clan a une dette envers chacun de vous. »

Pelage de Poussière soutint le regard de son supérieur avant de lui adresser un petit signe de tête. En se tournant, Cœur de Feu aperçut Flocon de Neige en train de guider gentiment Sans Visage à travers la clairière. Il les rejoignit et demanda :

« Comment vas-tu, Sans Visage ?

— Bien, répondit la jeune chatte, même si son unique œil s'agitait nerveusement. Tu es sûr qu'aucun chien ne s'est introduit chez nous ?

— J'ai inspecté le camp moi-même. Il n'y en a pas la moindre trace.

— Elle s'est montrée très courageuse aux Rochers du Soleil, lui rapporta Flocon de Neige, touchant l'épaule de sa camarade du bout de son museau. Elle m'a aidé à monter la garde du haut d'un arbre. »

Sans Visage sembla se reprendre.

« Je n'y vois plus aussi bien, mais mon ouïe et mon odorat sont intacts.

— Bravo à toi, fit le lieutenant. Et à toi aussi, Flocon de Neige. J'ai eu raison de te faire confiance.

— Tout le monde s'est montré à la hauteur. » C'était la voix de Museau Cendré. Cœur de Feu la vit boiter vers lui en compagnie de Poil de Souris. « Personne n'a paniqué, pas même lorsque nous avons entendu la meute hurler.

— Et tout le monde est indemne ? demanda le guerrier, inquiet.

— Oui, le rassura la guérisseuse, dont les yeux bleus brillaient de soulagement. Poil de Souris s'est tordu une griffe en courant devant les chiens, mais c'est tout. Viens, Poil de Souris, je vais t'arranger ça. »

Tandis qu'il les regardait s'éloigner, il se rendit compte que Tornade Blanche avait surgi près de lui.

« Je peux te dire un mot ?

— Bien sûr.

— Je suis désolé, commença-t-il d'un air angoissé. Je sais que tu m'avais demandé de surveiller Étoile Bleue. Mais elle a quitté les Rochers du Soleil à mon insu. C'est ma faute, si elle est morte. »

Cœur de Feu plissa les yeux, fixant le doyen des guerriers. Pour la première fois, il remarqua à quel point il avait l'air fatigué. Même s'il commençait à se faire vieux, il lui avait toujours semblé fort et vigoureux, le pelage blanc impeccablement lustré et soigné. Soudain, il paraissait avoir vieilli de cent saisons.

« C'est ridicule ! insista Cœur de Feu. Même si tu avais remarqué l'absence d'Étoile Bleue, qu'aurais-tu fait ? Elle était ton chef, tu n'aurais pas pu la forcer à rester.

— Je n'ai pas osé dépêcher un chat à ses trousses, continua Tornade Blanche. Pas avec la meute lâchée dans la forêt. Nous étions coincés, forcés d'attendre dans les arbres des Rochers du Soleil en écoutant les hurlements... » Un frisson lui parcourut l'échine. « J'aurais quand même dû tenter quelque chose.

— Tu as agi comme il fallait, le rassura Cœur de Feu. Tu es resté auprès du Clan pour assurer sa sécurité. C'était la décision d'Étoile Bleue. Elle nous a sauvés selon la volonté du Clan des Étoiles. »

Le vétéran hocha la tête d'un air grave. Son regard était encore troublé lorsqu'il murmura :

« Et pourtant, elle ne croyait plus du tout au Clan des Étoiles. »

Cœur de Feu avait conscience qu'ils partageaient là un lourd secret : pendant les dernières lunes de sa vie, Étoile Bleue avait commencé à perdre l'esprit. Traumatisée par la trahison d'Étoile du Tigre, elle s'était convaincue qu'elle était en conflit avec les guerriers de jadis. Cœur de Feu et Tornade Blanche, avec l'aide de Museau Cendré, avaient réussi à dissimuler la faiblesse de leur chef au reste du Clan. Mais le lieutenant savait aussi que, aux portes de la mort, les sentiments de son mentor avaient changé.

« Non, Tornade Blanche, répondit Cœur de Feu, content de pouvoir réconforter un tant soit peu le vieux et noble guerrier. Elle a fait la paix avec le Clan des Étoiles avant de mourir. Elle savait exactement ce qu'elle faisait, et pourquoi. Elle avait retrouvé ses esprits, et sa foi était intacte. »

La joie vint alléger le chagrin qui embrumait les yeux du vétéran, et il baissa la tête. Cœur de Feu comprit à quel point la mort de leur chef devait être pénible pour lui : ils avaient été amis toute leur vie.

Le reste du Clan avait maintenant pris place en cercle autour de son lieutenant. Les regards portaient des traces de l'épreuve qu'ils venaient de traverser et reflétaient la crainte de ce que l'avenir leur réservait. Il comprit qu'il lui revenait d'apaiser ces peurs.

« Cœur de Feu, demanda Poil de Fougère, est-ce vrai qu'Étoile Bleue est morte ?

— Oui, c'est vrai. Elle... elle a péri en me sauvant, en nous sauvant tous. » L'espace d'un instant, il crut que sa voix allait se briser. « Comme vous le savez, j'étais le dernier à devoir mener nos attaquants vers les gorges. J'étais arrivé presque au bord lorsque Étoile du Tigre a bondi sur moi, me plaquant au sol afin que le meneur des chiens me rattrape. Sans Étoile Bleue, le molosse m'aurait tué, et la meute sévirait toujours dans la forêt. Elle s'est jetée sur le chien, au sommet des gorges, et... et ils sont tombés tous les deux. »

Un frisson d'horreur parcourut l'assemblée, comme une brise balayant les branches des arbres.

« Et ensuite, que s'est-il passé ? s'enquit Pelage de Givre d'une petite voix.

— J'ai sauté, mais je n'ai pas réussi à la sauver. » Le lieutenant ferma les yeux et eut une brève vision des eaux tumultueuses et de son combat perdu d'avance pour maintenir son chef hors de l'eau. « Patte de Brume et Pelage de Silex, du Clan de la Rivière, sont venus nous aider, poursuivit-il. Étoile Bleue était encore en vie lorsque nous l'avons hissée sur la rive, mais il était trop tard. Sa neuvième vie a pris fin ; elle nous a quittés pour rejoindre le Clan des Étoiles. »

Une plainte s'éleva de l'assistance. Nombre de ces chats n'étaient pas encore nés à l'époque où Étoile

Bleue était devenue chef du Clan ; sa mort devait leur faire le même effet que si l'on venait d'abattre les Quatre Chênes.

Il haussa la voix pour ne pas céder au chagrin.

« Étoile Bleue n'a pas disparu, vous savez. Elle veille déjà sur nous, depuis le Clan des Étoiles... son esprit est toujours là, avec nous. » *Ou dans son antre, pensa-t-il à part lui, où Pelage de Silex et Patte de Brume lui font sa toilette.*

« J'aimerais la voir, miaula Perce-Neige. Où est-elle ? Dans sa tanière ? demanda-t-elle en se tournant vers le promontoire, flanquée de Plume Cendrée et de Petite Oreille.

— Je vous accompagne », lança Pelage de Givre en se mettant sur ses pattes.

Le cœur du lieutenant fit un bond dans sa poitrine. Il avait espéré accorder le plus de temps possible aux deux guerriers du Clan de la Rivière, mais il se rappela soudain que, mis à part Plume Grise et Tempête de Sable, personne ne savait qu'ils se trouvaient dans le camp.

« Attendez... » s'écria-t-il en se frayant un passage parmi les chats.

Trop tard. Plume Cendrée et Pelage de Givre se tenaient déjà sur le seuil de la tanière, la fourrure ébouriffée et la queue gonflée face aux intrus. Un grognement menaçant s'échappa des babines de Pelage de Givre :

« Qu'est-ce que vous fichez ici ? »

CHAPITRE 2

Lorsque Cœur de Feu bondit au milieu de la tanière d'Étoile Bleue, Perce-Neige lui fit face, les yeux luisant de colère.

« Deux chats du Clan de la Rivière sont ici, feula-t-elle. Ils sont en train de mutiler le corps de notre chef !

— Non ! Pas du tout ! protesta Cœur de Feu. Ils lui rendent hommage. Ils ont le droit d'être là. »

Il se rendit compte que le reste du Clan s'était massé avec inquiétude derrière lui. Il entendit Flocon de Neige protester, et les autres félins se mirent à gronder.

Le lieutenant fit volte-face.

« Reculez ! ordonna-t-il. Tout va bien. Patte de Brume et Pelage de Silex...

— Tu savais qu'ils étaient là ! » s'indigna Éclair Noir. Il se faufila dans la cohue pour se retrouver nez à nez avec Cœur de Feu. « Tu as laissé des chats ennemis pénétrer dans notre camp, dans la tanière de notre chef ? »

Le rouquin prit une grande inspiration, s'efforçant de rester calme. Il ne faisait guère confiance au matou au poil sombre. Lorsque le Clan se préparait à dévier l'attaque des chiens, Éclair Noir avait tenté de s'éclipser en compagnie des rejetons d'Étoile du Tigre. Il avait juré qu'il ignorait tout du plan visant à détruire le Clan du Tonnerre grâce à la meute, mais Cœur de Feu n'était guère convaincu de sa loyauté.

« Tu as la mémoire courte, rétorqua-t-il. Patte de Brume et Pelage de Silex m'ont aidé à sortir Étoile Bleue de la rivière.

— C'est toi qui le dis ! cracha Éclair Noir. Comment être sûr que c'est la vérité ? Pourquoi nos ennemis du Clan de la Rivière nous aideraient-ils ?

— Ils l'ont déjà fait par le passé, lui rappela son lieutenant. Nous aurions eu plus de morts après l'incendie s'ils ne nous avaient pas accueillis dans leur camp.

— C'est vrai », intervint Poil de Souris. Suivie de Museau Cendré, elle était revenue de l'antre de la guérisseuse et n'avait rien manqué de la confrontation. Elle força le passage pour rejoindre Éclair Noir. « Mais ce n'est pas une raison pour les laisser seuls avec le corps d'Étoile Bleue. Qu'est-ce qu'ils fabriquent ?

— Nous lui rendons hommage. »

Le défi perçait dans la voix de Pelage de Silex. Le lieutenant du Clan de la Rivière et sa sœur venaient d'apparaître sur le seuil. Ils semblaient tous deux bouleversés par la réaction des chats du Clan du Tonnerre, et leur fourrure commença à se hérisser lorsqu'ils comprirent qu'on les traitait comme des intrus.

« Nous voulions lui dire au revoir, miaula Patte de Brume.

— Pourquoi ? » s'enquit Poil de Souris.

Une boule se forma dans l'estomac de Cœur de Feu lorsque la guerrière se tourna vers la chatte au pelage brun foncé et répondit :

« C'était notre mère. »

Un silence s'abattit sur l'assemblée, troublé par les sifflements d'un merle à l'orée du camp. Cœur de Feu réfléchissait à toute vitesse devant les regards choqués et hostiles de son Clan. Il observa Tempête de Sable : elle avait l'air consternée que le Clan du Tonnerre apprenne la nouvelle ainsi.

« Votre mère ? répéta Perce-Neige en grognant. Je ne vous crois pas. Étoile Bleue n'aurait jamais permis que ses chatons soient élevés dans un autre Clan.

— Que tu le croies ou non, c'est la vérité », rétorqua Pelage de Silex.

Cœur de Feu s'avança, signalant d'un mouvement de la queue au guerrier ennemi de ne pas en dire plus.

« Je vais leur expliquer. Patte de Brume et toi feriez mieux de partir, maintenant. »

Pelage de Silex s'inclina puis se dirigea vers le tunnel d'ajoncs, suivi de sa sœur. Tandis que les félins du Clan du Tonnerre s'écartaient pour les laisser passer, le rouquin en entendit certains cracher sur leur passage.

« Les remerciements du Clan vous accompagnent », lança Cœur de Feu.

Les deux guerriers du Clan de la Rivière ne répondirent pas. Pas plus qu'ils ne se retournèrent avant de disparaître dans le tunnel.

Le lieutenant sentait dans le moindre de ses poils le désir de fuir ses nouvelles responsabilités. Le secret qui avait été si lourd à garder – le fait qu'Étoile Bleue ait abandonné ses chatons à un autre Clan – serait plus lourd encore à partager. Il aurait voulu avoir le temps de choisir ses mots, mais il valait mieux que son Clan apprenne la vérité aujourd'hui, de sa bouche, plutôt que de celle d'Étoile du Tigre, à la prochaine Assemblée. En tant que nouveau chef de Clan, il devait accomplir son devoir, même si cela lui déplaisait.

Il fit un signe de tête à Museau Cendré avant de bondir sur le Promontoire. Il n'eut pas besoin d'appeler au rassemblement : tous les chats se tournaient déjà vers lui. Pendant un instant, Cœur de Feu eut le souffle coupé, incapable de parler.

Il lisait dans leurs regards la colère, la confusion, et il sentait l'odeur de la peur. Éclair Noir le fixait, les yeux plissés, comme s'il préparait déjà son rapport à Étoile du Tigre. Mais celui-ci était déjà au courant, pensa Cœur de Feu, amer : il avait entendu les paroles d'Étoile Bleue, tandis qu'elle gisait sur la berge. Le chef du Clan de l'Ombre serait sûrement ravi d'apprendre que la nouvelle avait bouleversé le Clan du Tonnerre et que le rouquin se trouvait en difficulté. À l'évidence, Étoile du Tigre trouverait le moyen de tourner cette situation à son avantage. Il s'en servirait pour se venger du Clan qui l'avait chassé et pour récupérer ses petits, Nuage Épineux et Nuage d'Or.

Cœur de Feu respira à fond avant de se lancer :

« Patte de Brume et Pelage de Silex sont bel et bien les enfants d'Étoile Bleue. » Il s'efforçait de garder un ton égal et implorait le Clan des Étoiles de lui souffler les mots qui empêcheraient le Clan du Tonnerre de se retourner contre Étoile Bleue. « Cœur de Chêne, du Clan de la Rivière, était leur père. Quand les chatons sont nés, Étoile Bleue les lui a confiés pour qu'ils soient élevés auprès de lui.

— Comment le sais-tu ? grogna Pelage de Givre. Étoile Bleue n'aurait jamais fait une chose pareille ! Si ces chats du Clan de la Rivière l'affirment, ils mentent.

— C'est Étoile Bleue elle-même qui me l'a confié », expliqua le lieutenant.

Il soutint le regard de la chatte blanche : la colère étincelait dans ses yeux ; elle montrait les crocs, mais n'osa pas l'accuser, lui, de mentir.

« Tu es en train de nous dire que c'était une traîtresse ? » siffla-t-elle.

Un chat ou deux protestèrent bruyamment. Pelage de Givre se tourna vers eux, la fourrure hérissée, et Tornade Blanche se dressa devant elle. Même si le vétéran semblait médusé par la nouvelle, sa voix ne laissa rien transparaître lorsqu'il prit la parole.

« Étoile Bleue a toujours été loyale envers son Clan.

— Dans ce cas, coupa Éclair Noir, pourquoi a-t-elle choisi un chat d'une autre tribu comme père de ses enfants ? »

Cœur de Feu ne savait que répondre à cette question. Naguère, Plume Grise était tombé amoureux d'une chatte du Clan de la Rivière, et ses chatons y étaient élevés. Le Clan du Tonnerre avait si mal réagi en apprenant la nouvelle que le guerrier gris avait dû quitter son Clan natal. Depuis, il était revenu,

pourtant certains lui étaient toujours hostiles et doutaient de sa loyauté.

« Tout peut arriver, reprit Cœur de Feu. Étoile
Bleue aurait préféré élever ses chatons ici, pour en
faire des guerriers fidèles au Clan du Tonnerre, mais...

— Je me souviens de ces petits, intervint Petite
Oreille. Ils avaient disparu de la pouponnière. Nous
pensions tous qu'un blaireau ou un renard les avaient
enlevés. Étoile Bleue était affolée. Alors tout cela
n'était qu'un mensonge ?

— Non, répondit le guerrier roux en regardant
l'ancien. Étoile Bleue a été bouleversée par la perte
de ses chatons. Mais elle n'avait pas le choix, si elle
voulait devenir lieutenant du Clan.

— Pour toi, son ambition était plus importante que
ses petits ? » demanda Pelage de Poussière. Le mâle
brun semblait plus étonné qu'en colère, comme si
cette idée ne collait pas avec l'image du chef noble et
sage qu'il avait toujours connu.

« Non, objecta Cœur de Feu. Elle l'a fait parce que
le Clan avait besoin d'elle. Son Clan passait avant tout
le reste. Et il en a toujours été ainsi.

— C'est vrai, confirma Tornade Blanche à voix
basse. Pour Étoile Bleue, rien n'importait plus que le
Clan du Tonnerre.

— Elle a pris jadis une décision courageuse. Patte
de Brume et Pelage de Silex sont fiers d'elle. Et nous
devrions tous l'être aussi. »

Il fut soulagé de voir que les protestations avaient
pris fin, même si la tension parmi les membres du
Clan était toujours palpable. Poil de Souris et Pelage
de Givre marmonnaient en lui jetant des coups d'œil

méfiants. Perce-Neige, dont le bout de la queue s'agitait, fendit la foule pour les rejoindre. Mais Tornade Blanche passait de chat en chat, manifestement pour corroborer les dires du lieutenant. Petite Oreille hocha la tête avec sagesse, comme pour signifier qu'il respectait la dure décision prise par Étoile Bleue.

Puis une voix se fit entendre au-dessus du brouhaha :

« Cœur de Feu, lança Nuage d'Or, c'est toi notre nouveau chef ? »

Avant même que l'interpellé ne puisse répondre, Éclair Noir bondit sur ses pattes et déclara :

« Vous accepteriez qu'un chat domestique devienne votre chef ? Vous avez perdu la raison !

— Ce n'est pas le problème, Éclair Noir, fit remarquer Tornade Blanche, haussant le ton pour couvrir les exclamations de Tempête de Sable et de Plume Grise. Cœur de Feu est le lieutenant du Clan. Il succède donc à Étoile Bleue. Un point c'est tout. »

Le rouquin le remercia d'un regard. Les poils de ses épaules avaient commencé à se dresser, mais il se força à se calmer pour les faire retomber. Il ne voulait pas qu'Éclair Noir se rende compte que ses paroles l'avaient piqué au vif. Pourtant, il ne put réprimer un doute. Certes, Étoile Bleue l'avait nommé lieutenant, mais son esprit était alors embrouillé par la trahison d'Étoile du Tigre. De plus, tout le Clan avait été choqué car la cérémonie avait eu lieu en retard. Ces signes néfastes indiquaient-ils qu'il n'était pas fait pour diriger le Clan ?

« Mais c'est un chat *domestique* ! protesta Éclair Noir, ses yeux jaunes fixant son supérieur d'un air menaçant. Il pue le Bipède à plein nez ! C'est *ça* que nous voulons pour chef ? »

Cœur de Feu sentit une colère familière monter de ses tripes. Même s'il vivait parmi les membres du Clan depuis l'âge de six lunes, Éclair Noir ne manquait jamais une occasion de lui rappeler qu'il n'était pas né dans la forêt.

Tandis que Cœur de Feu combattait une terrible envie de sauter du Promontoire pour planter ses griffes dans la fourrure d'Éclair Noir, Bouton-d'Or se leva et s'approcha du guerrier au pelage sombre.

« Tu te trompes, Éclair Noir, feula-t-elle. Cœur de Feu a prouvé sa loyauté des milliers de fois. Aucun chat né dans le Clan n'aurait pu en accomplir davantage. »

Cœur de Feu la remercia d'un signe de tête, surpris que, de tous les chats du Clan, Bouton-d'Or le soutienne si fermement. Elle connaissait les doutes que le guerrier roux nourrissait envers son chaton, Nuage Épineux, et sa crainte qu'il ne devienne aussi dangereux que son père, Étoile du Tigre. Même s'il avait fait du jeune chat son apprenti, il ne se sentait jamais à l'aise en sa compagnie, et Bouton-d'Or le savait. Elle avait défendu ses enfants avec ardeur face à ce qu'elle considérait comme un préjugé inacceptable. Qu'elle le soutienne face à Éclair Noir paraissait d'autant plus surprenant.

« Cœur de Feu, n'écoute pas Éclair Noir, ajouta Poil de Fougère. Tous les chats ici présents te veulent pour chef, à part lui. À l'évidence, tu es le mieux placé pour assumer un tel rôle. »

Un murmure approbateur s'éleva du groupe de félins massés autour du Promontoire, et le rouquin éprouva tout à coup une profonde reconnaissance.

« Qui sommes-nous pour nous élever contre les décisions du Clan des Étoiles ? renchérit Poil de Souris. Le lieutenant devient toujours chef de Clan. C'est la tradition, selon le code du guerrier.

— Que Cœur de Feu semble mieux connaître que toi », feula Plume Grise en direction d'Éclair Noir.

Il savait, comme le guerrier roux, que le chat au poil sombre avait comploté avec Étoile du Tigre avant l'attaque des chiens. D'un geste de la patte, Cœur de Feu fit taire son ami avant de s'adresser à toute l'assistance.

« Je vous promets de consacrer ma vie à devenir le chef que le Clan du Tonnerre mérite. Et avec l'aide du Clan des Étoiles, j'y parviendrai. »

Son regard se porta instinctivement sur Tempête de Sable : il sentit une douce chaleur parcourir son corps lorsqu'il vit à quel point elle semblait fière de lui.

« Quant à toi, Éclair Noir, cracha le lieutenant sans réussir à dissimuler sa colère, si l'idée d'obéir aux ordres d'un chat *domestique* te dérange, tu es libre de partir. »

L'intéressé agita la queue avec fureur ; dans le regard qu'il lança à son supérieur, on lisait une haine infinie. *Si je n'étais pas venu vivre dans la forêt,* se dit Cœur de Feu, *Étoile du Tigre serait maintenant chef de Clan, et tu serais son lieutenant.*

Il n'avait pas eu l'intention de provoquer une confrontation publique avec Éclair Noir, mais ce dernier l'y avait poussé. Même si le Clan du Tonnerre ne pouvait se permettre de perdre l'un de ses membres, Cœur de Feu souhaitait secrètement que le guerrier au pelage sombre le prenne au mot et quitte le Clan pour de bon. D'un autre côté, il savait qu'il rejoindrait sans hésiter le Clan de l'Ombre et Étoile du Tigre. Or, il valait mieux que ses ennemis soient séparés, dut reconnaître le lieutenant. Éclair Noir serait moins dangereux dans le Clan du Tonnerre, où son supérieur pouvait l'avoir à l'œil.

Éclair Noir fixa le nouveau chef un instant encore, puis partit d'un pas décidé. Il ne se dirigea pas vers le tunnel d'ajoncs, mais vers la tanière des guerriers.

« Bien, reprit Cœur de Feu en élevant la voix pour s'adresser au reste du Clan. Ce soir, nous accomplirons les rituels de deuil pour Étoile Bleue.

— Un instant ! lança Flocon de Neige en se dressant sur ses pattes, la queue gonflée. Qu'attendons-nous pour attaquer le Clan de l'Ombre ? Ils ont massacré Plume Blanche et voulaient mener la meute jusqu'à notre camp ! Tu ne veux pas te venger ? »

La colère avait hérissé la fourrure du jeune chat. Lorsqu'il était arrivé au camp, alors chaton sans défense, Plume Blanche avait été sa mère adoptive. Néanmoins, Cœur de Feu ne partageait pas son avis.

D'un mouvement de la queue, il fit taire les cris d'assentiment qui avaient suivi les paroles du jeune félin.

« Non, miaula-t-il. Ce n'est pas le moment d'attaquer le Clan de l'Ombre.

— Quoi ? s'indigna son neveu. Tu vas les laisser s'en tirer sans agir ?

— Ce n'est pas le Clan de l'Ombre qui a tué Plume Blanche ou tracé la piste pour les chiens, répondit Cœur de Feu après une pause. C'est Étoile du Tigre. Chaque lapin portait son odeur, et la sienne seulement. Nous ne pouvons accuser tous les membres du Clan de l'Ombre : peut-être n'étaient-ils pas au courant de ce que manigançait leur chef. »

Flocon de Neige renifla avec mépris. Son oncle lui adressa un regard dur, l'incitant à ne pas le contredire en cet instant. Il savait que tout cela était arrivé à cause de son inimitié, vieille de nombreuses lunes, avec Étoile du Tigre. Le chef du Clan de l'Ombre aurait pris plaisir à raser le Clan du Tonnerre et à récupérer leur territoire, mais ce n'était pas la raison qui l'avait poussé à guider les chiens jusqu'au camp. Ce qu'Étoile du Tigre souhaitait plus que tout, c'était la mort de Cœur de Feu, de celui qui avait révélé son plan pour tuer Étoile Bleue et avait causé son exil.

Tôt ou tard, Cœur de Feu le savait, il devrait affronter Étoile du Tigre seul à seul, jusqu'à la mort. Il priait le Clan des Étoiles pour que, le moment venu, il ait le courage et la force nécessaires pour débarrasser la forêt de ce chat assoiffé de sang.

« Croyez-moi, reprit-il devant toute l'assemblée, Étoile du Tigre paiera. Mais le Clan du Tonnerre n'a rien à reprocher au Clan de l'Ombre. »

Au grand soulagement de son oncle, Flocon de Neige se rassit, ses yeux bleus brillant de colère, et murmura quelque chose à l'oreille de Sans Visage. Non loin, Bouton-d'Or enroula sa queue autour de Nuage Épineux et Nuage d'Or, comme s'ils étaient encore des chatons vulnérables. Elle avait fait en sorte que ce soit Cœur de Feu qui apprenne à ses petits la trahison d'Étoile du Tigre, et elle avait toujours redouté que le Clan leur fasse payer les crimes de leur père. Lorsque le lieutenant annonça qu'il n'avait pas l'intention d'attaquer, elle sembla se détendre, et les deux apprentis quittèrent le giron de leur mère. Nuage Épineux braqua ses yeux ambrés sur Cœur de Feu, et ce dernier se demanda s'il devait y voir de l'hostilité.

Faisant abstraction de l'apprenti, il balaya l'assistance du regard. De longues ombres s'étiraient sur le camp. Cœur de Feu comprit que le temps était venu pour les membres du Clan de faire leurs adieux à leur regretté chef.

« Nous devons rendre hommage à Étoile Bleue, annonça-t-il. Tu es prête, Museau Cendré ? » La guérisseuse acquiesça. « Plume Grise, Tempête de Sable, pouvez-vous transporter le corps dans la clairière pour que l'on accomplisse la cérémonie du partage sous les yeux du Clan des Étoiles ? »

Les deux guerriers s'exécutèrent. Ils apportèrent la dépouille d'Étoile Bleue au centre de la clairière et le déposèrent doucement sur le sable.

« Tempête de Sable, réunis une équipe de chasse, lui ordonna Cœur de Feu. Lorsque vous aurez fait vos adieux à Étoile Bleue, j'aimerais que vous rameniez du gibier pour regarnir le garde-manger. Poil de Souris, quand tu auras fini, pourrais-tu emmener une patrouille vers les Rochers aux Serpents et la frontière avec le Clan de l'Ombre ? Je veux m'assurer que tous les chiens sont partis, et qu'il n'y a aucun chat ennemi sur notre territoire. Mais soyez prudents... ne prenez aucun risque.

— Entendu, Cœur de Feu. » La guerrière au pelage brun tigré se dressa sur ses pattes. « Bouton-d'Or, Longue Plume, vous venez ? »

Les deux guerriers la rejoignirent au centre de la clairière, où ils accomplirent pour la dernière fois le rituel du partage avec leur chef disparu. Tempête de Sable, suivie de Pelage de Poussière et Flocon de Neige, fit de même. Museau Cendré se tenait près de la tête d'Étoile Bleue et contemplait le ciel indigo, où les premières étoiles de la Toison Argentée commençaient à poindre. Selon les anciennes traditions des Clans, chaque étoile représentait l'esprit d'un de leurs ancêtres. Cœur de Feu se demanda si, ce soir, l'une d'elle brillait pour Étoile Bleue.

Les yeux de Museau Cendré pétillaient comme si elle connaissait les secrets des guerriers de jadis.

« Étoile Bleue était un noble chef, miaula-t-elle. Remercions le Clan des Étoiles de nous l'avoir envoyée. Elle a consacré sa vie à son Clan, et son souvenir ne quittera jamais la forêt. Maintenant nous remettons son esprit au Clan des Étoiles. Faites qu'elle nous accompagne désormais de la même manière qu'elle nous guidait de son vivant. »

Un léger murmure s'éleva lorsque la guérisseuse s'interrompit, tête baissée. Les guerriers que Cœur de Feu avait choisis pour partir en patrouille s'étaient allongés près du corps et léchaient à présent sa fourrure, le museau pressé contre son flanc. Puis ils laissèrent leur place à d'autres chats, et ainsi de suite jusqu'à ce que tous les membres du Clan aient rendu hommage à leur défunt chef.

Après le départ des patrouilles, les autres félins regagnèrent leur tanière en silence. Cœur de Feu, resté au pied du Promontoire, aperçut Poil de Fougère et se dirigea vers lui.

« J'ai une mission pour toi, chuchota-t-il. Je veux que tu gardes un œil sur Éclair Noir. S'il s'avisait ne serait-ce que de franchir la frontière du Clan de l'Ombre, je veux en être informé. »

Le jeune chat doré l'observa, l'air inquiet, mais sa loyauté envers son nouveau chef l'emporta.

« Je ferai de mon mieux, Cœur de Feu, mais il ne va pas apprécier.

— Avec un peu de chance, il n'en saura rien. Essaie d'être discret, et demande à un ou deux autres chats de t'aider... Poil de Souris, par exemple, et Pelage de Givre. » Voyant que Poil de Fougère n'avait toujours pas l'air convaincu, Cœur de Feu ajouta : « Éclair Noir n'était peut-être pas au courant pour les chiens, mais il savait qu'Étoile du Tigre tramait quelque chose. Nous ne pouvons pas lui faire confiance.

— J'en ai conscience, miaula le jeune félin, troublé. Mais nous ne pourrons pas le surveiller éternellement.

— C'est temporaire, le rassura son supérieur. Le temps qu'Éclair Noir montre de quel côté penche sa loyauté. »

Poil de Fougère acquiesça avant de se faufiler à pas feutrés dans la tanière des guerriers.

Maintenant Cœur de Feu pouvait à son tour rejoindre le corps d'Étoile Bleue. Museau Cendré se tenait toujours près de sa tête, tandis que Tornade

54

Blanche était tapi contre elle, le cœur lourd de chagrin.

Cœur de Feu salua la guérisseuse. Il s'étendit auprès de son défunt chef, tentant de reconnaître en ce visage impassible le mentor qu'il avait tant aimé. Mais les yeux étaient clos, jamais plus il n'y brillerait le feu qui imposait le respect à tous les Clans. Son esprit l'avait quitté pour rejoindre ses ancêtres qui, du ciel, veillaient sur la forêt.

Contre la douce fourrure de son chef, il se sentit soudain en sécurité, comme un chaton pelotonné près de sa mère. L'espace d'un instant, il réussit presque à oublier l'horrible réalité de sa mort et la solitude que lui imposaient ses nouvelles responsabilités.

Accueillez-la avec honneur, pria silencieusement Cœur de Feu, les yeux fermés, le museau pressé contre le pelage d'Étoile Bleue. *Et aidez-moi à protéger son Clan.*

CHAPITRE 3

Cœur de Feu sentit qu'on lui donnait de petits coups dans les côtes. Il étouffa un miaulement de protestation et ouvrit les yeux : Museau Cendré était penchée sur lui.

« Tu t'es assoupi, murmura-t-elle. Mais tu dois te réveiller. Il est temps d'enterrer Étoile Bleue. »

Le guerrier peina à se lever. Il étira chacune de ses pattes engourdies et se passa la langue sur ses babines sèches. Il avait l'impression d'avoir dormi dans la clairière toute une lune. Dès qu'il fut réveillé, une vague de culpabilité l'envahit.

« Quelqu'un m'a vu ? marmonna-t-il.

— Seulement moi, le rassura la guérisseuse d'un ton compatissant. Ne t'inquiète pas, Cœur de Feu. Personne ne t'en voudrait de récupérer après les événements d'hier. »

Le rouquin balaya des yeux la clairière. La pâle lumière de l'aube commençait à peine à pénétrer entre les arbres. À quelques longueurs de queue, les anciens s'étaient rassemblés pour porter la dépouille d'Étoile Bleue jusqu'à sa dernière demeure. Le reste du Clan sortait peu à peu des tanières, formant deux rangs de part et d'autre de l'entrée du tunnel d'ajoncs.

Au signal de Museau Cendré, les anciens soulevèrent le corps et le portèrent entre les rangées de guerriers endeuillés. Chacun baissa la tête au passage du convoi.

« Au revoir, Étoile Bleue, murmura Cœur de Feu. Je ne t'oublierai jamais. »

La douleur lui transperça le cœur comme autant d'épines lorsqu'il vit le bout de la queue de son défunt mentor laisser un sillon parmi les feuilles noircies qui tapissaient le sol depuis le récent incendie.

Lorsque Étoile Bleue eut disparu avec son escorte, les autres félins se dispersèrent. Cœur de Feu passa le camp en revue et nota avec satisfaction que le garde-manger était bien garni. Il ne lui restait plus qu'à désigner la patrouille de l'aube. Il pourrait ensuite se nourrir et se reposer. Il était persuadé que, même s'il dormait une lune, l'épuisement ne quitterait pas ses pattes douloureuses.

« Bon, Cœur de Feu, miaula Museau Cendré. Tu es prêt ?

— Prêt à quoi ? s'enquit-il, l'air étonné.

— À rejoindre la Pierre de Lune pour que le Clan des Étoiles t'accorde tes neuf vies, annonça-t-elle en agitant le bout de la queue. Cœur de Feu, ne me dis pas que tu as oublié ! »

Mal à l'aise, il fit passer son poids d'une patte sur l'autre. Bien sûr, il n'avait pas oublié la cérémonie traditionnelle qui intronisait chaque nouveau chef de Clan. Mais pour une raison inconnue, il n'avait pas pensé qu'elle aurait lieu si vite. Il se sentit étourdi par la vitesse à laquelle les événements se succédaient et le forçaient à aller de l'avant, les eaux tumultueuses des gorges l'avaient emporté et failli le noyer.

La peur lui noua la gorge. Jamais aucun chef n'avait évoqué le rituel mystique. Personne, excepté les guérisseurs, ne savait en quoi il consistait. Cœur de Feu avait déjà vu la Pierre de Lune. Il avait même regardé Étoile Bleue communier avec le Clan des Étoiles dans son sommeil. Cette expérience l'avait stupéfié. Il ne pouvait imaginer ce qui se produirait lorsque lui-même s'allongerait près de la pierre sacrée pour partager les rêves des guerriers d'autrefois.

Les Hautes Pierres se trouvaient à une journée de marche, et le rituel exigeait qu'il jeûne. Même les herbes fortifiantes lui étaient interdites.

« Le Clan des Étoiles te donnera la force », le rassura Museau Cendré, comme si elle avait lu dans ses pensées.

Cœur de Feu marmonna son assentiment, puis il aperçut Tornade Blanche qui se dirigeait vers l'antre des guerriers. D'un mouvement de la queue, il appela le vétéran.

« Je dois me rendre aux Hautes Pierres, lui expliqua-t-il. Tu veux bien te charger du camp ? Nous aurons besoin d'une patrouille à l'aube.

— Je m'en occupe, promit Tornade Blanche. Que le Clan des Étoiles t'accompagne, Cœur de Feu. »

Tandis qu'il suivait Museau Cendré vers le tunnel, le rouquin inspecta une dernière fois les environs. Il avait l'impression de partir pour un long voyage, qui l'entraînerait plus loin qu'il n'avait jamais été, et dont il n'était pas sûr de revenir. D'une certaine façon, c'était la vérité : le chat qui rentrerait aurait un nouveau nom, de nouvelles responsabilités et entretiendrait une relation particulière avec le Clan des Étoiles.

Il allait se mettre en route lorsqu'on l'appela. Plume Grise et Tempête de Sable le rejoignirent en courant.

« Tu n'espérais quand même pas te défiler sans dire au revoir ? » s'indigna Plume Grise, le souffle court.

Tempête de Sable, elle, se contenta d'entremêler sa queue à celle de Cœur de Feu et se pressa contre lui.

« Je serai de retour demain, répondit-il. Écoutez, je sais que rien ne sera plus comme avant, ajouta-t-il, gêné, mais j'aurai toujours besoin de vous deux. N'importe quel chat rêverait d'avoir des amis comme vous.

— On le sait bien, stupide boule de poils », rétorqua Plume Grise en lui envoyant une bourrade dans l'épaule.

Les yeux de Tempête de Sable étincelèrent lorsqu'elle regarda Cœur de Feu.

« Nous aussi, nous aurons toujours besoin de toi, murmura-t-elle. Et tu ferais mieux de ne pas l'oublier.

— Cœur de Feu, dépêche-toi ! lança Museau Cendré depuis l'entrée du tunnel. On doit atteindre les Hautes Pierres à la nuit tombée... et rappelle-toi que je vais moins vite que toi.

— J'arrive ! »

Cœur de Feu gratifia ses deux amis d'un coup de langue rapide sur le front avant de plonger sous les ajoncs à la suite de la guérisseuse. Son cœur était empli d'espoir tandis qu'il grimpait en haut du ravin. Même s'il devait abandonner sa vie de lieutenant derrière lui, il savait qu'il conserverait l'essentiel.

Le temps que les deux chats rejoignent les Quatre Chênes, où se tenait l'Assemblée des Clans à chaque pleine lune, le soleil brillait au milieu d'un ciel bleu limpide, et le givre avait fondu sur l'herbe.

« J'espère qu'on ne croisera pas de patrouille du Clan du Vent », déclara Cœur de Feu lorsqu'ils passèrent la frontière et se retrouvèrent dans la lande, loin de l'abri qu'offrait la forêt.

Quelque temps plus tôt, Étoile Bleue avait voulu attaquer ce Clan ennemi, l'accusant de voler le gibier du Clan du Tonnerre. Cœur de Feu avait désobéi à son chef, au risque de passer pour un traître, afin d'éviter cette bataille. Même si Étoile Filante, le chef du Clan du Vent, avait accepté de faire la paix, certains de ses guerriers pouvaient encore leur en vouloir.

« Ils ne nous empêcheront pas de passer, répondit Museau Cendré avec calme.

— Ils pourraient essayer, répliqua le rouquin. Je préférerais qu'on évite de tomber sur eux. »

Malheureusement, en arrivant au sommet d'une colline, ils virent une patrouille ennemie se faufiler dans la bruyère en contrebas, à quelques longueurs de queue de là. Ils faisaient face au vent, si bien que Cœur de Feu n'avait pas détecté leur présence.

Quand le chef de la patrouille leva la tête, Cœur de Feu reconnut le guerrier Oreille Balafrée. Son sang se figea en constatant que son vieil ennemi, Griffe de Pierre, le suivait de près, accompagné d'un apprenti qu'il ne reconnaissait pas. Les deux chats du Clan du

Tonnerre attendirent que la patrouille les rejoigne : ils n'avaient plus aucune chance de les éviter.

Griffe de Pierre montra les crocs en grognant, mais Oreille Balafrée inclina la tête devant le guerrier roux.

« Salutations, Cœur de Feu, Museau Cendré. Que faites-vous sur notre territoire ?

— Nous allons aux Hautes Pierres », expliqua Museau Cendré.

Cœur de Feu fut fier de voir le guerrier du Clan du Vent faire un signe de tête respectueux devant la guérisseuse.

« Pas de mauvaises nouvelles, j'espère ? » s'enquit Oreille Balafrée, car les chats ne se rendaient en ce lieu que pour consulter le Clan des Étoiles en temps de crise.

« La pire qui soit, répondit Museau Cendré. Étoile Bleue est morte hier. »

Les trois guerriers du Clan du Vent inclinèrent la tête. Même Griffe de Pierre prit un air solennel.

« C'était un chef noble et majestueux, murmura Oreille Balafrée. Tous les Clans honoreront sa mémoire. » Il releva la tête et se tourna vers Cœur de Feu. « Alors, tu vas devenir chef ? demanda-t-il avec respect.

— Oui. Je vais recevoir mes neuf vies du Clan des Étoiles. »

Le regard d'Oreille Balafrée balaya la fourrure fauve de son interlocuteur.

« Tu es jeune, commenta-t-il. Mais quelque chose me dit que tu feras un bon chef.

— M-merci, bégaya Cœur de Feu, surpris.

— Nous ne devons pas tarder, intervint Museau Cendré. La route est longue jusqu'aux Hautes Pierres.

— Bien sûr, miaula Oreille Balafrée en s'écartant du passage. Nous informerons Étoile Filante de la nouvelle. Que le Clan des Étoiles vous accompagne ! » lança-t-il aux deux félins du Clan du Tonnerre qui disparaissaient déjà dans la bruyère.

À la lisière du plateau, ils firent halte et contemplèrent en contrebas un paysage bien différent. Les collines dénudées où la roche affleurait ici et là avaient laissé place à des champs et des haies parsemés de nids de Bipèdes. Au loin, le Chemin du Tonnerre se détachait tel un ruban noir au-delà duquel s'élevaient des pics nus, gris et menaçants. Le cœur du guerrier roux se serra : cette région désolée était leur destination.

Il vit que Museau Cendré le regardait d'un air compatissant.

« Tout est différent, confessa-t-il. Tu as vu ces chats du Clan du Vent. Même eux ne me traitent plus de la même façon. » Elle était la seule à qui il pouvait se confier. « Tout le monde semble s'attendre à me voir noble et sage. Mais je ne suis pas comme ça. Je ferai toujours des erreurs. Museau Cendré, je ne suis pas certain d'être à la hauteur.

— Cervelle de souris ! » Cœur de Feu était à la fois choqué et réconforté par le ton moqueur de sa camarade. « Lorsque tu feras des erreurs – car tu en feras, c'est sûr –, je serai là pour te le dire, crois-moi. » Elle ajouta plus sérieusement : « Et je serai toujours ton amie, quoi qu'il arrive. Le chat parfait n'existe pas.

Étoile Bleue ne l'était pas ! Le plus important, c'est de toujours tirer une leçon de tes erreurs et d'avoir le courage d'écouter ton cœur. » Elle lui passa la langue sur l'oreille. « Tu vas y arriver, Cœur de Feu. Maintenant, allons-y. »

Il la laissa descendre la première vers la plaine des Bipèdes. En bas, leurs pas s'enfoncèrent dans la terre collante d'un champ labouré. Ils contournèrent le nid de Bipèdes où vivaient les deux solitaires, Gerboise et Nuage de Jais. Le rouquin fut déçu de ne pas les apercevoir, car ils étaient tous deux les amis du Clan du Tonnerre. Nuage de Jais s'était jadis entraîné comme apprenti au côté de Cœur de Feu. L'aboiement lointain d'un chien fit frissonner ce dernier, lui rappelant l'horrible souvenir de la meute à ses trousses.

Sans quitter l'ombre des haies, ils finirent par rejoindre le Chemin du Tonnerre. Ils se tapirent sur le bas-côté, la fourrure ébouriffée par le souffle des monstres. Leur puanteur envahit le nez et la gorge de Cœur de Feu, et ses yeux le piquèrent.

Museau Cendré se raidit, attendant de pouvoir traverser entre deux monstres. Le guerrier s'inquiétait pour son amie. Sa patte avait été irrémédiablement abîmée dans un accident près du Chemin du Tonnerre, de nombreuses lunes auparavant, alors qu'elle était son apprentie. Il se sentait toujours aussi coupable de n'avoir pu empêcher le drame. Cette vieille blessure la ralentirait.

« Allons-y ensemble, miaula-t-il. Dès que tu seras prête. »

Museau Cendré hocha la tête. Son compagnon devina qu'elle avait peur, mais qu'elle ne l'admettrait pour rien au monde. Un instant plus tard, après le passage d'un monstre de couleur vive, elle lança : « Maintenant ! » et boitilla rapidement sur la surface dure et noire.

Cœur de Feu bondit à son côté, se forçant à rester derrière elle même si son cœur martelait sa poitrine et son instinct lui hurlait de courir aussi vite que possible. Il entendit au loin le rugissement d'un monstre, mais ils atteignirent la haie de l'autre côté avant son arrivée.

« Que le Clan des Étoiles soit loué, c'est fini », soupira la guérisseuse.

Cœur de Feu opina du chef, appréhendant déjà l'épreuve du retour.

Le soleil déclinait dans le ciel. Cœur de Feu connaissait moins ce côté-ci du Chemin du Tonnerre. Les sens en alerte, ils commencèrent leur ascension vers les Hautes Pierres. Le lieutenant n'entendait que le gibier se faufiler dans l'herbe rase. L'odeur alléchante le fit saliver et il regretta de ne pouvoir faire une pause pour chasser.

Lorsqu'ils parvinrent au pied de la dernière paroi rocheuse, le soleil se couchait derrière le sommet. Les ombres du soir s'allongeaient, refroidissant la terre. Au-dessus de lui, Cœur de Feu distinguait l'entrée d'une caverne, un trou noir sous une arche grise.

« Nous avons presque atteint la Grotte de la Vie, miaula Museau Cendré. Reposons-nous un instant. »

Ils s'étendirent sur un rocher plat tandis que les derniers vestiges du jour quittaient le ciel et que les étoiles de la Toison Argentée apparaissaient peu à peu. La lune inonda bientôt le paysage de ses rayons froids et blancs comme du givre.

« Il est temps », déclara la guérisseuse.

De nouveau, Cœur de Feu fut assailli par le doute et crut même que ses pattes ne le porteraient plus. Il se leva pourtant et reprit l'ascension. Les cailloux acérés entamaient ses coussinets. Enfin, ils furent devant le lieu sacré de tous les Clans : la Grotte de la Vie.

On aurait dit une bouche béante s'ouvrant sur les ténèbres. Pour être déjà venu, Cœur de Feu savait qu'il était inutile de se fatiguer les yeux : l'obscurité était totale jusqu'à l'antichambre où se trouvait la Pierre de Lune. Tandis qu'il hésitait, Museau Cendré avança d'un pas assuré.

« Suis mon odeur, lui conseilla-t-elle. Je te guiderai jusqu'à la Pierre. Et maintenant, tant que le rituel n'est pas terminé, nous ne devons plus parler.

— Mais je ne sais pas quoi faire, protesta le guerrier.

— Quand nous aurons atteint la Pierre, allonge-toi et presse ton museau contre elle, expliqua la chatte, ses yeux bleus luisant sous le clair de lune. Le Clan des Étoile s'assurera que tu dors pour te rencontrer en rêve. »

Cœur de Feu aurait voulu lui poser mille questions, cependant il avait conscience qu'aucune de ses réponses ne l'aiderait à surmonter sa peur grandissante. Il acquiesça en silence et suivit Museau Cendré dans les ténèbres.

Le tunnel descendait en pente douce. Cœur de Feu perdit bientôt son sens de l'orientation, car le chemin changeait perpétuellement de direction. Parfois, les parois étaient si rapprochées que sa fourrure et ses moustaches les frôlaient. Son cœur palpitait tant qu'il ouvrit la bouche pour humer l'odeur réconfortante de Museau Cendré, terrifié à l'idée de perdre sa trace.

Enfin, il réussit à distinguer les oreilles de sa camarade qui se découpaient sur une faible lumière. D'autres parfums lui parvinrent, et ses moustaches frémirent sous un courant d'air froid. Puis, après un dernier virage, la lumière s'intensifia. Cœur de Feu avança, les yeux plissés, sentant que le tunnel s'élargissait pour déboucher sur une caverne.

Au-dessus de sa tête, une brèche s'ouvrait sur un triangle de ciel nocturne. Un épais rayon de lune s'y glissait, tombant droit sur une roche au centre de la salle. Cœur de Feu en eut le souffle coupé. S'il avait déjà vu la Pierre de Lune, il avait oublié à quel point elle offrait un spectacle saisissant. Haute de trois longueurs de queue, elle s'affinait en son sommet et réfléchissait le clair de lune comme si une étoile était tombée sur terre. La lumière blanche emplissait l'espace, nimbant d'argent la fourrure grise de Museau Cendré.

La guérisseuse se tourna vers lui et lui fit comprendre d'un signe de la queue qu'il devait prendre place près du rocher sacré.

Cœur de Feu obéit ; il se coucha devant la pierre, plaça sa tête sur ses pattes de façon que son museau touche la surface lisse. Le contact froid le surprit, à tel point qu'il faillit reculer. L'espace d'un instant, il regarda, perplexe, des étoiles scintiller dans la roche.

Puis il ferma les yeux et attendit que le Clan des Étoiles l'attire dans le sommeil.

CHAPITRE 4

Tout n'était plus que froidure et ténèbres. Cœur de Feu ne s'était jamais senti aussi gelé. À croire que la moindre étincelle de chaleur et de vie avait été aspirée hors de son corps. Ses pattes frémirent sous la morsure de crampes douloureuses. Il avait l'impression d'être un bloc de glace qui, au moindre mouvement, se briserait en mille petits éclats fragiles.

Mais il ne fit aucun rêve. Il ne perçut aucun signe du Clan des Étoiles. Seuls la froidure et les ténèbres. *Ce n'est pas normal*, pensa-t-il, pris de panique.

Il entrouvrit les yeux. Puis il les écarquilla. La Pierre de Lune, dans la caverne, avait laissé place à une étendue d'herbe rase piétinée. Les odeurs de la nuit le submergèrent, des odeurs de plantes, de jeunes pousses enveloppées de rosée. Une brise tiède lui caressa l'échine.

Après s'être assis avec difficulté, il se rendit compte qu'il se trouvait aux Quatre Chênes, au pied du Grand Rocher. Les arbres majestueux, couverts de feuilles, bruissaient au-dessus de lui, et la Toison Argentée étincelait dans la voûte nocturne.

Comment suis-je arrivé là ? se demanda-t-il. *Est-ce le rêve dont m'a parlé Museau Cendré ?*

Il leva la tête pour observer le ciel ; il ne se rappelait pas l'avoir déjà vu aussi clair. La Toison Argentée lui semblait plus proche que jamais, elle effleurait les branches faîtières des chênes. Tandis que Cœur de Feu était perdu dans sa contemplation, il sentit soudain son sang se figer dans ses veines.

Les étoiles bougeaient.

Elles tourbillonnèrent devant ses yeux ébahis et convergèrent vers la forêt, vers les Quatre Chênes, vers lui. Il attendit, le cœur battant la chamade.

Alors, les chats du Clan des Étoiles descendirent du ciel. Leurs pattes et leurs yeux scintillaient, ourlés de givre. Leur fourrure ondoyait comme autant de flammes blanches. Ils portaient sur eux l'odeur de la glace, du feu et des profondeurs de la nuit.

Cœur de Feu se tapit devant eux. Il lui était presque douloureux de les regarder, pourtant il ne pouvait s'en détourner. Il voulait que cet instant reste à jamais gravé au fond de lui.

Un laps de temps s'écoula – une centaine de saisons ou un bref instant, il n'aurait su le dire – au bout duquel tous les chats du Clan des Étoiles eurent rejoint la terre. Tout autour de Cœur de Feu, la clairière des Quatre Chênes était illuminée par leurs corps étincelants, leurs yeux flamboyants. Il se rendit compte que certains de ces chats célestes, ceux assis au plus près de lui, lui étaient cruellement familiers.

Étoile Bleue ! La joie lui transperça le cœur comme une épine. *Et Croc Jaune !* Il huma un tendre parfum qu'il connaissait bien et se tourna pour voir la fourrure écaille et le doux visage dont il avait rêvé si souvent.

Petite Feuille... Oh, Petite Feuille ! Sa chère guérisseuse était là elle aussi. Cœur de Feu voulut bondir sur ses pattes et hurler sa joie à toute la forêt, mais il était si impressionné qu'il resta silencieux et immobile.

« Bienvenue, Cœur de Feu. » Il lui semblait reconnaître chaque voix, et pourtant, toutes n'en formaient qu'une, à ses oreilles. « Tu es prêt à recevoir tes neuf vies ? »

Cœur de Feu regarda autour de lui : aucun chat ne parlait.

« Oui, répondit-il, en s'efforçant de garder un ton égal. Je suis prêt. »

Un matou aux rayures dorées se mit sur ses pattes et s'avança jusqu'à lui, la tête et la queue hautes. Cœur de Feu reconnut Cœur de Lion, l'ancien lieutenant d'Étoile Bleue, qui avait péri dans un combat contre le Clan de l'Ombre. Le félin était déjà vieux quand il l'avait connu, or il semblait maintenant de nouveau jeune et fort, son pelage brillant d'un feu pâle.

« Cœur de Lion ! s'exclama-t-il. C'est vraiment toi ? »

Le vieux guerrier ne répondit pas. Lorsqu'il fut assez près, il se pencha pour presser son nez contre la tête de Cœur de Feu. Ce contact était aussi brûlant que la flamme la plus vive, que le froid le plus mordant. Son instinct lui criait de s'écarter, mais il ne pouvait faire le moindre geste.

« Avec cette vie, je te donne le courage, murmura Cœur de Lion. Utilise-le à bon escient pour défendre ton Clan. »

Aussitôt, une décharge d'énergie transperça Cœur de Feu comme un éclair, ébouriffant son pelage, remplissant ses oreilles d'un rugissement assourdissant. Ses yeux s'assombrirent tandis que son esprit était envahi par le chaos des batailles et des parties de chasse, par la sensation de griffes s'enfonçant dans la fourrure, de dents s'attaquant à la chair d'une proie.

La douleur s'estompa, laissant Cœur de Feu affaibli et tremblant. Les ténèbres se dissipèrent et il retrouva la clairière surnaturelle. S'il venait de recevoir une vie, il lui en restait huit à accepter. *Comment pourrai-je le supporter ?* pensa-t-il, sous le choc.

Cœur de Lion se détournait déjà, regagnant sa place parmi les rangs du Clan des Étoiles. Un autre chat se leva pour le rejoindre. Tout d'abord, Cœur de Feu ne le reconnut pas, puis il remarqua sa fourrure sombre tachetée, sa queue touffue couleur de flamme. Il comprit qu'il s'agissait de Plume Rousse. Il n'avait jamais rencontré le lieutenant du Clan du Tonnerre, qui avait été assassiné par Étoile du Tigre le jour même où Cœur de Feu avait quitté sa vie de chat domestique pour gagner la forêt. Mais il avait enquêté sur sa mort et avait ainsi réussi à prouver la trahison d'Étoile du Tigre.

Comme Cœur de Lion, Plume Rousse se pencha vers lui pour poser son museau sur celui du rouquin.

« Avec cette vie, je te donne la justice. Utilise-la à bon escient pour juger les actes de tes semblables. »

De nouveau, le corps de Cœur de Feu fut secoué par un spasme qui le mit à l'agonie. Il dut serrer les mâchoires pour s'empêcher de hurler. Lorsqu'il recouvra ses esprits, haletant comme s'il avait couru sans s'arrêter jusqu'au camp, il vit que Plume Rousse l'observait.

« Tu as révélé la vérité alors qu'aucun autre chat ne pouvait le faire », ajouta l'ancien lieutenant.

Cœur de Feu parvint à le saluer, avant que Plume Rousse retourne au côté de Cœur de Lion. Un troisième félin sortit alors des rangs.

Cette fois-ci, Cœur de Feu resta bouche bée en reconnaissant la jeune chatte tigrée, dont le pelage luisait d'un éclat argenté. Il s'agissait de Rivière d'Argent, l'amour perdu de Plume Grise, la reine du Clan de la Rivière qui avait péri en donnant naissance à ses petits. Ses pattes effleurèrent à peine le sol lorsqu'elle se dirigea vers lui.

« Avec cette vie, je te donne la loyauté », miaula-t-elle. Le jeune guerrier se demanda si elle évoquait la façon dont il avait protégé les amours de Plume Grise : il était resté fidèle à son ami, en dépit du code du guerrier. « Utilise-la à bon escient pour guider ton Clan en période de troubles », lui intima-t-elle.

Cœur de Feu se crispa, s'attendant à ressentir encore un éclair de douleur. Pourtant, la nouvelle vie lui causa moins de souffrance. Il sentait en lui la chaleur de l'amour, et comprit que ce sentiment avait marqué l'existence de Rivière d'Argent : l'amour pour son Clan, pour Plume Grise et pour les chatons qui lui avaient coûté la vie.

« Rivière d'Argent, murmura-t-il alors que la chatte se détournait. Attends ! Tu n'as pas de message pour Plume Grise ? »

Mais elle ne dit rien de plus et se contenta de le regarder avant de s'éloigner. Ses yeux emplis d'amour et de tristesse en disaient plus à Cœur de Feu qu'un long discours.

Il ferma les paupières, se préparant à accueillir sa prochaine vie. Lorsqu'il les rouvrit, un quatrième félin approchait. Il s'agissait de Vif-Argent, du Clan du Tonnerre, qui avait été tué par Étoile du Tigre près du Chemin du Tonnerre.

« Avec cette vie, je te donne une énergie infinie. Utilise-la à bon escient pour accomplir tes devoirs de chef. »

Tandis que la vie traversait le corps de Cœur de Feu, ce dernier eut l'impression de courir dans la forêt, ses pattes battant le sol, sa fourrure plaquée par le vent. Il connaissait maintenant le plaisir de la chasse, la joie pure de la vitesse, et il se sentait capable de distancer n'importe qui à la course.

Il regarda Vif-Argent retourner à sa place. Lorsque le cinquième chat se leva, son cœur fit un bond. C'était Plume Blanche, la mère adoptive de Flocon de Neige. Elle avait été cruellement assassinée par Étoile du Tigre pour donner à la meute de chiens le goût du sang.

« Avec cette vie, je te donne la bienveillance. Utilise-la à bon escient pour veiller sur ton Clan comme une mère protège ses petits. »

Le rouquin s'attendait à recevoir une vie douce et aimante, comme celle de Rivière d'Argent. Il fut donc surpris par l'éclair féroce qui le transperça. À croire que toute la fureur des ancêtres du Clan du Lion et du Clan du Tigre résonnait en lui, mettant au défi n'importe qui de blesser ses proches. Choqué et tremblant, Cœur de Feu y reconnut le désir d'une mère

74

de protéger ses enfants, et sentit à quel point Plume Blanche avait aimé les siens, y compris Flocon de Neige.

Il faudra que je le lui dise, pensa Cœur de Feu lorsqu'il revint à lui, puis il se souvint qu'il était interdit de parler du rituel à qui que ce soit.

Plume Blanche se retira, laissant une autre silhouette familière prendre sa place. Le guerrier se sentit coupable lorsqu'il reconnut Nuage Agile.

« Je suis désolé, chuchota-t-il en regardant l'apprenti dans les yeux. Tu es mort par ma faute. »

Furieux qu'Étoile Bleue ait refusé qu'il devienne guerrier, Nuage Agile avait voulu prouver sa valeur en partant à la recherche du prédateur qui menaçait les chats. La meute de chiens l'avait tué. Cœur de Feu s'en voudrait jusqu'à la fin de ses jours pour ne pas avoir réussi à raisonner Étoile Bleue.

Mais Nuage Agile ne semblait nullement en colère. On pouvait lire dans ses yeux une sagesse qui n'était pas de son âge.

« Avec cette vie, je te donne le bon sens. Utilise-le à bon escient pour former les jeunes chats de ton Clan. »

Cette fois, il fut parcouru par une vague d'angoisse si forte qu'il crut que son cœur allait lâcher. Il ressentit une décharge de terreur absolue, suivie d'un flash de lumière rouge sang. Il comprit qu'il était en train d'endurer ce que Nuage Agile avait éprouvé dans les derniers instants de sa vie.

Les sensations s'estompèrent, laissant Cœur de Feu le souffle court. Il craignait que ses forces ne l'abandonnent avant qu'il ait reçu les trois dernières vies.

La première vint de Croc Jaune. La vieille guérisseuse arborait la même expression d'indépendance obstinée et de courage qui l'avait à la fois impressionné et frustré de son vivant. Il se rappela la dernière fois qu'il l'avait vue, agonisant dans sa tanière après le grand incendie. Elle était au désespoir, ne sachant pas si le Clan des Étoiles l'accepterait puisqu'elle avait tué son propre fils, Plume Brisée, pour mettre fin aux complots sanguinaires. Mais à cet instant, la bonne humeur pétillait de nouveau dans ses yeux lorsqu'elle se pencha vers son protégé.

« Avec cette vie, je te donne la compassion. Utilise-le à bon escient pour traiter les anciens de ton Clan, les malades et les plus faibles. »

Cette fois, même s'il savait la douleur qui l'attendait, Cœur de Feu ferma les yeux et absorba avidement la nouvelle vie, désirant posséder tout l'esprit de Croc Jaune, tout son courage et sa loyauté envers son Clan d'adoption. Il la reçut comme un flot de lumière montant en lui : l'humour de Croc Jaune, sa langue bien pendue, sa bonté et son sens de l'honneur. Il se sentait plus proche d'elle que jamais.

« Oh, Croc Jaune... murmura-t-il en ouvrant les yeux. Tu m'as tellement manqué. »

La guérisseuse s'éloignait déjà. La chatte qui prit sa place était plus jeune et marchait d'un pas léger, des étoiles étincelaient sur son pelage et dans ses yeux : Petite Feuille, la jolie chatte écaille, le premier amour de Cœur de Feu. Elle lui était parfois apparue en rêve, mais il ne l'avait plus vue aussi nettement depuis sa mort. Il huma son doux parfum lorsqu'elle se pencha vers lui. Il voulait lui parler, à elle plus qu'à quiconque, car ils n'avaient jamais eu le temps de se dévoiler leurs sentiments.

« Petite Feuille...

— Avec cette vie, je te donne l'amour, murmura-t-elle de sa jolie voix. Utilise-le à bon escient pour tous les chats qui te sont chers... et surtout pour Tempête de Sable. »

Il n'éprouva aucune douleur lorsque la huitième vie se déversa en lui. Elle lui évoquait plutôt la chaleur du soleil à son zénith à la saison des feuilles vertes, et le réchauffait jusqu'au bout des pattes. De l'amour pur, voilà ce que c'était. En même temps, il ressentait une sorte de sécurité comme celle qu'il avait connue chaton, lové contre sa mère. Il leva la tête vers Petite Feuille, drapé dans une sensation de bien-être inconnue.

Il crut voir une lueur de fierté dans le regard de la chatte lorsqu'elle se détourna. S'il était déçu qu'elle ne lui ait pas parlé davantage, il était aussi rassuré : elle approuvait son choix. Dorénavant, il pourrait aimer Tempête de Sable sans craindre de trahir Petite Feuille.

Enfin, Étoile Bleue vint à lui. Elle n'était plus la vieille chatte abattue et désorientée que Cœur de Feu avait connue sur sa fin. Non, c'était Étoile Bleue au summum de sa force et de son pouvoir. Elle s'avança à travers la clairière aussi fière qu'un lion. Cœur de Feu était presque ébloui par la lumière qui l'auréolait, mais il se força à soutenir son regard bleu.

« Bienvenue, Cœur de Feu, mon apprenti, mon guerrier, mon lieutenant. J'ai toujours su que tu ferais un grand chef, un jour. »

Lorsqu'il baissa la tête, elle le toucha du museau et poursuivit :

« Avec cette vie, je te donne la noblesse, la certitude et la foi. Utilise-les à bon escient pour diriger ton Clan en respectant la volonté du Clan des Étoiles et le code du guerrier. »

Petite Feuille avait apaisé Cœur de Feu, et il n'était pas préparé à l'agonie qui le frappa lorsqu'il reçut la vie d'Étoile Bleue. Il éprouva l'ardeur de son ambition, son angoisse lorsqu'elle avait abandonné ses petits, la férocité de toutes les batailles qu'elle avait menées au service de son Clan. Il sentit sa terreur lorsque son esprit avait commencé à défaillir et qu'elle avait perdu la foi dans le Clan des Étoiles. La vague de pouvoir se fit de plus en plus forte, à tel point qu'il douta que son corps pût l'assimiler tout entière. Alors qu'il pensait hurler sa douleur ou mourir, elle se retira progressivement sur une note de calme acceptation et de joie.

Un long murmure parcourut la clairière. Tous les guerriers du Clan des Étoiles s'étaient dressés. Étoile Bleue demeura au centre et, du bout de sa queue, fit signe à Cœur de Feu que lui aussi devait se lever. Il obéit en tremblant, craignant que ce trop-plein de vie ne déborde de son corps au moindre mouvement. Ses membres lui semblaient aussi douloureux que s'il venait de livrer la plus âpre des batailles, pourtant son esprit bouillonnait de la force des vies qu'on lui avait transmises.

« Je te salue par ton nouveau nom, Étoile de Feu, annonça Étoile Bleue. Ton ancienne vie n'est plus. Tu possèdes désormais les neuf vies d'un chef, et le

Clan des Étoiles te confie la protection du Clan du Tonnerre. Défends-le bien, veille sur les jeunes et les anciens, honore tes ancêtres et les traditions du code du guerrier, habite chacune de tes vies avec fierté et dignité.

— Étoile de Feu ! Étoile de Feu ! » Tout comme les Clans de la forêt clamaient le nom d'un nouveau guerrier, les chats du Clan des Étoiles ovationnaient Étoile de Feu de leurs voix généreuses qui résonnaient dans la clairière. « Étoile de Feu ! Étoile de Feu ! »

Soudain, le silence se fit. Étoile de Feu se crispa, conscient que quelque chose clochait. Les yeux brillants d'Étoile Bleue fixaient un point derrière lui. Il se tourna alors et poussa un hurlement.

Un monticule d'ossements venait d'apparaître à l'autre bout de la clairière, haut de plusieurs longueurs de queue. Il luisait d'un éclat surnaturel, si bien qu'Étoile de Feu voyait chacun des os se détacher clairement – des os de chats et de gibiers, tous disloqués, mélangés. Une brise chaude balaya son pelage, faisant parvenir jusqu'à lui une odeur pestilentielle de charogne, alors que les os étaient bien blancs, bien propres.

Étoile de Feu regarda nerveusement autour de lui, cherchant de l'aide, ou une explication. Mais la clairière était plongée dans les ténèbres. Les guerriers du Clan des Étoiles avaient disparu, le laissant seul face à l'effrayant monticule. Tandis que la panique le tétanisait, il sentit la présence familière d'Étoile Bleue à son côté, chaude fourrure pressée contre son flanc. Il ne la discernait pas dans l'obscurité, mais sa voix murmura à son oreille :

« Un grand malheur se profile à l'horizon, Étoile de Feu. Les quatre deviendront deux. Lion et Tigre s'affronteront au combat, et le sang régnera sur la forêt. »

Son odeur et la chaleur de son pelage s'estompèrent avec les derniers mots de sa sombre prophétie.

« Attends ! hurla Étoile de Feu. Ne me laisse pas ! Que veux-tu dire ? »

Mais elle ne lui donna aucune explication. À cet instant, la lumière rouge qui nimbait le tas d'ossements s'intensifia. Étoile de Feu la fixa avec horreur : du sang s'était mis à couler entre les os. Les filets rouges se rejoignirent pour former une rivière qui s'avança vers lui, et son odeur poisseuse imprégna sa fourrure. Il voulut fuir, mais ses pattes refusaient de lui obéir. Il fut bientôt encerclé, pris au piège par la marée sanglante qui gargouillait tout autour de lui en dégageant une odeur de mort.

« Non ! » hurla-t-il. La forêt demeura muette. Seul résonnait le murmure du sang qui venait avidement lécher sa fourrure.

CHAPITRE 5

Étoile de Feu se réveilla dans un sursaut de terreur. Il était de retour dans la Grotte de la Vie, le museau collé à la Pierre de Lune. Le rayon de lumière lunaire avait disparu et les étoiles peinaient à éclairer le lieu. Mais il ne fut guère soulagé de s'être réveillé car la puanteur du sang n'avait pas quitté ses narines et son pelage lui semblait chaud et poisseux.

Le cœur palpitant, il s'efforça de se lever. De l'autre côté de la caverne, il distinguait à peine Museau Cendré. Elle l'attendait près du tunnel, lui faisant signe de la rejoindre. Le premier réflexe d'Étoile de Feu fut de lui raconter tout ce qu'il avait vu, mais il se souvint qu'il devait rester silencieux jusqu'à ce qu'ils aient quitté la Grotte de la Vie. Il avait tellement hâte de sortir qu'il bondit dans le tunnel avant la guérisseuse.

Le trajet du retour lui sembla deux fois plus long qu'à l'aller. Il courait en suivant sa propre odeur, s'écorchant contre les parois, horrifié à l'idée de se perdre et d'être enterré vivant. L'air lui semblait trop épais, il paniquait de plus en plus dans cette obscurité totale, redoutant de se trouver piégé pour toujours dans le sang et les ténèbres.

Puis il aperçut le pâle contour de l'entrée du tunnel et surgit dans l'air calme de la nuit, où la lune vacillait derrière de fins nuages. Étoile de Feu planta ses griffes dans la terre meuble tandis que des frissons le parcouraient du museau jusqu'au bout de la queue.

Un peu plus tard, Museau Cendré le rejoignit et vint se frotter à lui pour l'aider à reprendre le contrôle de lui-même.

« Que s'est-il passé ? demanda-t-elle doucement.

— Tu ne le sais donc pas ?

— Je sais que le rituel a été interrompu – l'odeur de sang me l'a fait comprendre. Mais j'ignore pourquoi. » Elle plongea ses yeux dans les siens, inquiète. « Dis-moi, as-tu reçu tes neuf vies et ton nom ? »

Cœur de Feu acquiesça, et la guérisseuse se détendit, visiblement rassurée.

« Le reste peut attendre. Allons-y », conclut-elle.

Étoile de Feu se sentit d'abord trop faible pour bouger. Mais il ne voulait pas rester si près de la Grotte de la Vie et des choses horribles qu'il y avait vues. Tremblant, pas après pas, il entama la descente. Museau Cendré le suivait de près, lui indiquant parfois d'un coup de museau un chemin plus facile. Elle ne lui posa aucune question, et son compagnon lui en fut reconnaissant.

À mesure qu'ils s'éloignaient du tunnel, l'odeur de sang s'estompait dans sa bouche et ses narines. Pourtant, il avait l'impression que, même s'il faisait sa toilette pendant une lune entière, il ne débarrasserait jamais sa fourrure des dernières traces poisseuses. Il commençait à se sentir mieux, mais il était au bord de l'épuisement. Dès que les roches laissèrent place à l'herbe, il se laissa tomber à l'abri d'un buisson d'aubépine.

« Je dois me reposer », miaula-t-il.

Museau Cendré s'installa près de lui et les deux chats firent leur toilette en silence. Étoile de Feu aurait voulu parler à son amie de sa vision, mais il en était incapable. D'un côté, il voulait la protéger de la peur indescriptible qu'il avait ressentie ; à supposer qu'elle puisse lui expliquer la signification de la prophétie d'Étoile Bleue, à quoi bon lui faire partager son angoisse pour l'avenir ? De l'autre, il espérait que, s'il ne parlait pas de son horrible vision, elle ne se réaliserait jamais. Ou bien son statut de chef était-il maudit pour de bon ? Étoile Bleue lui avait dit avant de mourir qu'il était le feu qui sauverait le Clan. Comment y croire, si le feu se voyait éteint par la vague de sang de son rêve ? Étoile de Feu avait déjà eu des rêves prémonitoires, et il avait appris à les prendre au sérieux. Il ne pouvait ignorer sa vision, d'autant plus qu'elle avait mis fin à un rituel crucial.

Museau Cendré interrompit le fil de ses pensées.

« Ce n'est pas grave si tu ne veux pas en parler tout de suite, tu sais. »

Étoile de Feu enfouit son museau dans le pelage de sa camarade, la remerciant pour sa compassion.

« Il faut que j'y réfléchisse, répondit-il en pesant ses mots. Pour le moment... c'est trop tôt. » Il trembla une nouvelle fois au souvenir de son cauchemar. « Museau Cendré, reprit-il, je ne l'ai jamais dit à personne, mais... parfois, je vois le futur dans mes rêves. »

Les oreilles de la guérisseuse tressaillirent de surprise.

« C'est peu commun. Les chefs de Clan et les guérisseurs sont en communion avec le Clan des Étoiles, déclara-t-elle. Mais je n'ai jamais entendu dire que les guerriers ordinaires pouvaient faire de tels rêves. Depuis combien de temps cela dure-t-il ?

— Depuis toujours, même quand j'étais un chat domestique », confia-t-il en se souvenant du songe qui l'avait guidé dans la forêt. « Mais je... je ne sais pas si ces rêves viennent des guerriers de jadis. »

Après tout, avant de rejoindre le Clan du Tonnerre, il n'avait jamais entendu parler du Clan des Étoiles. Se pouvait-il que, même alors, ses membres aient veillé sur lui ?

Museau Cendré demeura pensive.

« Au bout du compte, tous nos rêves nous viennent des ancêtres, murmura-t-elle. Se réalisent-ils toujours ?

— Oui. Mais pas forcément comme je m'y attendais. Certains sont plus faciles à comprendre que d'autres.

— Cela vaut aussi pour ta dernière vision. Étoile de Feu, souviens-toi que tu n'es pas tout seul. Maintenant que tu es chef de Clan, le Clan des Étoiles partagera beaucoup de choses avec toi. Et je suis là pour t'aider à interpréter les signes. À toi de décider ce que tu veux me raconter. »

Il lui fut reconnaissant d'être si compréhensive, pourtant les mots de la guérisseuse le firent frissonner. Sa nouvelle relation avec le Clan des Étoiles l'entraînerait sur des sentiers qu'il préférerait peut-être éviter. Pendant un instant, il regretta l'époque où il n'était qu'un simple guerrier qui pouvait chasser avec Plume Grise et dormir près de Tempête de Sable dans le gîte commun.

« Merci, Museau Cendré, miaula-t-il tout en se relevant. Je te promets de venir te trouver en cas de besoin. » Malgré ces mots, Étoile de Feu ne pouvait s'empêcher de croire qu'il devrait affronter seul cette menace. Il lâcha un grand soupir. « Allons-y. »

Étoile de Feu avait beau être impatient de rentrer au camp, son endurance faiblissait. Depuis la course folle avec la meute de chiens, il n'avait presque rien mangé et n'avait pas dormi, sauf pour rêver. Le long voyage jusqu'aux Hautes Pierres, les souffrances du rituel et la terrible vision étaient venus à bout de ses forces.

Ses pas se faisaient plus lents et hésitants. Ils longeaient la ferme de Gerboise lorsque la chatte lui donna un petit coup dans l'épaule.

« Ça suffit, Étoile de Feu, miaula-t-elle d'un ton ferme. En tant que guérisseuse, je décrète que tu as besoin de repos. Voyons si Gerboise et Nuage de Jais sont là.

— Bonne idée », reconnut le nouveau chef.

Prudemment, les deux chats approchèrent de la grange des Bipèdes. Étoile de Feu craignait que les chiens ne soient détachés, mais leur odeur était diffuse et lointaine. Celle des chats était bien plus forte. Étoile de Feu aperçut bientôt un robuste félin noir et blanc qui se faufilait par un trou dans la porte.

« Gerboise ! C'est bon de te revoir. Tu connais Museau Cendré, notre guérisseuse ? »

Le matou hocha la tête pour les saluer.

« Moi aussi, ça me fait plaisir de te retrouver, Cœur de Feu.

— *Étoile* de Feu, le corrigea Museau Cendré. Il est chef de Clan, maintenant.

— Félicitations ! s'exclama Gerboise, les yeux écarquillés. Mais cela signifie donc qu'Étoile Bleue n'est plus. Toutes mes condoléances.

— Elle est morte comme elle a vécu, en protégeant son Clan, lui rapporta Étoile de Feu.

— Ce doit être une longue histoire. Nuage de Jais voudra sûrement l'entendre. Venez », leur lança-t-il en retournant dans la grange.

À l'intérieur, il faisait sombre et chaud. L'air sentait fort le foin et la souris. Étoile de Feu entendait déjà les petits bruits des proies, et la faim lui donna le tournis.

« Un endroit douillet où dormir, et du gibier à volonté, déclara le rouquin avec envie. Mieux vaut ne pas le dire au Clan du Tonnerre, ou bien tous les membres se battraient pour vous rejoindre et devenir des solitaires. »

Gerboise se mit à rire doucement.

« Nuage de Jais, appela-t-il. Viens voir qui est là. »

Une silhouette sombre se leva d'un bond en ronronnant. Du temps où il était apprenti, Nuage de Jais avait été le seul à connaître la vérité sur la mort de Plume Rousse : celui-ci avait été assassiné par Étoile du Tigre, son mentor. Lorsque ce dernier avait tenté de faire taire son apprenti pour toujours, Étoile de Feu lui avait trouvé ce refuge. Nuage de Jais appréciait davantage d'être un solitaire qu'un guerrier, mais il n'avait jamais oublié son Clan natal ni son amitié pour ses anciens camarades.

« Alors comme ça, Étoile Bleue est morte, murmura-t-il lorsque Gerboise lui eut appris la nouvelle. Je l'admirais beaucoup », ajouta-t-il, les yeux embrumés par la tristesse.

Gerboise le réconforta en se frottant à lui. Le solitaire avait dû paraître bien accueillant aux yeux du jeune apprenti effrayé qui était venu le trouver bien des lunes plus tôt.

« Te voilà chef de Clan, poursuivit Nuage de Jais en se tournant vers le rouquin. Le Clan des Étoiles a fait un bon choix. » Il les guida vers le fond de la grange. « Ça vous dirait de chasser un peu ?

— Quelle bonne idée, répondit Museau Cendré. Étoile de Feu, tu veux que je t'attrape quelque chose ? »

Malgré sa fatigue, ce dernier secoua la tête : quel chef de Clan il ferait s'il n'était pas capable de chasser tout seul ! Peu après, il fondit sur un rongeur, se fiant plus à son ouïe qu'à sa vue.

Nuage de Jais avait de la chance, pensa-t-il en prenant sa proie dans la gueule pour rejoindre les autres. Les souris de la grange étaient deux fois plus grosses que celles de la forêt à la mauvaise saison, et elles étaient plus faciles à attraper. Il n'en fit qu'une bouchée et sentit ses forces lui revenir peu à peu.

« Tu ne vas pas te contenter de ça, lui lança l'ancien apprenti. Il y en a plein, ici. »

Lorsque Étoile de Feu et Museau Cendré furent rassasiés, ils s'installèrent dans le foin et firent leur toilette en compagnie de leurs amis, leur rapportant les dernières nouvelles du Clan. Les deux solitaires furent bouleversés d'apprendre l'attaque de la meute.

« J'ai toujours su qu'Étoile du Tigre était un monstre sanguinaire, cracha Nuage de Jais. Pourtant, jamais je ne l'aurais cru capable de détruire tout un Clan.

— Que le Clan des Étoiles en soit remercié, il a échoué, répondit Étoile de Feu. Mais il s'en est fallu de peu. Je ne veux plus jamais revivre ça.

— Il faudra à tout prix empêcher Étoile du Tigre de recommencer », ajouta Gerboise.

Étoile de Feu hocha la tête. Il hésita, puis poursuivit :

« Je ne sais pas comment je vais faire sans Étoile Bleue. Tout me semble si sombre et... et je me sens dépassé. »

Il passa sous silence l'interruption du rituel et sa vision horrible, mais il vit dans les yeux de Museau Cendré qu'elle devinait ses pensées.

« Rappelle-toi que tout le Clan te soutient, miaula-t-elle. Personne n'oubliera qu'Étoile Bleue et toi avez sauvé le Clan.

— Peut-être qu'ils attendent trop de moi.

— N'importe quoi ! rugit la guérisseuse. Ils savent que tu seras un grand chef, et ils te soutiendront jusqu'à leur dernier souffle.

— Et moi aussi », ajouta Nuage de Jais, à la grande surprise du rouquin. Malgré son embarras, le matou noir continua : « Je ne suis pas un guerrier, mais si un jour tu as besoin de mon aide, tu n'as qu'à demander.

— Merci, Nuage de Jais, répondit son ami.

— Puis-je venir au camp bientôt ? Je voudrais rendre un dernier hommage à Étoile Bleue.

— Bien sûr. Étoile Bleue t'a donné le droit d'aller et venir sur le territoire du Clan du Tonnerre. Il n'y a pas de raison que ça change.

— Je te remercie », fit-il en baissant la tête. Lorsqu'il la releva, Étoile de Feu vit qu'il le regardait avec respect. « Tu m'as sauvé la vie une fois, Étoile de Feu. Je ne pourrai jamais m'acquitter de cette dette. Mais si Étoile du Tigre venait vous provoquer, je serais fier de me joindre aux guerriers du Clan du Tonnerre et de me battre à vos côtés jusqu'à la mort. »

CHAPITRE 6

Les ombres du crépuscule s'épaississaient sous les arbres lorsque Étoile de Feu et Museau Cendré descendirent enfin le ravin qui menait à l'entrée du camp. Ils avaient dormi dans la grange avec Gerboise et Nuage de Jais jusqu'à ce que le soleil soit bien haut dans le ciel, puis s'étaient de nouveau gavés de souris avant de repartir vers leur territoire. Étoile de Feu se sentait fatigué, mais le souvenir de son horrible rêve se dissipait peu à peu et l'idée de revoir ses compagnons lui avait redonné de la force.

Le nouveau chef débuola du tunnel d'ajoncs avec Museau Cendré sans qu'on les remarque. Tornade Blanche et Poil de Fougère finissaient leur repas près du bouquet d'orties. Non loin, trois apprentis chahutaient devant leur tanière. Étoile de Feu reconnut la fourrure sombre de son propre apprenti, Nuage Épineux, et songea qu'il faudrait lui préparer un entraînement strict dès que possible. Il n'y avait aucune raison que ses devoirs de chef l'empêchent de s'occuper du jeune chat ; après tout, Étoile Bleue avait été un mentor assidu pour lui.

Il se dirigeait vers Tornade Blanche lorsqu'il

entendit quelqu'un crier son nom. En se retournant, il vit Nuage de Granit traverser la clairière depuis l'entrée de la tanière des anciens. La fourrure grise de l'apprenti était ébouriffée par l'excitation.

« Cœur de Feu... non, Étoile de Feu ! Tu es revenu ! »

Ses cris enthousiastes alertèrent le reste du Clan et le jeune chef fut bientôt entouré de félins qui l'appelèrent par son nouveau nom. Étoile de Feu aurait voulu s'abandonner à la joie que lui procurait le contact de leurs corps chauds contre le sien, mais il ne pouvait ignorer leurs regards intimidés. Son cœur se serra à l'idée que rien ne serait plus jamais comme avant, qu'il y aurait toujours une distance entre eux.

« Tu as vraiment vu le Clan des Étoiles ? demanda Nuage de Bruyère, les yeux écarquillés.

— Oui, vraiment. Mais je n'ai pas le droit d'en parler. »

L'apprentie n'eut pas l'air déçue. Ses prunelles étincelaient d'admiration lorsqu'elle se tourna vers Pelage de Poussière et déclara :

« Je parie qu'il sera un grand chef !

— Il a intérêt », répondit le guerrier brun.

Parce qu'il aimait la jeune chatte, Pelage de Poussière ne voulait sans doute pas la contredire. Mais Étoile de Feu savait que ce dernier ne le portait pas dans son cœur. Pourtant, le matou fit un signe de tête à son nouveau chef, et Étoile de Feu sut qu'il pourrait compter sur sa loyauté, comme le voulait le code du guerrier.

« Je suis content que tu sois rentré », miaula Plume Grise en se faufilant entre les félins jusqu'à son ami.

Lui au moins semblait avoir oublié l'admiration et le respect qu'il avait éprouvés lorsque Étoile Bleue avait désigné Étoile de Feu comme chef avant de mourir. Maintenant, l'amitié et la sympathie pétillaient dans ses yeux jaunes. « Tu ressembles à un renard mort depuis des lunes. C'était dur ?

— Pas qu'un peu, murmura le rouquin à l'intention de Plume Grise, mais Flocon de Neige l'entendit.

— Seule ta croyance en de vieilles traditions t'oblige à penser que, pour devenir chef, il faut se farcir un aller-retour jusqu'aux Hautes Pierres. Pour moi, tu as déjà prouvé cent fois que tu étais le chef de ce Clan, Étoile de Feu. »

Le rouquin le fit taire d'un regard. Sa loyauté le touchait ; en revanche, il était très peiné que son neveu ne partage pas ses convictions. Il aurait voulu pouvoir lui raconter le rituel en détail, pour le forcer à respecter le Clan des Étoiles, mais il savait que c'était impossible.

« Chh ! Il faut respecter les traditions ancestrales. » La remarque venait de Sans Visage, qui avait rejoint Flocon de Neige. Elle lui lécha l'oreille avant d'ajouter : « Le Clan des Étoiles veille sur nous tous. »

À son tour, le guerrier blanc lécha sa compagne, sur la partie blessée de son visage. L'agacement d'Étoile de Feu disparut aussitôt : il ne pouvait qu'admirer la dévotion sans faille de son neveu pour Sans Visage malgré ses terribles blessures. Certes, le jeune chat pouvait être difficile et entêté, et il ne respectait guère le code du guerrier, mais il avait arraché la petite chatte aux portes de la mort et lui avait donné une raison de vivre.

Quand l'assemblée se dispersa, Étoile de Feu aperçut Tornade Blanche.

« Y a-t-il eu des problèmes pendant mon absence ? demanda-t-il au vétéran.

— Pas le moindre. Nous avons patrouillé sur tout le territoire, et nous n'avons trouvé aucune trace de chien ou du Clan de l'Ombre.

— Bien, fit le rouquin avant de se tourner vers le garde-manger. Je vois que la chasse a été bonne.

— Tempête de Sable a pris la tête d'une patrouille, pendant que Poil de Souris et Poil de Fougère mettaient les apprentis à contribution. Nuage Épineux est un chasseur hors pair. J'ai perdu le compte de ses prises.

— Bien », répéta Étoile de Feu.

Si l'éloge de son apprenti lui faisait plaisir, il n'en était pas moins mal à l'aise chaque fois que l'on mentionnait le fils d'Étoile du Tigre. Lui aussi était un bon chasseur, cela ne l'avait pas empêché de devenir un traître et un assassin.

Museau Cendré vint lui annoncer qu'elle regagnait sa tanière.

« Appelle-moi en cas de besoin. Tu n'as pas oublié que tu dois nommer le nouveau lieutenant avant minuit ? »

Étoile de Feu acquiesça. Il avait dû parer à des problèmes plus urgents, mais il devait maintenant prendre le temps d'y réfléchir. La trahison d'Étoile du Tigre avait tant bouleversé Étoile Bleue qu'elle avait nommé Étoile de Feu lieutenant un jour trop tard, sans suivre les rites ancestraux. Les membres du Clan avaient alors redouté la colère du Clan des Étoiles, et

Étoile de Feu avait eu la vie dure pendant quelque temps. Il avait bien l'intention de ne pas commettre la même erreur.

Tandis que Museau Cendré se retirait, il se rendit compte que deux félins n'étaient pas venus l'accueillir. Il s'agissait d'Éclair Noir – ce qui ne le surprenait guère – et de Tempête de Sable. Avait-il fait quelque chose qui aurait contrarié la guerrière ?

Étoile de Feu l'aperçut non loin, qui l'observait d'un drôle d'air. Ses yeux verts ne cessaient de se poser sur lui et de se détourner.

« Tout va bien, Tempête de Sable ?

— Tout va bien, Étoile de Feu, répondit-elle en regardant ses pattes. Je suis contente que tu sois revenu. »

Étoile de Feu sentait que quelque chose clochait. Pendant le trajet du retour, il n'avait pensé qu'à une chose : se blottir contre elle dans le gîte des guerriers pour la cérémonie du partage. Mais jamais plus il ne le pourrait. Désormais, il dormirait seul dans l'antre d'Étoile Bleue – qui était maintenant le sien – sous le Promontoire.

Il comprit soudain ce qui troublait sa compagne : elle ne se sentait plus à l'aise avec lui.

« Cervelle de souris, ronronna-t-il affectueusement en pressant son museau contre elle. Je suis toujours le même. Rien n'a changé.

— Au contraire, tout a changé ! Tu es le chef du Clan, à présent.

— Et toi tu restes le meilleur chasseur et la plus jolie chatte du Clan. Tu occuperas toujours une place spéciale dans mon cœur.

— Mais tu es... tu es si loin de moi maintenant, miaula-t-elle, confirmant sans le savoir les craintes d'Étoile de Feu. Tu es plus proche de Museau Cendré que de quiconque. Vous deux, vous partagez des secrets sur le Clan des Étoiles que les guerriers ordinaires ignorent.

— Museau Cendré est notre guérisseuse. Et c'est l'une de mes meilleurs amis. Mais ça n'a rien à voir avec toi, Tempête de Sable. Je sais qu'on traverse une période difficile. J'ai tant de choses à faire pour le Clan... surtout après l'attaque de la meute. Ne t'inquiète pas, dans quelques jours, nous pourrons repartir en patrouille ensemble, comme avant. »

À son grand soulagement, elle se détendit, un peu rassurée.

« Il te faut désigner la patrouille du soir », reprit-elle. Ce ton ferme lui ressemblait plus, mais il voyait qu'elle dissimulait une certaine tristesse. « Veux-tu que je réunisse quelques guerriers ?

— Bonne idée, répondit le chef, tentant d'imiter son ton pragmatique. Allez inspecter les Rochers du Soleil. Assurez-vous que le Clan de la Rivière n'y a pas mis les pattes. »

Étoile du Léopard, l'ambitieux chef du Clan de la Rivière, était bien capable de revendiquer une fois de plus ce territoire au moment même où le Clan du Tonnerre pleurait la perte d'Étoile Bleue.

« Entendu », fit Tempête de Sable avant de gagner le bouquet d'orties près duquel mangeaient Poil de Fougère et Longue Plume. Poil de Fougère appela son apprentie, Nuage d'Or, et les quatre chats se dirigèrent vers le tunnel d'ajoncs.

Étoile de Feu rejoignit la tanière du chef. Il n'arrivait toujours pas à la considérer comme la sienne : son coin de mousse dans l'antre des guerriers lui manquait. Il n'eut pas le temps d'y pénétrer : quelqu'un l'appela. Il se retourna et vit Plume Grise accourir vers lui.

« Étoile de Feu, je voulais te dire... hésita-t-il, gêné.

— Quoi donc ?

— Eh bien... Je ne sais pas si tu pensais me choisir comme lieutenant, mais je tenais à te dire que tu n'y es pas obligé. J'ai réintégré le Clan il y a peu de temps, et certains chats ne me font toujours pas confiance. Je ne me vexerai pas si tu choisis quelqu'un d'autre. »

Étoile de Feu comprit à regret que son ami avait raison. Même s'il ne doutait pas de sa loyauté, d'autres attendaient que Plume Grise fasse ses preuves avant d'accepter pleinement son retour.

Le guerrier roux pressa son museau contre celui de son camarade.

« Merci, Plume Grise. Je suis content que tu le comprennes. »

Le matou haussa les épaules, plus embarrassé que jamais.

« Je voulais juste que tu le saches », ajouta-t-il avant de filer vers le gîte des guerriers.

Ému, Étoile de Feu se secoua pour reprendre ses esprits et entra dans la tanière. Il y trouva Nuage d'Épines, le plus âgé des apprentis.

« Oh, Étoile de Feu ! Tornade Blanche m'a demandé de t'apporter une nouvelle litière et du gibier frais, expliqua-t-il en désignant du bout de la queue un lapin et un épais matelas de mousse et de bruyère.

— Ça m'a l'air parfait, Nuage d'Épines. Merci... et remercie aussi Tornade Blanche pour moi. »

L'apprenti inclina la tête. Il s'apprêtait à partir lorsque Étoile de Feu le rappela :

« Dis à ton mentor de venir me voir demain, lui lança-t-il. Il est grand temps de penser à ton baptême de guerrier. »

Cette cérémonie aurait dû avoir lieu bien avant, pensa-t-il. Mais Étoile Bleue s'y était opposée car elle ne faisait plus confiance à personne. Le jeune chat serait le seul de son groupe, qui incluait Nuage Agile et Sans Visage, à connaître son baptême de guerrier.

Les yeux de Nuage d'Épines pétillèrent.

« Entendu, Étoile de Feu ! Merci ! Je vais prévenir Poil de Souris ! » miaula-t-il avant de détaler.

Le nouveau chef s'installa sur la mousse et mangea quelques bouchées de lapin. Tornade Blanche s'était montré prévenant en lui faisant porter une nouvelle litière. Pour autant, l'odeur d'Étoile Bleue flottait encore autour de lui. Elle ne s'en irait peut-être jamais, ce qui ne serait pas un mal. Se souvenir de son mentor lui causait de la peine, mais il trouvait du réconfort en pensant à sa sagesse et son courage.

Les ombres s'allongèrent autour de lui tandis que la lumière du jour déclinait. Pour la première fois depuis son arrivée dans le Clan, Étoile de Feu connut la solitude : finie la chaleur des autres chats dormant tout près, finis les petits miaulements et les ronrons de ses amis pendant le partage, finis les légers ronflements et le bruit des corps agités pendant leur sommeil. L'espace d'un instant, il se sentit plus seul que jamais.

Puis il se réprimanda pour cet apitoiement passager. Il devait prendre une importante décision. Pour le bien du Clan du Tonnerre, il n'avait pas droit à l'erreur. La nomination du nouveau lieutenant aurait des répercussions sur la vie du Clan pendant les saisons à venir.

S'enfonçant un peu plus dans la mousse, il se demanda s'il devait essayer de dormir pour demander conseil à Petite Feuille. Il ferma les yeux et perçut presque aussitôt le doux parfum de la chatte écaille. Mais il n'eut pas de vision. Seules les ténèbres l'accueillirent.

Puis il entendit un murmure à son oreille, le ton taquin de Petite Feuille.

« Eh non, Étoile de Feu, c'est ta décision, et la tienne seulement. »

Le rouquin soupira et rouvrit les yeux.

« D'accord, Petite Feuille, miaula-t-il à haute voix. Je vais me débrouiller. »

Il ne pouvait désigner Plume Grise. Le chef passa donc en revue les autres candidats potentiels. Le nouveau lieutenant devait avoir de l'expérience, et sa loyauté envers le Clan ne devait faire aucun doute. Tempête de Sable était courageuse et intelligente. De plus, elle serait rassurée de savoir qu'Étoile de Feu la voulait à ses côtés.

Mais ce n'étaient pas de bonnes raisons pour la choisir. Par ailleurs, le code du guerrier voulait qu'un lieutenant ait d'abord été mentor, ce qui n'était pas le cas de la guerrière. Un peu honteux, il reconnut que c'était sa faute, puisqu'il avait confié Nuage d'Or à Poil de Fougère. Il avait ainsi voulu la protéger, craignant que les mentors des petits d'Étoile du Tigre ne courent un terrible danger. Tempête de Sable avait mis du temps à lui pardonner. Comprendrait-elle un jour qu'à cause de cette décision il ne pouvait la choisir ?

Quoi qu'il en soit, il devait y avoir un chat susceptible d'assumer ce rôle, un chat qui surpassait tous les autres. Tornade Blanche avait de l'expérience, en plus de sa sagesse et de son courage. Lorsque Étoile de Feu était lui-même devenu lieutenant, le vétéran n'avait pas semblé jaloux comme l'aurait été le premier chat venu, et il l'avait toujours soutenu. Le nouveau chef s'adressait volontiers à lui lorsqu'il avait besoin de conseil. Certes, il était âgé, mais sa force et sa vigueur n'avaient pas faibli. Il ne rejoindrait pas la tanière des anciens avant quelques saisons.

Étoile Bleue approuverait ce choix, car l'amitié du guerrier blanc avait beaucoup compté pour elle au cours des dernières lunes.

Oui, pensa Étoile de Feu. *Tornade Blanche sera le nouveau lieutenant.* Il s'étira, satisfait. Il ne restait plus qu'à l'annoncer au Clan.

Étoile de Feu prit le temps de finir le lapin et de somnoler un peu, sans toutefois se laisser gagner par le sommeil, de peur de rater minuit. Une lumière argentée filtra dans la tanière lorsque la lune se leva.

Enfin, il se mit sur ses pattes, secoua sa fourrure pour la débarrasser des brins de mousse et sortit dans la clairière.

Plusieurs membres du Clan faisaient les cent pas près du mur de fougères, attendant l'annonce. Déjà revenus, Tempête de Sable et les autres guerriers de la patrouille du soir mangeaient leur part de gibier. Étoile de Feu lui fit un signe du bout de la queue et bondit sur le Promontoire.

« Que tous ceux qui sont en âge de chasser s'approchent du Promontoire pour une assemblée du Clan », lança-t-il.

Son appel n'avait pas fini de retentir que d'autres chats étaient déjà apparus, quittant l'abri de leur gîte ou les ombres du camp. Éclair Noir s'assit à quelques pas du rocher, la queue autour des pattes, le regard méprisant. Poil de Fougère s'installa discrètement près de lui.

Nuage Épineux se faufila hors de la tanière des apprentis. Étoile de Feu se demanda s'il rejoindrait Éclair Noir, mais l'apprenti resta avec sa sœur, Nuage d'Or, au dernier rang. Les yeux attentifs des deux jeunes chats balayaient l'assistance. Lorsque Poil de Souris passa devant eux, elle parla sèchement à Nuage d'Or, et cette dernière détourna la tête, comme si les deux chattes s'étaient querellées. L'apprentie était douée et fière, se dit Étoile de Feu. Il ne serait pas étonnant qu'elle offense les vétérans de temps en temps.

Tempête de Sable et Plume Grise se tenaient près du rocher, à côté de Flocon de Neige et de Sans Visage. Lorsque les anciens arrivèrent, ils prirent place au centre du camp.

Étoile de Feu avisa Tornade Blanche qui passait devant la réserve de gibier avec Museau Cendré. Son visage ne trahissait aucune excitation, il s'arrêta même pour dire un mot à Nuage de Bruyère et Nuage de Granit avant de s'asseoir près du Promontoire.

Le nouveau chef déglutit nerveusement avant de commencer :

« Le temps est venu de nommer un nouveau lieutenant. » Il fit une pause, sentant la présence d'Étoile Bleue tout près de lui tandis qu'il se remémorait les formules rituelles. « J'annonce ma décision devant le Clan des Étoiles, afin que l'esprit de nos ancêtres l'entende et l'approuve. »

Tous les visages étaient maintenant levés vers lui. Il observa leurs yeux brillants dans le clair de lune ; leur excitation était presque palpable.

« Tornade Blanche sera le nouveau lieutenant du Clan du Tonnerre. »

Le silence ne dura qu'un instant. Tornade Blanche cligna les yeux, visiblement surpris et content. Voilà en outre ce qu'il aimait chez le vétéran : sa modestie l'avait empêché de penser qu'il pourrait être choisi. Il se leva doucement et déclara :

« Étoile de Feu, chats du Clan du Tonnerre, jamais je n'aurais pensé recevoir un tel honneur. Je jure devant le Clan des Étoiles que je ferai tout pour vous servir. »

Lorsqu'il eut fini de parler, une rumeur s'éleva de l'assemblée, un mélange de cris de joie, de ronrons et de voix braillant : « Tornade Blanche ! » Les membres du Clan se massèrent autour de lui pour le féliciter. Étoile de Feu n'en fut guère étonné. Il savait qu'il avait choisi un chat très populaire.

Du haut du Promontoire, il contempla la scène avec un optimisme tout neuf qui lui redonna confiance et lui réchauffa le cœur.

Il avait reçu ses neuf vies, il était secondé par le meilleur lieutenant qui soit, et ses guerriers étaient prêts à affronter n'importe quelle épreuve. La meute n'était plus une menace et Étoile de Feu voulait croire qu'un jour ils arriveraient à chasser Étoile du Tigre de la forêt.

Alors qu'il s'apprêtait à sauter au pied du rocher pour aller féliciter Tornade Blanche, il aperçut Éclair Noir. De tous les chats, lui seul n'avait pas dit un mot, pas fait un geste. Ses yeux, qui brûlaient d'un feu pâle, étaient rivés sur Étoile de Feu.

Le nouveau chef se souvint alors de son horrible vision : le monticule d'ossements et la rivière de sang qui en suintait. Les mots d'Étoile Bleue lui revinrent en tête : *Les quatre deviendront deux. Lion et Tigre s'affronteront au combat, et le sang régnera sur la forêt.*

Il ne connaissait toujours pas la signification de la prophétie, mais les mots résonnaient comme une fatalité. Il y aurait une bataille, et le sang coulerait. Dans le regard mauvais d'Éclair Noir, Étoile de Feu vit le premier nuage annonçant la tempête finale.

CHAPITRE 7

Un froid humide pénétra la fourrure d'Étoile de Feu tandis qu'il cheminait à travers les Grands Pins. Le ciel était plombé de nuages gris, hésitant entre pluie et neige. Aux endroits où l'incendie avait fait des ravages, le sol était toujours tapissé de cendres, et les rares plantes qui avaient repoussé s'étaient recroquevillées avec l'arrivée de la mauvaise saison.

Étoile de Feu avait confié la garde du camp à son lieutenant fraîchement désigné, souhaitant patrouiller seul le long de la frontière. Il voulait s'habituer à son nouveau rôle, et réfléchir à l'avenir. Parfois, il était si fier d'avoir été choisi par le Clan des Étoiles pour diriger le Clan du Tonnerre qu'il craignait de prendre la grosse tête, mais il savait aussi que rien ne serait facile. La douleur d'avoir perdu Étoile Bleue ne le quitterait jamais. De plus, il redoutait les manœuvres d'Étoile du Tigre. Contrairement aux autres chats, il n'était guère rassuré par l'absence de traces du Clan de l'Ombre sur leur territoire. Étoile du Tigre n'abandonnerait jamais le combat avant d'avoir éliminé son ennemi ; quand il apprendrait qu'Étoile de Feu était le nouveau chef du Clan, son désir de vengeance en serait d'autant plus attisé.

Il quitta le couvert des arbres qui bordaient le territoire des Bipèdes et observa le jardin où vivait sa sœur, Princesse. Mais il ne la vit pas et, lorsqu'il huma l'air, le parfum de la chatte domestique lui sembla fugace. Il longea la lisière de la forêt et tomba sur un endroit qu'il visitait rarement. Il reconnut néanmoins le nid de Bipèdes où il avait vécu autrefois. La curiosité l'emporta, si bien qu'il se mit à découvert et sauta sur la clôture.

Il se souvint d'avoir joué dans ce jardin à la pelouse bordée de plantes lorsqu'il était chaton. Plus récemment, il était venu y chercher de l'herbe à chat pour soigner le mal vert d'Étoile Bleue. De là où il était perché, il apercevait des touffes de cette herbe à l'odeur alléchante.

Un tressaillement à l'intérieur du nid attira son attention : l'un de ses anciens maîtres passa devant la fenêtre. Étoile de Feu se demanda soudain ce que les Bipèdes avaient ressenti lorsqu'il était parti vivre dans les bois. Il espérait ne pas les avoir inquiétés. Ils s'étaient bien occupés de lui, à la façon des Bipèdes, et Étoile de Feu leur en serait toujours reconnaissant. Il aurait aimé leur dire qu'il était heureux dans la forêt, et qu'il suivait la destinée que le Clan des Étoiles lui avait réservée. Mais, bien sûr, c'était impossible.

Il banda ses muscles, prêt à sauter de la clôture pour s'en aller, lorsqu'une silhouette noir et blanc bougea dans le jardin d'à côté. Il reconnut Ficelle, son ami d'antan. Il était plus dodu que jamais, et son visage affichait une expression satisfaite. Il parlait à une jolie chatte tigrée de brun qu'Étoile de Feu ne connaissait pas. Il les entendait miauler, trop loin néanmoins pour pouvoir comprendre leurs paroles.

Il faillit les rejoindre pour les saluer, mais il se souvint qu'il risquait de les effrayer, avec son allure de chat sauvage. Il se rappela que, peu après son arrivée dans la forêt, il avait croisé Ficelle. Le chat domestique avait failli mourir de peur avant de reconnaître son ami. Ils ne vivaient plus dans le même monde, désormais.

Le grincement d'une porte le sortit de ses pensées. Au moment même où l'un de ses anciens maîtres passait dans le jardin pour lancer un appel, il s'abrita sous un buisson de houx. Aussitôt, la jolie chatte tigrée prit congé de Ficelle et rampa sous le grillage qui séparait les deux pelouses. En ronronnant, elle courut jusqu'aux pieds du Bipède, qui la prit dans ses bras et la caressa avant de l'emmener à l'intérieur.

C'est leur nouveau chat domestique ! comprit Étoile de Feu. Lorsque la porte se referma, il éprouva une pointe de jalousie, qui disparut aussitôt. La petite chatte n'avait pas besoin de chasser pour manger ; elle dormait dans un endroit chaud et ne risquait pas de mourir au cours d'un combat ou bien à cause des nombreux dangers qui menaçaient les chats de la forêt. Elle avait l'amitié de Ficelle et des autres chats domestiques, et ses Bipèdes s'occupaient d'elle. Tout cela, Étoile de Feu y avait renoncé.

D'un autre côté, elle ne connaîtrait jamais la satis-faction d'acquérir des talents de guerrier, ou de se jeter dans une bataille aux côtés de ses amis. Elle ne comprendrait jamais ce que signifiait vivre selon le code du guerrier et la volonté du Clan des Étoiles.

Si je pouvais tout recommencer, se dit Étoile de Feu, *je ne changerais rien à ma vie.*

Soudain, il entendit des griffes s'accrocher à la clô-ture et aperçut une ombre brune. En tournant la tête, il se retrouva nez à nez avec Nuage Épineux.

Stupéfait, il s'exclama : « Qu'est-ce que tu fais là ?

— Je t'ai suivi depuis le camp. Je... J'étais curieux de savoir où tu allais, et je voulais tester mes talents de pisteur.

— Eh bien, tu es doué, si tu as pu arriver jus-qu'ici. »

Étoile de Feu ne savait pas s'il était vraiment furieux contre son apprenti. Nuage Épineux n'aurait pas dû le suivre sans sa permission, mais il avait réussi à remonter sa piste depuis le camp. Il se sentit un peu coupable, aussi, que Nuage Épineux l'ait vu occupé à observer des chats domestiques. Jadis, Étoile du Tigre l'avait espionné et surpris en pleine conver-sation avec Ficelle. Il avait ensuite rapporté la scène à Étoile Bleue, mettant en doute sa loyauté envers le Clan.

Alors qu'il fixait son apprenti dans les yeux, le jeune chat devint soudain calme et attentif, comme pour jauger son mentor. Nuage Épineux soutint lon-guement son regard, et le rouquin discerna dans ses prunelles ambrées de l'intelligence et du respect. De nouveau, il fut certain que Nuage Épineux pouvait devenir un guerrier hors pair ; encore fallait-il s'assurer qu'il n'avait pas hérité de son père. L'apprenti pourrait-il vraiment être loyal envers son Clan si Étoile du Tigre sévissait toujours dans la forêt ?

« Est-ce que je peux te faire confiance ? » lâcha soudain Étoile de Feu.

Au lieu de se défendre, le jeune chat ne le quitta pas des yeux.

« Et toi, es-tu digne de confiance ? » rétorqua-t-il en inclinant ses oreilles vers le jardin des Bipèdes.

Les poils d'Étoile de Feu se hérissèrent. Il n'eut tout d'abord pas l'intention de se justifier. Un apprenti n'avait pas à remettre en question les actes de son mentor – et de son chef, qui plus est. Pourtant, même si la question de Nuage Épineux lui fit éprouver de la culpabilité, il ne put qu'admirer l'audace du jeune félin.

« Oui, tu peux me faire confiance, lui assura-t-il d'un air solennel. J'ai quitté ma vie de chat domestique par choix. Quoi qu'il arrive, le Clan sera toujours ma priorité. » Il décida qu'il était temps de s'ouvrir à son apprenti. « Je viens voir ma sœur de temps en temps, et parfois je me demande à quoi ma vie aurait ressemblé si j'étais resté là. Néanmoins, je repars toujours en sachant que mon cœur appartient au Clan du Tonnerre. »

Nuage Épineux hocha la tête, comme si la réponse le satisfaisait.

« Je sais ce que c'est, quand les autres doutent de notre loyauté », miaula le jeune matou.

Une fois encore, Étoile de Feu s'en voulut, même s'il n'était pas le seul à se méfier de son élève.

« Comment ça se passe, avec les autres apprentis ? demanda-t-il.

— Ça va. Mais certains guerriers ne nous aiment pas, moi et Nuage d'Or, parce que nous sommes les enfants d'Étoile du Tigre. »

Il avait parlé avec tellement de lucidité que le rouquin eut encore plus honte de lui-même. *Nous nous ressemblons davantage que je ne le pensais*, se dit-il. *Nous devons prouver notre loyauté en nous battant et en nous défendant deux fois plus, face à nos ennemis... et face aux autres membres du Clan.*

« Et comment le prends-tu ? s'enquit-il prudemment.

— Je suis un chat loyal. Et je le prouverai un jour. »

Loin de fanfaronner, il exprimait avec calme sa détermination. Étoile de Feu se surprit à le croire. Puisqu'il s'était montré franc, son apprenti l'avait imité. Maintenant, il se devait de faire confiance à Nuage Épineux.

« Et Nuage d'Or ?

— Eh bien... hésita-t-il, troublé. Elle a un sale caractère... elle n'y peut rien. Au fond, elle aussi est loyale.

— Je n'en doute pas », miaula Étoile de Feu, mais le malaise du jeune chat ne lui avait pas échappé. À l'avenir, il devrait garder un œil sur l'apprentie et s'assurer qu'elle reçoive tout le soutien dont elle avait besoin pour devenir une guerrière digne de ce nom. Il en toucherait un mot à son mentor, Poil de Fougère.

Il éprouva soudain de la sympathie pour son protégé et ajouta :

« Je dois y aller si je veux finir ma patrouille le long de la frontière avant la nuit. Tu veux m'accompagner ?

— Je peux ? fit Nuage Épineux, les yeux brillants.

— Bien sûr, répondit Étoile de Feu en sautant de la clôture. Nous ferons un petit entraînement en cours de route.

— Chouette ! »

Le jeune félin descendit tant bien que mal de son perchoir et rejoignit son mentor qui s'enfonçait déjà dans les sous-bois.

Étoile de Feu s'arrêta au bord du Chemin du Tonnerre et huma l'odeur qui lui parvenait depuis le territoire du Clan de l'Ombre. *Étoile du Tigre est là, quelque part*, songea-t-il. *Que manigance-t-il ?*

Il était perdu dans ses pensées lorsqu'il remarqua des petits cristaux blancs tombant du ciel. *De la neige !* Le jeune chef leva la tête vers les nuages menaçants. Puis il entendit Nuage Épineux pousser un cri de surprise. Un flocon venait d'atterrir sur le nez de l'apprenti, et se mit à fondre. Le félin sortit sa petite langue rose et lécha le flocon, les yeux écarquillés de surprise.

« Qu'est-ce que c'est, Étoile de Feu ? C'est si froid !

— De la neige, répondit son mentor avec un ronronnement amusé. Elle tombe à la mauvaise saison. Si cela continue, les flocons recouvriront le sol et les arbres.

— Vraiment ? Mais ils sont tout petits !

— Oui, mais très nombreux. »

Les flocons étaient déjà plus gros et tombaient de plus en plus dru, dissimulant presque les arbres de l'autre côté du Chemin du Tonnerre, ainsi que l'odeur du Clan de l'Ombre.

Même les rugissements des monstres étaient étouffés ; ils progressaient d'ailleurs avec lenteur, comme si leurs yeux étincelants peinaient à voir à travers l'averse de neige.

Étoile de Feu savait que le mauvais temps causerait d'autres problèmes au camp. Les proies mourraient de froid ou resteraient tapies au fond de leurs terriers, à l'abri des chasseurs. Nourrir le Clan s'avérerait plus difficile encore.

Son apprenti regardait tomber la neige avec de grands yeux. Étoile de Feu le vit tendre une patte hésitante vers un flocon pour l'attraper. L'instant suivant, il sautait de-ci, de-là en poussant des petits cris excités, et tentait de saisir chaque flocon avant qu'il ne touche le sol.

Étoile de Feu se surprit à ressentir de l'affection pour le garnement. Il était bon de le voir jouer comme s'il était redevenu un chaton. À l'évidence, Étoile du Tigre, avec son cœur de pierre, n'avait jamais joué à pourchasser des flocons de neige pour le plaisir, non ? Dans le cas contraire, quand avait-il perdu son âme de chaton pour ne devenir qu'une créature assoiffée de pouvoir et de sang ?

Cette question resterait sans réponse. Étoile de Feu savait que, tant pour lui que pour son ennemi, il était impossible de revenir en arrière. Leurs pattes les portaient fermement sur le sentier que le Clan des Étoiles avait tracé pour eux et, tôt ou tard, les deux chefs devraient s'affronter pour décider lequel resterait dans la forêt.

CHAPITRE 8

♣

Le temps qu'Étoile de Feu et Nuage Épineux regagnent le camp, la neige s'était arrêtée de tomber. Les nuages s'étaient dissipés et le soleil couchant projetait de longues ombres bleues sur le mince manteau blanc qui poudrait le sol. Les deux félins rapportaient du gibier ; en observant son apprenti chasser, le jeune chef avait été impressionné par sa concentration et ses talents de traqueur.

Ils venaient d'atteindre le sommet du ravin lorsqu'ils entendirent un cri joyeux derrière eux. Plume Grise bondissait à travers les sous-bois dans leur direction.

« Salut », ahana le guerrier gris lorsqu'il les eut rejoints. Il ouvrit grand les yeux en découvrant leurs prises. « Vous avez eu plus de chance que moi. Je n'ai même pas réussi à trouver une souris. »

Le rouquin émit un grognement amusé et guida les deux félins vers le tunnel. Il aperçut Petite Châtaigne, la plus hardie des trois petits de Fleur de Saule, qui était sortie du camp et se trouvait maintenant à mi-hauteur de la pente. À sa grande surprise, il vit Éclair Noir à son côté, penché sur elle, comme s'il lui parlait.

« Étrange, marmonna Étoile de Feu, la gueule pleine de poils d'écureuil. Éclair Noir ne s'est jamais intéressé aux chatons. Et que fait-il là, tout seul ? »

Soudain, Plume Grise poussa un cri et dévala le ravin, dérapant sur les cailloux recouverts de poudreuse. Au même instant, les pattes de Petite Châtaigne se dérobèrent sous elle et elle se mit à se tortiller dans la neige. Éberlué, Étoile de Feu laissa tomber sa proie lorsque son ami hurla : « Non ! » et se jeta sur Éclair Noir. Le guerrier au pelage sombre voulut le griffer avec ses pattes arrière, mais les dents de Plume Grise étaient déjà plantées dans sa gorge.

« Mais que... » balbutia le jeune chef dans sa course pour les rejoindre, Nuage Épineux sur les talons. Il évita les deux félins qui se battaient toujours à coups de griffes et de dents, et s'approcha de Petite Châtaigne.

Le chaton se tordait dans tous les sens, les yeux révulsés et vitreux. Elle poussait de petits cris de douleur tandis que de l'écume moussait sur ses babines.

« Va chercher Museau Cendré ! » ordonna le rouquin à Nuage Épineux.

Son apprenti détala, soulevant des nuages de neige sur son passage. Étoile de Feu se pencha vers la petite boule de poils et lui mit gentiment une patte sur le ventre.

« Ça va aller, murmura-t-il. Museau Cendré arrive. »

Petite Châtaigne ouvrit grand la bouche et Étoile de Feu y aperçut des baies à moitié mâchées, leur couleur écarlate contrastant avec les petites dents blanches.

« Des baies empoisonnées ! »

Juste au-dessus de sa tête, il avisa un buisson aux feuilles sombres qui poussait dans une fissure du rocher. Il était recouvert de baies mortelles. Il se rappela un jour, bien des lunes auparavant, où Museau Cendré était arrivée juste à temps pour empêcher Flocon de Neige de manger ces baies toxiques. Plus tard, Croc Jaune s'en était servie pour tuer son fils, Plume Brisée ; Étoile de Feu avait vu à l'œuvre ce poison fulgurant.

Il fit de son mieux pour retirer les baies mâchouillées de la gueule du chaton, mais Petite Châtaigne avait si peur, et souffrait tant, qu'elle n'arrivait pas à se calmer, ce qui ne lui facilitait pas la tâche. Sa tête partait d'un côté, puis de l'autre, et son petit corps dodu était secoué de convulsions qui diminuaient en intensité. Derrière lui, Plume Grise et Éclair Noir se battaient toujours, mais étrangement, ils lui semblaient bien loin. Toute son attention était concentrée sur le jeune félin.

À son grand soulagement, Museau Cendré arriva enfin.

« Des baies empoisonnées ! lui apprit-il aussitôt. J'ai essayé de les lui enlever de la bouche mais... »

La guérisseuse prit sa place au côté de la malade. Elle posa par terre le ballot d'herbes qu'elle portait dans la gueule et miaula :

« Tu as bien fait. Tiens-la pour que je puisse l'examiner. »

À eux deux, ils réussirent à immobiliser le chaton, qui se débattait de plus en plus faiblement. Museau Cendré parvint à récupérer le reste des baies, puis mâcha rapidement quelques-unes des feuilles qu'elle avait apportées et en plaça la pulpe dans la bouche de Petite Châtaigne.

« Avale », ordonna-t-elle, puis elle ajouta à l'intention d'Étoile de Feu : « C'est de la mille-feuille, ça va la faire rendre. »

Le chaton eut un haut-le-cœur avant de vomir. Les restes de nombreuses baies empoisonnées se mélangeaient à la pulpe des feuilles.

« Bien, miaula la guérisseuse d'un ton rassurant. C'est très bien. Ça va aller, Petite Châtaigne. »

Le chaton gisait sur le sol, le souffle court, tremblant de tous ses membres. Puis, sous les yeux horrifiés d'Étoile de Feu, elle ne bougea plus et ferma les yeux.

« Elle est morte ? » murmura-t-il.

Avant que Museau Cendré ait le temps de répondre, un cri lui parvint de l'entrée du camp.

« Ma petite ! Où est-elle ? » Fleur de Saule gravissait la pente du ravin, suivie de Nuage Épineux. Elle se tapit près de sa fille, les yeux bleus agrandis par l'angoisse. « Qu'est-ce qui s'est passé ?

— Elle a mangé des baies toxiques, expliqua Museau Cendré. Mais je pense que je les ai toutes éliminées. Nous allons la porter dans ma tanière, où je veillerai sur elle. »

Fleur de Saule se mit à lécher la fourrure écaille de sa fille. Entre-temps, Étoile de Feu avait remarqué que le flanc du chaton se soulevait et s'abaissait régulièrement. Petite Châtaigne n'était donc pas morte. Il devinait cependant, au regard anxieux de la guérisseuse, qu'elle n'était pas encore tirée d'affaire.

Soulagé, il put enfin tourner son attention vers Plume Grise. Le guerrier avait immobilisé Éclair Noir à quelques longueurs de queue de là, une patte sur sa gorge, une autre sur son ventre. Éclair Noir saignait d'une oreille ; incapable de se libérer, il crachait de colère.

« Qu'est-ce qui se passe ? demanda leur chef.

— Ce n'est pas à moi qu'il faut poser la question », grogna Plume Grise. Son ami ne se rappelait pas l'avoir déjà vu aussi énervé. « Demande à ce... cette espèce de crotte de renard pourquoi il a voulu assassiner un chaton !

— Assassiner ? » répéta Étoile de Feu. L'accusation était si inattendue qu'il en resta bouche bée.

« Oui, assassiner, insista le guerrier gris. Vas-y, demande-lui pourquoi il a forcé Petite Châtaigne à manger des baies empoisonnées.

— Cervelle de souris ! gronda Éclair Noir, cinglant. Ce n'est pas moi qui les lui ai données, j'essayais de l'empêcher de les avaler.

— Je sais ce que j'ai vu, renchérit Plume Grise, les mâchoires serrées.

— Laisse-le se relever, lui conseilla Étoile de Feu, essayant de se rappeler la scène. Éclair Noir, dis-moi ce qui s'est passé. »

Une fois debout, le guerrier secoua sa fourrure. Son flanc portait les traces des coups de griffes de Plume Grise, là où il manquait des touffes de poils.

« En revenant au camp, j'ai vu ce chaton stupide se goinfrer de baies empoisonnées, et j'étais en train de l'arrêter lorsque cet imbécile m'a sauté dessus, a-t-il expliqué en lançant un regard noir vers Plume Grise. Pourquoi voudrais-je tuer un chaton ?

— C'est ce que j'aimerais savoir ! feula le guerrier gris.

— Bien sûr, inutile de se demander qui le noble Étoile de Feu croira ! ricana Éclair Noir. Il ne faut pas espérer que justice soit faite en ce moment dans le Clan du Tonnerre. »

L'accusation blessa Étoile de Feu, d'autant plus qu'elle était en partie fondée. À choisir entre la parole de Plume Grise et celle d'Éclair Noir, il privilégierait toujours celle de son ami. Cependant, il devait s'assurer que ce dernier ne commettait pas une erreur.

« Je ne déciderai rien pour le moment, trancha-t-il. Dès que Petite Châtaigne se réveillera, elle nous donnera sa version. »

Il crut déceler une ombre d'inquiétude dans le regard d'Éclair Noir, mais elle se dissipa si vite qu'il douta de l'avoir vue. Le guerrier au pelage sombre remua les oreilles avec mépris.

« Très bien, miaula-t-il. Comme ça, on verra qui de nous deux dit la vérité. » Sur ce, il se dirigea vers l'entrée du camp à grands pas, la queue bien haute.

« Je l'ai vu, je t'assure, protesta Plume Grise, encore essoufflé par le combat. Je ne sais pas pourquoi il s'en prendrait à Petite Châtaigne... Ça n'empêche, je suis absolument sûr de moi.

— Je te crois, soupira Étoile de Feu. Mais tout le monde doit savoir que justice sera rendue dans le respect de chacun. Je ne peux pas punir Éclair Noir tant que Petite Châtaigne ne nous a pas raconté sa version. »

Si elle se réveille un jour, pensa-t-il. Il observa Museau Cendré et Fleur de Saule soulever délicatement le chaton pour le porter vers le tunnel d'ajoncs. Le tête de Petite Châtaigne pendait mollement et sa queue traînait sur le sol. Le cœur du jeune chef se serra en repensant à la boule de poils sautillant dans le camp. Si Éclair Noir avait vraiment essayé de la tuer, il le paierait cher.

« Plume Grise, murmura-t-il, accompagne Museau Cendré. Je veux que toi ou un autre guerrier monte la garde devant sa tanière jusqu'à ce que Petite Châtaigne se réveille. Demande à Tempête de Sable et Bouton-d'Or de t'aider. Il ne doit rien lui arriver avant qu'elle puisse parler.

— Entendu, Étoile de Feu, répondit Plume Grise, qui avait compris ce que redoutait son chef. J'y vais tout de suite. »

Il gagna le fond du ravin en quelques bonds et rattrapa les autres chats dans le tunnel.

Étoile de Feu se retrouva seul avec Nuage Épineux.

« J'ai laissé un écureuil là-haut, miaula-t-il à son apprenti. Veux-tu aller me le chercher, s'il te plaît ? Ensuite, tu pourras manger et te reposer. La journée a été longue.

— Merci, fit le jeune chat, avant de s'éloigner de quelques pas. Petite Châtaigne va s'en sortir, pas vrai ?

— Je n'en sais rien, Nuage Épineux, admit-il en soupirant. Je n'en sais vraiment rien. »

CHAPITRE 9

Pᴇʀᴅᴜ ᴅᴀɴꜱ ꜱᴇꜱ ᴘᴇɴꜱᴇ́ᴇꜱ, Étoile de Feu retourna au camp. Il aperçut Éclair Noir qui dévorait une proie près du bouquet d'orties. Poil de Souris, Bouton-d'Or et Pelage de Givre mangeaient non loin de là, tournant le dos au guerrier au poil sombre.

Plume Grise avait sans doute déjà répandu la nouvelle. Pelage de Givre et Bouton-d'Or, ayant elles-mêmes des petits, ne manqueraient pas d'être particulièrement choquées à l'idée qu'un meurtrier sévissait au sein même du Clan. C'était bon signe, pensa Étoile de Feu, qu'elles croient en la version de Plume Grise. Son ami regagnait ainsi la confiance de tous et recouvrait peu à peu sa popularité d'antan.

Tandis que le félin roux se dirigeait vers Plume Grise, Poil de Fougère sortit du gîte des guerriers pour le rejoindre.

« Je viens d'apprendre ce qui s'est passé ! hoqueta-t-il en coulant un regard vers Éclair Noir. Étoile de Feu, je suis désolé, il a échappé à ma surveillance. Tout est ma faute !

— Calme-toi ! miaula son chef en posant le bout de sa queue sur l'épaule du jeune guerrier affolé. Raconte-moi tout. »

Poil de Fougère prit une grande inspiration, tentant de contrôler sa panique.

« Éclair Noir est parti chasser. Je l'ai accompagné mais, une fois dans la forêt, il a prétendu qu'il devait faire ses besoins. Il s'est caché derrière un buisson pendant que je l'attendais. Il mettait tellement de temps que lorsque je suis allé jeter un coup d'œil... il n'était plus là ! s'exclama-t-il, les yeux ronds de stupeur. Si Petite Châtaigne meurt, je ne me le pardonnerai jamais.

— Elle ne mourra pas », le rassura Étoile de Feu même s'il n'était pas sûr de ce qu'il avançait.

Et maintenant, il avait des soucis supplémentaires : les faits relatés par Poil de Fougère prouvaient qu'Éclair Noir s'était rendu compte qu'il était surveillé. Il s'était donc sciemment débarrassé de l'espion. *Il devait avoir une bonne raison*, se dit Étoile de Feu. *Pourquoi a-t-il quitté le camp ? Et pourquoi s'en prendre à Petite Châtaigne ?*

« Que veux-tu que je fasse ? lui demanda le jeune chasseur d'un ton désespéré.

— Déjà, arrête de t'en vouloir. Il fallait bien que, tôt ou tard, Éclair Noir choisisse son camp. »

S'il s'inquiétait de la santé du chaton, il n'était pas mécontent qu'Éclair Noir ait montré sa vraie nature : désormais, aucun chat ne pourrait l'ignorer. Même s'il avait espéré le garder au sein du Clan, où il pouvait guetter le moindre signe de trahison, il savait à présent qu'Éclair Noir ne serait jamais loyal, ni envers lui ni envers les autres guerriers. Dans le Clan du Tonnerre, il n'y avait pas de place pour un chat capable d'empoisonner un chaton sans défense. *Qu'il rejoigne Étoile du Tigre, là où est sa place,* pensa Étoile de Feu.

« Continue à le surveiller, ordonna-t-il à Poil de Fougère. Tu n'as plus besoin d'être discret. Dis-lui de ma part qu'il ne devra pas quitter le camp tant que Petite Châtaigne ne se sera pas rétablie. »

Le jeune chasseur hocha la tête d'un geste sec et fila vers le garde-manger, où il se coucha près d'Éclair Noir pour lui parler. Le guerrier grogna une réponse et retourna à son repas, déchirant sa pièce de viande avec avidité.

Tandis qu'il les observait, Étoile de Feu entendit des petits bruits de pas derrière lui. En se tournant, il aperçut Tempête de Sable, qui pressa aussitôt son museau contre le sien en ronronnant. Étoile de Feu huma son doux parfum, soudain réconforté par sa simple présence.

« Tu viens manger ? lui demanda-t-elle. Je t'ai attendu. Plume Grise m'a tout raconté. J'irai le relayer devant la tanière de Museau Cendré.

— Merci. »

Alors qu'ils se dirigeaient vers la pile de gibier, il observa en coin le guerrier tigré de noir. Éclair Noir avait fini son repas. Il se leva aussitôt pour rejoindre le gîte des guerriers sans même un regard pour son chef. Poil de Fougère le suivit, plus déterminé que jamais.

Pelage de Poussière sortit de la tanière au moment même où le guerrier au pelage sombre s'y faufilait. Le jeune chasseur rejoignit Nuage de Bruyère en ignorant son aîné. Les chats du Clan du Tonnerre ne cachaient pas leurs sentiments. Pelage de Poussière avait été l'apprenti d'Éclair Noir, et maintenant il ne voulait même plus parler à son ancien mentor.

Étoile de Feu choisit une pie et rejoignit Tempête de Sable près du bouquet d'orties.

« Eh ! Étoile de Feu, lança Poil de Souris à son approche. Nuage d'Épines m'a dit que tu voulais me parler de sa cérémonie de baptême. C'est pas trop tôt !

— Tu as raison », admit le jeune chef. Étoile Bleue avait refusé que les trois plus vieux apprentis deviennent des guerriers. En conséquence, Nuage Agile avait perdu la vie en voulant prouver sa valeur, et Sans Visage s'était fait gravement blesser. Personne ne l'aurait oublié lorsque Nuage d'Épines recevrait enfin son nom de guerrier. « On pourrait prendre la patrouille de l'aube, demain, tous les trois. Cela me donnera une occasion de voir comment il se débrouille... Non que je doute de ses capacités, se hâta-t-il d'ajouter.

— J'espère bien ! miaula Poil de Souris. Tu veux que j'avertisse Nuage d'Épines ?

— Non, je vais le faire, répondit le rouquin en mordant dans sa pie. Il faut aussi que je dise un mot à Nuage de Bruyère et Nuage de Granit. »

Après leur repas, la chatte roux pâle partit vers la tanière de Museau Cendré tandis qu'Étoile de Feu trotta vers la souche où mangeaient les apprentis. Pelage de Poussière et Nuage de Bruyère y étaient déjà, ainsi que Nuage d'Épines et Nuage de Granit. Au même moment, Flocon de Neige sortit de l'antre des anciens, suivi de Sans Visage.

« Nuage d'Épines, tes griffes sont-elles bien affûtées ? Tes talents de guerrier sont-ils fin prêts ? »

L'apprenti se redressa, les yeux soudain brillants.

« Oui, Étoile de Feu !

— Dans ce cas, tu patrouilleras demain à l'aube. Si tout se passe bien, lorsque le soleil sera à son zénith, tu seras un guerrier. »

Les oreilles de Nuage d'Épines frémirent à cette idée, mais la lumière qui éclairait ses yeux disparut et il détourna le regard.

« Qu'est-ce qu'il y a ? lui demanda le rouquin.

— Nuage Agile... et Sans Visage... murmura le jeune chat avec un mouvement de la queue vers l'apprentie défigurée. Ils auraient dû eux aussi prendre part à la cérémonie...

— Je sais, miaula Étoile de Feu en fermant brièvement les yeux à l'évocation de ce souvenir douloureux. Mais cela ne doit pas gâcher ta joie. Tu mérites de devenir un guerrier, et ce depuis des lunes.

— Je t'accompagnerai quand même, ajouta Sans Visage. Je serai la première à t'appeler par ton nouveau nom.

— Merci, Sans Visage.

— À propos de nom, intervint Flocon de Neige, qu'est-ce qu'on peut faire pour elle ? » Il désigna la petite chatte blessée, qu'il avait toujours refusé d'appeler par le nom cruel qu'Étoile Bleue avait choisi. « On peut le changer ?

— Est-ce seulement possible ? s'enquit Étoile de Feu. Les chats reçoivent leur nom devant le Clan des Étoiles. »

Flocon de Neige soupira, exaspéré.

« Jamais je n'aurais cru traiter un jour le chef de mon Clan de "cervelle de souris", mais franchement, y a de quoi ! Tu penses que Un-Œil ou Petite Oreille se sont toujours appelés ainsi ? Ils avaient d'autres noms, avant. Il doit donc exister une cérémonie spéciale ! Et je sais que le reste du Clan n'acceptera pas un nouveau nom si tu ne fais pas les choses dans l'ordre.

— S'il te plaît, Étoile de Feu, insista Sans Visage, pleine d'espoir. Je suis certaine que les autres chats auraient moins de mal à me parler si je ne portais pas ce nom affreux.

— Bien sûr, fit le jeune chef, un peu gêné de ne pas avoir remarqué combien la jeune chatte souffrait à cause de son nom. Je vais immédiatement en parler aux anciens. Un-Œil doit savoir comment faire. »

Il s'apprêtait à partir lorsqu'il se souvint qu'il avait autre chose à dire.

« Nuage de Granit, Nuage de Bruyère, ne vous sentez pas mis à part mais vous restez des apprentis pour le moment. Vous vous êtes montrés courageux lors de la course contre la meute de chiens. Je vous promets que votre tour viendra bientôt.

— Nous comprenons, répondit Nuage de Granit. Il nous reste des choses à apprendre.

— Étoile de Feu, demanda Nuage de Bruyère, visiblement nerveuse, que va-t-il se passer avec... avec Éclair Noir ? S'il a fait ça à Petite Châtaigne, je ne veux plus qu'il soit mon mentor.

— Ne t'inquiète pas, s'il est coupable, il ne t'entraînera plus, ça c'est sûr, promit le chat roux.

— Petite Châtaigne ? répéta Flocon de Neige. Il lui est arrivé quelque chose pendant qu'on chassait ? »

Nuage d'Épines et Nuage de Granit s'approchèrent du guerrier blanc et de Sans Visage pour leur raconter la nouvelle à voix basse.

« Alors qui sera le mentor de Nuage de Bruyère ? voulut savoir Pelage de Poussière, partant du principe qu'Éclair Noir était coupable. Je pourrais m'occuper d'elle, en plus de Nuage de Granit, suggéra-t-il, les yeux brillants.

— Hors de question, Pelage de Poussière. Tu ne serais pas assez ferme avec elle. »

Le guerrier eut l'air déçu, mais il acquiesça humblement.

« Je suppose que tu as raison, Étoile de Feu.

— Ne t'en fais pas, lança le rouquin en se dirigeant vers la tanière des anciens. Je m'assurerai qu'elle ait un bon mentor. »

Dans leur gîte près de l'arbre couché, les anciens s'installaient pour la nuit.

« Qu'est-ce qu'il y a, encore ? grommela Petite Oreille en levant la tête de sa litière de mousse. On ne peut pas dormir tranquille, ici ! »

Plume Cendrée émit un ronronnement ensommeillé.

« Ne l'écoute pas, Étoile de Feu, dit la vieille chatte. Tu es toujours le bienvenu.

— Merci, Plume Cendrée. Je voulais parler à Un-Œil. »

Cette dernière s'était roulée en boule sur une branche de fougère, abritée par le tronc. Elle cligna de son unique œil et ouvrit la gueule pour bâiller à s'en décrocher la mâchoire.

« Je t'écoute, Étoile de Feu. Mais dépêche-toi. »

Il lui expliqua alors la requête de son neveu. En entendant le nom de Sans Visage, Perce-Neige les rejoignit. Elle s'était occupée de l'apprentie lorsqu'elle avait été blessée, et un lien fort s'était tissé entre elles.

« Je ne peux pas en vouloir à Flocon de Neige, commenta-t-elle. Personne ne voudrait d'un tel nom.

— J'étais déjà vieille quand on m'a rebaptisée Un-Œil, raconta la vieille chatte en bâillant. Pour être honnête, je me fiche bien du nom qu'on me donne pourvu qu'on m'apporte mon déjeuner à l'heure. Mais pour un jeune chat, c'est différent.

— Alors tu peux m'expliquer comment faire ? la pressa Étoile de Feu.

— Évidemment, dit l'ancienne en l'invitant à s'approcher. Viens là, et écoute-moi bien. »

La pluie tomba dru pendant la nuit. Lorsque Étoile de Feu entraîna Poil de Souris et Nuage d'Épines hors du camp à l'aube, la mince couche de neige avait disparu. Chaque feuille de fougère, chaque brin d'herbe était couvert de gouttes d'eau qui brillaient dans la lumière du jour naissant. Le jeune chef frissonna avant de s'élancer à vive allure.

Il voyait dans les yeux brillants de Nuage d'Épines à quel point il était excité, mais l'apprenti restait calme, bien déterminé à montrer à son chef qu'il était digne de devenir guerrier. Les trois félins firent halte au sommet du ravin, où une brise leur apporta une forte odeur de souris. Nuage d'Épines lança un regard interrogateur à son chef, qui approuva :

« Nous ne sommes pas partis chasser, miaula doucement Étoile de Feu. Mais il n'y a jamais trop de gibier. Montre-nous ce que tu sais faire. »

L'apprenti resta un instant immobile, le temps de repérer la souris qui trottait parmi des feuilles, sous un buisson. Il rampa vers elle discrètement, son corps adoptant sans effort la posture du chasseur. Étoile de Feu nota avec satisfaction que le jeune félin se rappelait à quel point la souris serait sensible aux vibrations de ses pas ; il semblait presque flotter au-dessus du sol. Soudain, il bondit, avant de se tourner triomphalement vers son chef et son mentor, le corps sans vie de la souris dans la gueule.

« Bien joué ! le félicita Poil de Souris.

— Tu as été parfait, renchérit Étoile de Feu. Enterre-la, nous la récupérerons en revenant. »

Étoile de Feu guida ensuite la patrouille vers les Rochers aux Serpents. Il n'était pas revenu dans cette zone depuis le matin où il avait découvert avec horreur les cadavres de lapins disposés par Étoile du Tigre. De la bile lui monta dans la gorge au souvenir de l'odeur de sang, mais il ne sentait maintenant rien d'anormal, rien que les parfums ordinaires de la forêt. Lorsqu'ils arrivèrent à destination, le silence régnait. Les hurlements et les aboiements qui s'échappaient jadis de la grotte n'étaient plus qu'un mauvais souvenir.

« Bien, Nuage d'Épines, miaula Étoile de Feu en tentant de dissimuler son malaise persistant. Que sens-tu ? »

L'apprenti leva la tête, la gueule entrouverte pour mieux humer l'air. Le jeune chef vit qu'il se concentrait de toutes ses forces.

« Un renard, annonça-t-il enfin. Mais la trace est ancienne... de deux jours, je dirais. Un écureuil. Et... et une vague odeur de chien. »

Il jeta un œil vers Étoile de Feu, qui constata que le jeune félin partageait son malaise. Comme tout le monde, Nuage d'Épines savait qu'ils se trouvaient là où avait péri Nuage Agile et où Sans Visage avait été blessée.

« Quoi d'autre ?

— Le Chemin du Tonnerre. Mais il y a autre chose... » Il inspira de nouveau. « Étoile de Feu, je ne comprends pas, je sens des chats, mais leur odeur n'est celle d'aucun Clan. Elle vient de par là. Qu'en penses-tu ? »

Le rouquin prit une grande inspiration : l'apprenti avait raison. La brise leur apportait une odeur de chat inconnue.

« Allons jeter un œil, murmura-t-il. Et sois prudent. Ce n'est peut-être qu'un chat domestique égaré, mais on ne sait jamais. »

À mesure qu'ils s'enfonçaient dans les sous-bois, l'odeur devenait plus prégnante. Étoile de Feu pensait en reconnaître l'origine.

« Des chats errants, ou des solitaires, miaula-t-il. Trois félins, il me semble. Et la trace est fraîche. Nous avons dû les rater de peu.

— Que font-ils sur notre territoire ? demanda l'apprenti. Tu crois que ce sont les chats errants d'Étoile du Tigre ? » Il faisait référence aux félins qui avaient aidé Étoile du Tigre à attaquer le Clan du Tonnerre pendant son exil, avant qu'il rejoigne le Clan de l'Ombre.

« Non, répondit Poil de Souris. Ces vauriens ont assimilé l'odeur du Clan de l'Ombre depuis longtemps. Ce doit être un nouveau groupe.

— J'aimerais bien savoir ce qu'ils fabriquent ici. Suivons-les. Nuage d'Épines, passe devant. »

Le jeune matou affichait une expression empreinte de gravité ; l'excitation à l'idée de devenir guerrier avait été remplacée par la menace que représentaient peut-être ces intrus. Il fit de son mieux pour suivre leur piste, mais il perdit leur trace sur une étendue de terre détrempée, et même Étoile de Feu ne put rien détecter.

« Je suis désolé, Étoile de Feu, miaula Nuage d'Épines, tout penaud.

— Ce n'est pas ta faute, le rassura son chef. Si la trace a disparu, il n'y a rien à faire. » Il leva la tête, fixant la direction dans laquelle allait la piste. Ces chats inconnus se dirigeaient soit vers le Chemin du Tonnerre, soit sur les terres des Bipèdes. Dans les deux cas, ils s'apprêtaient à quitter leur territoire. « Je dirai aux patrouilles d'ouvrir l'œil, mais avec un peu de chance, nous nous inquiétons pour rien. Quoi qu'il en soit, tu les as bien repérés, Nuage d'Épines, dit-il en se tournant vers l'intéressé en ronronnant de satisfaction. Rentrons au camp, nous avons une cérémonie à organiser. »

« Que tous les chats en âge de chasser s'approchent du Promontoire pour une assemblée du Clan ! »

Presque aussitôt, Étoile de Feu avisa Nuage d'Épines et Poil de Souris qui sortaient de la tanière des apprentis. Les deux félins avaient lissé leur pelage pour la cérémonie. La fourrure brun doré du futur guerrier brillait dans la lumière grise de la mauvaise saison, et il semblait plus fier que jamais.

Tandis qu'il attendait que le reste du Clan se regroupe, le chef aperçut Museau Cendré. Plume Grise l'accompagnait, et les deux chats se parlaient à voix basse, tête contre tête. Étoile de Feu se demandait comment se portait Petite Châtaigne. Il avait jeté un regard dans l'antre de la guérisseuse, mais le chaton dormait et Museau Cendré avait été incapable de lui dire si son organisme avait éliminé le reste du poison. Il comptait retourner voir la malade après la cérémonie.

Du coin de l'œil, il vit Éclair Noir émerger du gîte des guerriers, Poil de Fougère sur les talons. Lorsqu'ils s'assirent en face du Promontoire, les autres s'écartèrent d'eux. Personne ne voulait rester près du meurtrier présumé. Le guerrier au poil sombre regardait droit devant lui, l'air méprisant. Malgré tout, Étoile de Feu savait que lui aussi était impatient de savoir si Petite Châtaigne s'en remettrait.

Le chef du Clan observa les autres chats. Nuage d'Épines se rappellerait ce jour toute sa vie, mais cette cérémonie revêtait également une importance toute particulière pour Étoile de Feu, car c'était son premier baptême en tant que meneur.

Sa voix retentit clairement lorsqu'il débuta la cérémonie avec les mots qu'il avait entendus tant de fois.

« Moi, Étoile de Feu, chef du Clan du Tonnerre, j'en appelle à nos ancêtres pour qu'ils se penchent sur cet apprenti. Il s'est entraîné dur pour comprendre les lois de votre noble code. Il est maintenant digne de devenir un chasseur à son tour. » Il se tourna vers l'apprenti et poursuivit :

« Nuage d'Épines, promets-tu de respecter le code du guerrier, de protéger et de défendre le Clan, même au péril de ta vie ?

— Oui, répondit le félin d'une voix ferme et assurée.

— Alors, grâce aux pouvoirs qui me sont conférés par le Clan des Étoiles, je te donne ton nom de chasseur : Nuage d'Épines, à partir de ce jour, tu t'appelleras Cœur d'Épines. Nos ancêtres rendent honneur à ta loyauté et à ton intelligence, et nous t'accueillons dans nos rangs en tant que guerrier à part entière. »

Étoile de Feu s'avança d'un pas et posa son museau au sommet du crâne de Cœur d'Épines ; ce faisant, il sentit le nouveau guerrier frémir d'excitation. Le jeune chat lui répondit en lui léchant l'épaule et soutint son regard d'un air à la fois joyeux et triste. Étoile de Feu savait qu'il pensait à son camarade Nuage Agile, mort sans avoir pu devenir un guerrier.

Lorsque Cœur d'Épines rejoignit les autres félins, Sans Visage se glissa jusqu'à lui. « Cœur d'Épines », ronronna-t-elle en lui passant un coup de langue sur l'oreille. Elle avait tenu sa promesse en étant la première à l'appeler par son nouveau nom, d'un ton joyeux et fier.

Flocon de Neige se pressa derrière elle, accueillant Cœur d'Épines à son tour, avant de lancer un regard interrogateur à Étoile de Feu.

Ce dernier lui fit un signe de tête. Il laissa au Clan le temps de fêter le nouveau guerrier en clamant son nom, puis, d'un mouvement de queue, il imposa le silence. Lorsque tous les chats furent à l'écoute, il annonça :

« Avant que vous ne vous dispersiez, j'ai autre chose à vous dire. Tout d'abord, je veux rendre hommage à l'apprenti qui aurait dû lui aussi recevoir son nom de guerrier ce jour même. Vous savez tous comment Nuage Agile a trouvé la mort en pistant la meute de chiens qui nous menaçait. Son Clan honore aujourd'hui sa mémoire. »

Un murmure d'approbation s'éleva de l'assemblée. Étoile de Feu jeta un coup d'œil vers Longue Plume, le mentor de Nuage Agile, et lut sur son visage autant de peine que de fierté.

« De plus, continua le jeune chef, je veux remercier, au nom du Clan tout entier, Nuage de Bruyère et Nuage de Granit. Ils ont montré un courage digne d'un guerrier lors de la course contre les chiens et, bien qu'ils soient trop jeunes pour être baptisés, nous leur rendons hommage.

— Nuage de Bruyère ! Nuage de Granit ! »

Les deux apprentis n'en croyaient pas leurs oreilles : le Clan les acclamait ! Les yeux de Pelage de Poussière pétillaient de joie. Seul Éclair Noir, le mentor de Nuage de Bruyère, resta silencieux, le regard fixé droit devant lui, sans même se tourner vers son apprentie.

Étoile de Feu patienta jusqu'à ce que le silence revienne.

« Il nous reste une dernière cérémonie », reprit-il en faisant signe à Sans Visage de sortir de la foule. Elle s'avança d'un pas nerveux ; Flocon de Neige la suivit et se plaça à une longueur de queue d'elle.

Les chats de l'assemblée ne cachèrent pas leur surprise. La plupart d'entre eux ignoraient ce que leur chef avait en tête. La cérémonie visant à changer un nom n'avait pas eu lieu depuis de nombreuses saisons.

Il se remémora les paroles de Un-Œil avant de se lancer.

« Esprits du Clan des Étoiles, vous connaissez chaque chat par son nom. Je vous demande à présent de reprendre le nom du chat que vous voyez devant vous, car il ne lui convient pas. »

Il fit une pause et vit la jeune chatte au pelage blanc et roux frissonner tandis qu'elle attendait le jugement du Clan des Étoiles. Étoile de Feu espérait qu'elle aimerait le nom qu'il lui avait choisi ; il y avait beaucoup réfléchi avant de la rebaptiser.

« En vertu de l'autorité que me confère le titre de chef de Clan, annonça-t-il, et avec l'approbation de nos ancêtres, je donne à ce chat un nouveau nom. Dès lors, elle s'appellera Cœur Blanc. En dépit de ses blessures, nous rendons hommage à son courage et à la lumière qui l'illumine toujours de l'intérieur. »

Il s'approcha tout près de Cœur Blanc et, comme il l'avait fait lors de la cérémonie précédente, posa son museau au sommet de son crâne. Elle lui répondit à la manière d'un nouveau guerrier en lui léchant l'épaule.

« Cœur Blanc ! Cœur Blanc ! » clama l'assemblée.

Du temps où elle était apprentie, la petite chatte était appréciée de tous. Le Clan entier avait pleuré sur son sort lorsqu'elle avait été défigurée. Elle ne serait jamais une guerrière au sens propre du terme, mais elle aurait toujours sa place dans le Clan du Tonnerre.

Étoile de Feu guida Cœur Blanc jusqu'à Flocon de Neige.

« Alors ? fit-il. Cela te convient-il ? »

Son neveu put à peine répondre tant il était occupé à presser son museau contre celui de Cœur Blanc, la queue enroulée autour de la sienne.

« C'est parfait, Étoile de Feu », murmura-t-il.

L'œil intact de Cœur Blanc brillait de bonheur et elle ronronnait tant qu'elle ne pouvait parler. Elle remercia son chef d'un regard. Elle avait porté trop longtemps ce nom comme un fardeau, depuis le jour où, dans sa colère contre le Clan des Étoiles, Étoile Bleue l'avait renommée. Certes, elle ne rejoindrait jamais le gîte des guerriers, mais elle avait au moins un nom dont elle pouvait être fière.

Ému, Étoile de Feu se dit que, rien que pour ces moments, cela valait la peine d'être chef de Clan.

« Écoute-moi, Étoile de Feu, miaula soudain Flocon de Neige. Cœur Blanc et moi, on va s'entraîner ensemble. On va élaborer une technique de combat qu'elle pourra appliquer avec un seul œil et une seule oreille. Si ça marche, pourra-t-elle quitter la tanière des anciens pour nous rejoindre dans celle des guerriers ?

— Eh bien... » soupira Étoile de Feu. Il ne savait que répondre. La petite chatte ne pourrait pas chasser seule, et pendant un combat, elle serait un poids mort. Mais sa détermination était farouche. De plus, Étoile de Feu voulait qu'elle soit capable de se défendre, et de protéger le Clan du mieux qu'elle pouvait. « Tu n'as pas encore d'apprenti, Flocon de Neige, reprit-il, alors tu as le temps de t'occuper de Cœur Blanc.

— Tu veux bien qu'on s'entraîne ensemble ? lui demanda son neveu.

— S'il te plaît, Étoile de Feu, implora Cœur Blanc. Je veux être utile au Clan.

— Entendu, déclara le rouquin. Si vous trouvez de nouvelles techniques, elles pourront être utiles aux autres. Cœur Blanc n'est pas la première dans son cas, et sûrement pas la dernière. »

Flocon de Neige miaula de gratitude. Les deux jeunes chats s'éloignaient lorsque Tornade Blanche, l'ancien mentor de Cœur Blanc, vint la féliciter. Puis il se tourna vers Étoile de Feu.

« Je suis passé voir Petite Châtaigne avant la cérémonie. Elle commençait à reprendre conscience. Museau Cendré pense qu'elle va s'en sortir.

— Quelle bonne nouvelle ! ronronna le jeune chef, se rappelant soudain que son lieutenant était le père de la petite malade. Tu penses qu'elle est capable de nous dire ce qu'il s'est passé ?

— Il faut demander à Museau Cendré. Vas-y, je m'occupe des patrouilles. »

Étoile de Feu le remercia et détala vers l'antre de la guérisseuse.

Museau Cendré l'accueillit à l'entrée du tunnel de fougères.

« J'allais te chercher », miaula-t-elle. L'expression inquiète de la chatte le surprit, puisque Tornade Blanche lui avait dit que sa fille se remettait. « Petite Châtaigne s'est réveillée. Viens vite entendre sa version de l'histoire. »

CHAPITRE 10

Petite Châtaigne était lovée dans un nid de mousse près de l'entrée de la tanière. Elle leva la tête à l'approche d'Étoile de Feu et de Museau Cendré, mais ses yeux étaient ternes et elle semblait avoir du mal à bouger.

Tempête de Sable montait la garde près d'elle.

« Pauvre petite chose, murmura-t-elle à Étoile de Feu. Elle a failli mourir. Éclair Noir va le payer. »

La chatte roux pâle avait l'air aussi soucieuse que Museau Cendré. Il hocha la tête avant d'annoncer :

« Je m'en charge. » Il s'installa près de la malade et miaula gentiment : « Je suis content de te voir en meilleure forme, Petite Châtaigne. Peux-tu me raconter ce qu'il t'est arrivé ?

— Boule de Suie et Petite Pluie dormaient dans la pouponnière, répondit le chaton écaille d'une petite voix. Mais moi, je n'avais pas sommeil. Comme maman dormait, je suis partie jouer dans le ravin. Je voulais attraper une souris. Et là, j'ai vu Éclair Noir... balbutia-t-elle.

— Continue, l'encouragea le jeune chef.

— Il grimpait le long du ravin tout seul. Je savais que Poil de Fougère aurait dû l'accompagner et je...

je me suis demandé où il allait. Je l'ai suivi... Je me souvenais du jour où il avait emmené Nuage Épineux et Nuage d'Or hors du camp, et je me suis dit que je pourrais moi aussi vivre une aventure comme eux. »

Étoile de Feu sentit la tristesse l'envahir : Petite Châtaigne était si éveillée et si curieuse que ces prédispositions la poussaient parfois à commettre des imprudences. Cette petite boule de poils semblait bien moins hardie à présent, et le rouquin espérait que, grâce aux soins de Museau Cendré, elle retrouverait tout son entrain.

« Je l'ai suivi pendant longtemps, continua Petite Châtaigne, fière d'elle. Je ne m'étais jamais autant éloignée du camp. Et je me suis tellement bien cachée qu'Éclair Noir ne m'a même pas repérée. C'est là qu'il a rejoint un autre chat, un chat que je n'avais jamais vu.

— Un autre chat ? De quoi avait-il l'air ? Quelle était son odeur ? l'interrogea Étoile de Feu.

— Je n'ai pas reconnu son odeur, admit-elle en fronçant le nez. Mais ça sentait très mauvais. L'autre chat était grand, plus grand que toi, Étoile de Feu, et tout blanc avec des pattes toutes noires.

— Patte Noire ! s'exclama le jeune chef. Le lieutenant d'Étoile du Tigre. C'est l'odeur du Clan de l'Ombre que tu as sentie, Petite Châtaigne.

— Et que tramait Éclair Noir avec Patte Noire sur notre terre, je voudrais bien le savoir ! grogna Tempête de Sable.

— Que s'est-il passé ensuite ? s'enquit Étoile de Feu.

— J'ai eu peur, reconnut le chaton, la tête basse.

J'ai rejoint le camp en courant, mais Éclair Noir a dû m'entendre parce qu'il m'a rattrapée dans le ravin. Je pensais qu'il serait fâché que je l'aie espionné, mais il m'a dit que j'étais très intelligente. Il m'a donné des baies rouges pour me récompenser. Elles avaient l'air bonnes, mais dès que je les ai mangées, je me suis sentie vraiment mal... Après, je ne me souviens plus de rien. »

À ces mots, elle posa la tête sur ses pattes, comme si ce long récit l'avait épuisée.

Museau Cendré frotta sa truffe contre elle pour vérifier sa respiration.

« C'étaient des baies empoisonnées, lui expliqua-t-elle. Tu ne dois plus jamais y toucher.

— Promis, Museau Cendré, murmura la boule de poils.

— Merci, Petite Châtaigne », miaula Étoile de Feu.

Il était en colère, mais guère surpris de découvrir que Plume Grise avait vu juste. En revanche, apprendre qu'Éclair Noir avait arrangé une rencontre avec Patte Noire sur leur territoire était pour lui un vrai choc.

« Que vas-tu décider pour Éclair Noir ? demanda Tempête de Sable.

— Il faut que je l'interroge, répondit-il. Toutefois, je doute qu'il soit coopératif.

— Il ne peut rester dans le Clan du Tonnerre, affirma-t-elle, d'un ton dur comme de la pierre. Bien des chats seraient prêts à l'écorcher vif en échange de quelques queues de souris.

— Laisse-moi faire », dit-il d'un air sombre.

Museau Cendré resta auprès de la malade, qui sombrait à nouveau dans le sommeil, tandis qu'Étoile de Feu retournait dans la clairière en compagnie de la guerrière. De nombreux chats s'y trouvaient encore, occupés à faire leur toilette. Tornade Blanche se dirigeait vers le tunnel d'ajoncs avec Bouton-d'Or et Longue Plume.

La patrouille fit demi-tour, et tous les chats levèrent la tête, surpris, lorsque Étoile de Feu bondit sur le Promontoire et annonça une nouvelle assemblée. Il chercha Éclair Noir du regard, en vain.

« Où est Éclair Noir ? lança-t-il à Plume Grise qui venait de gagner le pied du rocher.

— Dans la tanière.

— Va le chercher. »

Son ami disparut puis revint bientôt, accompagné du guerrier au pelage sombre et de Poil de Fougère. Les trois félins se placèrent devant le Promontoire. Éclair Noir s'assit en défiant Étoile de Feu du regard.

« Eh bien, miaula-t-il, que nous veut encore notre noble chef ?

— Petite Châtaigne s'est réveillée », lui apprit le rouquin en soutenant son regard.

Éclair Noir le dévisagea encore un instant, puis détourna les yeux.

« Tu as convoqué une assemblée pour nous annoncer ça ? jeta-t-il d'un ton narquois, mais sa fourrure ébouriffée trahissait son malaise.

— Chats du Clan du Tonnerre, lança Étoile de Feu. Je vous ai convoqués pour que vous soyez témoins des déclarations d'Éclair Noir. Vous savez tous ce qui est arrivé à Petite Châtaigne hier. Elle a repris connaissance et Museau Cendré pense qu'elle s'en sortira. Je lui ai parlé : elle a confirmé la version de Plume Grise. Éclair Noir lui a bien fait manger des baies empoisonnées. Alors, Éclair Noir (son regard se posa à nouveau sur l'accusé), qu'as-tu à dire pour ta défense ?

— Elle ment », répliqua-t-il. Tous les chats qui l'entouraient crachèrent de colère. Il ajouta en désespoir de cause : « Ou alors elle se trompe. Les chatons n'écoutent jamais ce qu'on leur dit. À l'évidence, elle m'a mal compris quand je lui ai dit de ne pas les manger.

— Elle ne ment pas, et elle ne se trompe pas, rétorqua Étoile de Feu. Elle m'a appris quelque chose de plus intéressant encore : ton mobile pour vouloir l'empoisonner. Elle t'a vu avec Patte Noire, le lieutenant du Clan de l'Ombre, sur notre territoire. J'exige que tu t'expliques. »

Des feulements enragés s'élevèrent de l'assistance et un chat au dernier rang hurla : « Traître ! » D'un mouvement de la queue, Étoile de Feu les fit taire, mais il fallut quelques instants pour que le silence se fasse.

Éclair Noir attendit de pouvoir se faire entendre. « Je n'ai pas à me justifier face aux accusations d'un chaton », grogna-t-il.

Les griffes d'Étoile de Feu crissèrent sur le rocher. « C'est pourtant ce que tu dois faire. Je veux savoir ce qu'Étoile du Tigre et toi manigancez. » Il s'efforça de ne pas se laisser gagner par la fureur et poursuivit : « Éclair Noir, tu sais très bien ce qu'Étoile du Tigre a voulu nous infliger. La meute aurait ravagé notre camp. Comment peux-tu ne serait-ce qu'un seul instant penser à le rejoindre ? »

Éclair Noir soutint son regard avec mépris mais ne répondit pas. Étoile de Feu se souvint du matin précédant l'attaque des chiens : il l'avait surpris en train de quitter le camp avec les enfants d'Étoile du Tigre. Éclair Noir savait que ce dernier tramait quelque chose, néanmoins il aurait laissé le reste du Clan se faire massacrer sans même tenter de les prévenir. Cela prouvait bien son manque de loyauté envers le Clan du Tonnerre.

Étoile de Feu voulait être juste pour qu'aucun chat, pas même Éclair Noir, ne puisse l'accuser de persécuter les anciens alliés d'Étoile du Tigre. Plus encore, le meneur craignait qu'il quitte le Clan pour aller rejoindre l'ancien lieutenant. Mais il n'avait guère le choix. L'exil était la seule sentence possible pour un chat coupable de tels agissements.

« Tu aurais pu faire un valeureux guerrier, continua-t-il. Je t'ai donné plus d'une chance de prouver ton dévouement. Je voulais te faire confiance et...

— Me faire confiance ? l'interrompit l'accusé. Tu ne m'as jamais fait confiance. Tu crois peut-être que je n'avais pas remarqué ce mouchard sans cervelle constamment derrière mon dos ? cracha-t-il en regardant Poil de Fougère, toujours assis près de lui. Tu espérais quoi ? Que je supporterais de l'avoir dans les pattes jusqu'à la fin de mes jours ?

— Non. J'attendais juste une preuve de ta loyauté, répondit le jeune chef en se couchant sur le rocher, les yeux fixés sur ceux du guerrier au poil sombre. Tu as vu le jour dans ce Clan, tu as grandi parmi ces chats. Cela ne signifie donc rien pour toi ? Le code du guerrier enseigne que tu dois les protéger au péril de ta vie ! »

Lorsque Éclair Noir se leva, Étoile de Feu crut lire une hésitation dans ses yeux, comme si sa décision de quitter le Clan n'était pas encore prise. Après tout, il n'était pas sûr qu'Étoile du Tigre l'accepterait dans ses rangs. Il avait refusé de le suivre dans son exil et n'avait pas réussi à lui ramener Nuage Épineux et Nuage d'Or avant l'attaque des chiens. Et Étoile du Tigre n'était pas du genre à pardonner facilement.

Mais la voix du guerrier rayé de noir ne trahit ni la peur ni le regret lorsqu'il reprit la parole.

« Ce n'est *pas* mon Clan, cracha-t-il avec dédain, provoquant des réactions autour de lui. Ce n'est *plus* mon Clan. Le Clan du Tonnerre est dirigé par un chat domestique, et il ne vaut plus la peine qu'on se batte pour lui. Je ne me sens aucun devoir de loyauté envers lui. De toute la forêt, le seul vrai meneur, c'est Étoile du Tigre.

— Alors rejoins-le, rétorqua le jeune chef. Tu n'es plus un guerrier du Clan du Tonnerre. Si on te trouve sur notre territoire après le coucher du soleil, on te traitera comme n'importe quel ennemi. Maintenant, va-t'en. »

Un instant encore, les yeux pleins de haine du chasseur soutinrent le regard d'Étoile de Feu, mais il garda le silence. Puis, sans se presser, Éclair Noir lui tourna le dos et gagna l'entrée du camp d'un pas ferme. Les autres félins s'écartèrent sur son passage.

« Tu sais ce qui t'attend si tu essaies de revenir », maugréa Flocon de Neige, les babines retroussées.

Fleur de Saule ne dit rien, mais cracha, la fourrure ébouriffée.

Dès que le bout de la queue du proscrit eut disparu dans le tunnel, les spéculations allèrent bon train. Une voix sortit du lot :

« Est-il parti rejoindre le Clan de l'Ombre ? » demanda Nuage d'Or.

Au contraire des autres chats, elle n'avait pas exprimé de colère. Elle s'était contentée de regarder la scène en silence, fascinée, suivant chaque pas du guerrier au pelage sombre jusqu'au tunnel. Elle semblait choquée, et dégoûtée, mais son expression reflétait un autre sentiment qu'Étoile de Feu n'arrivait pas à cerner.

Il se figea lorsqu'elle posa sa question. L'apprentie savait que son père était le chef du Clan de l'Ombre. Comprenait-elle vraiment la gravité de la situation ?

« Je n'en sais rien, dut-il admettre. Il peut bien aller où il veut. Dès lors, il ne fait plus partie du Clan du Tonnerre. Puis, il ajouta à l'intention de tout le Clan : « Si vous détectez son odeur, ou celle de n'importe quel chat du Clan de l'Ombre, dites-le à Tornade Blanche, ou à moi-même. Au fait, ce matin, Cœur d'Épines a senti des chats errants sur notre territoire. Gardez l'œil et avertissez-moi si vous repérez des traces inhabituelles. »

Donner des ordres l'aida à se calmer. Il regrettait de ne pas avoir gagné la loyauté d'Éclair Noir, mais il se sentait soulagé d'être enfin débarrassé de lui. Finies les remarques désobligeantes sur les chats domestiques ; en outre, il n'aurait plus à craindre qu'Éclair Noir rapporte tout ce qui se passait dans le camp à Étoile du Tigre. Même s'il redoutait les agissements d'Éclair Noir, le départ de l'empoisonneur était une bonne chose.

« Étoile de Feu ! l'interpella Pelage de Poussière, le sortant de sa réflexion. Et Nuage de Bruyère ? Elle n'a plus de mentor, maintenant.

— Tu as raison, je m'en occupe tout de suite. Nuage de Bruyère, approche. »

La jeune chatte s'exécuta et, laissant Pelage de Poussière derrière elle, elle contourna avec grâce les autres chats pour gagner le pied du Promontoire.

Étoile de Feu s'assura que le guerrier qu'il avait en tête était bien présent, puis il prononça les mots rituels.

« Longue Plume, tu n'as plus d'apprenti depuis la mort de Nuage Agile. Tu étais un excellent mentor pour lui, et j'attends que tu transmettes de la même façon tes talents à Nuage de Bruyère durant la fin de son apprentissage. »

Longue Plume se leva d'un bond, les yeux écarquillés de surprise et de gratitude. Étoile de Feu lui fit signe de le rejoindre, espérant qu'avec le départ d'Éclair Noir il pourrait établir une relation plus apaisée avec lui. Le guerrier tigré au pelage clair pourrait devenir l'un des meilleurs éléments du Clan.

L'air toujours stupéfait, Longue Plume chemina jusqu'à la petite chatte et la toucha du museau. Elle baissa la tête, puis ils rejoignirent ensemble Pelage de Poussière et Nuage de Granit.

Étoile de Feu bondit au bas du Promontoire. Maintenant que tout était terminé, il sentit la fatigue le frapper et éprouva un étourdissement comme si un blaireau venait de lui donner un coup de patte. Il n'avait qu'une envie : se pelotonner avec ses amis dans le gîte des guerriers, pour faire sa toilette et dormir avec eux. Mais en tant que chef de Clan, il ne pouvait l'envisager.

La trahison d'Éclair Noir et la présence de chats du Clan de l'Ombre sur son territoire lui avaient rappelé tous les détails de la vision envoyée par le Clan des Étoiles. Pourquoi le monticule d'ossements était-il apparu dans son rêve ? Et la rivière de sang ? Que signifiait la prophétie d'Étoile Bleue ?

Il avait tant besoin de réponses qu'il décida de rendre visite à Museau Cendré. Le Clan des Étoiles aurait peut-être donné des éclaircissements à la guérisseuse.

À son grand soulagement, Tempête de Sable n'était plus de garde ; il ne voulait pas que la guerrière le voie dans cet état. Petite Châtaigne dormait sur sa litière. Depuis l'entrée du rocher fendu, Étoile de Feu entendit la guérisseuse aller de-ci de-là dans sa tanière. En s'approchant, il la vit réarranger ses piles de plantes et de baies médicinales.

« Je n'ai presque plus de genièvre... marmonna-t-elle avant de voir son visiteur. Que se passe-t-il ? Il est arrivé quelque chose ? » Elle sortit de son abri clopin-clopant et le frôla du museau, inquiète de sentir sa peur. « Étoile de Feu, qu'est-ce qui ne va pas ? »

Le jeune chef secoua la tête pour chasser son appréhension. Il fut soulagé de pouvoir lui raconter depuis le début le rêve qui lui était apparu lorsqu'il avait dormi près de la Pierre de Lune.

Museau Cendré s'assit près de lui et l'écouta en silence, le regard fixé sur le visage du rouquin.

« Étoile Bleue m'a dit : "Les quatre deviendront deux. Lion et Tigre s'affronteront au combat, et le sang régnera sur la forêt", conclut-il. Et du sang a jailli du monticule d'ossements, inondant peu à peu la clairière. Du sang partout... Museau Cendré, qu'est-ce que cela signifie ?

— Je n'en sais rien, confessa-t-elle. Le Clan des Étoiles ne m'a rien transmis de tel. Les guerriers d'autrefois ont le pouvoir de me montrer l'avenir, mais ils peuvent aussi choisir de ne pas le faire. Je suis désolée, Étoile de Feu... Mais je vais y réfléchir. Et peut-être qu'un événement prochain nous aidera à comprendre cette prophétie. »

Elle pressa son museau contre lui pour le réconforter. En dépit de sa sollicitude, Étoile de Feu ne put oublier l'horreur de son rêve. Quelle funeste destinée l'attendait ? Le Clan du Tonnerre avait-il un espoir ?

CHAPITRE 11

ÉTOILE DE FEU SORTIT DE LA FORÊT près des Rochers du Soleil et fit une pause pour humer l'air. Le soleil se levait derrière lui, projetant de longues ombres venues des bois vers la rivière. Plusieurs jours avaient passé depuis le départ d'Éclair Noir. Jusqu'à présent, les patrouilles n'avaient trouvé sur leur territoire aucune trace du banni ou d'autres chats du Clan de l'Ombre. Mais le souvenir de son rêve était encore trop vif pour qu'il puisse croire que la menace venue de l'autre côté du Chemin du Tonnerre était écartée.

Plume Grise et Cœur d'Épines se coulèrent près de lui.

« Tu sens quelque chose ? demanda le guerrier gris.

— Seulement des chats du Clan de la Rivière, répondit Étoile de Feu en haussant les épaules. Rien d'autre, comme je m'y attendais de ce côté-ci de la frontière. Mais je veux m'assurer qu'ils ne se sont pas approchés des Rochers du Soleil.

— Nous allons renouveler le marquage du territoire. Viens, Cœur d'Épines. »

Tandis que ses camarades disparaissaient dans les ravines entre les rochers, Étoile de Feu resta où il était, ouvrant la gueule pour mieux flairer les odeurs portées par la brise. Même si le Clan de l'Ombre lui causait du souci, il n'avait pas oublié le Clan de la Rivière, mené par son ambitieux chef, Étoile du Léopard. La chatte avait récemment tenté de leur reprendre les Rochers du soleil, et Étoile de Feu n'aurait pas été surpris qu'elle décide de recommencer.

Peu après, il détecta des traces fraîches de chats du Clan de la Rivière. Aussitôt sur ses gardes, il contourna les rochers mais se détendit en apercevant Patte de Brume. Elle était seule, tapie tout au bord de la rivière. Étoile de Feu la vit sortir un poisson de l'eau et le tuer d'un coup de patte.

« Bien joué ! » lança-t-il.

La guerrière se tourna vers lui. Dès qu'elle le reconnut, elle remonta la rive en pente douce jusqu'à la frontière. Étoile de Feu l'y rejoignit, heureux qu'elle semble encore amicale malgré la façon dont elle avait été traitée par le reste du Clan du Tonnerre. Au premier coup d'œil, il se rendit compte qu'elle était bien plus maigre que lors de leur dernière rencontre. Il se demanda ce qu'il s'était passé depuis qu'elle et son frère, Pelage de Silex, avaient annoncé à leur Clan qu'Étoile Bleue était leur mère.

« Comment vas-tu, Patte de Brume ? J'espère qu'il n'est rien arrivé de fâcheux.

— Pour Pelage de Silex et moi, tu veux dire ? fit-elle, d'un ton hésitant. La nouvelle n'a pas plu à certains. Quelques-uns refusent même de nous parler. Dans l'ensemble, nos camarades ne se sentent plus vraiment à l'aise avec nous.

— Tu m'en vois navré. Et Étoile du Léopard ? A-t-elle dit quelque chose ?

— J'ai bien vu qu'elle était loin d'être contente. Elle nous a soutenus face au reste du Clan, mais je pense qu'elle garde un œil sur nous pour s'assurer que nous sommes toujours loyaux envers elle.

— Bien sûr que vous l'êtes ! s'exclama le rouquin.

— Oui, et le reste du Clan s'en rendra compte tôt ou tard. De plus... Ce n'est pas le plus grave.

— Que veux-tu dire ?

— Étoile du Tigre. Il rend souvent visite à Étoile du Léopard et je ne comprends pas pourquoi. Je suis certaine qu'ils trament quelque chose.

— Comme quoi ? lui demanda Étoile de Feu, qui en avait déjà des sueurs froides.

— Je n'en sais rien, admit-elle, les oreilles frémissantes. Étoile du Léopard n'en a pas parlé à Pelage de Silex, son propre lieutenant. Mais il y a deux chats du Clan de l'Ombre qui stationnent en permanence dans notre camp.

— Quoi ? C'est impossible ! C'est contre le code du guerrier !

— Essaie de le dire à Étoile du Léopard, soupira-t-elle, l'air abattu.

— Et que font-ils là ?

— À en croire notre chef, ils séjournent chez nous pour que nos deux Clans échangent des méthodes d'entraînement et des techniques de combat, mais ils n'en font rien. Ils se contentent de nous observer... On dirait qu'ils veulent tout savoir de nous, nos secrets comme nos faiblesses, lui expliqua-t-elle, la fourrure soudain ébouriffée comme si ses ennemis se trouvaient devant elle. Voilà pourquoi je suis venue ici, pour leur échapper un moment.

— C'est terrible, miaula Étoile de Feu. Qu'est-ce qu'Étoile du Léopard peut bien avoir en tête ?

— Tu veux mon avis ? Elle souhaite le meilleur pour son Clan. Elle pense qu'Étoile du Tigre est le chef le plus puissant de la forêt et compte devenir son alliée.

— Je ne suis pas sûr qu'Étoile du Tigre ait vraiment des alliés, la mit en garde le jeune chef. Seulement des subordonnés.

— Je sais », fit Patte de Brume, qui s'assit, se lécha la patte et se la passa deux ou trois fois sur l'oreille.

Étoile de Feu se demanda si elle regrettait d'en apprendre tant à un guerrier ennemi.

« Avez-vous suffisamment de gibier ? s'enquit-il, espérant lui changer les idées. La rivière n'a pas encore gelé.

— Pas encore, non. Le poisson se fait rare, mais ce n'est pas nouveau. Nous sommes à la mauvaise saison, après tout. Et ces deux guerriers d'Étoile du Tigre n'arrangent rien. Ils passent leur temps à se goinfrer dans notre camp alors qu'ils ne chassent presque jamais. »

Elle s'interrompit en entendant la voix de Plume Grise clamer son nom. Étoile de Feu aperçut son ami bondissant le long de la rive, Cœur d'Épines sur les talons.

« Bonjour, Patte de Brume, haleta le guerrier gris en les rejoignant. Comment vont Nuage de Plume et Nuage d'Orage ?

— Ils vont bien, Plume Grise », répondit-elle en ronronnant, contente de revoir son ancien camarade de Clan. Même si le séjour de Plume Grise au sein du Clan de la Rivière avait été court, les deux félins s'étaient rapprochés, et Patte de Brume ne demandait qu'à lui donner des nouvelles de ses petits. « Nuage de Plume est devenue une vraie guerrière. Le Clan du Tonnerre devra se méfier d'elle lorsqu'elle sera baptisée.

— Ce n'est pas étonnant, elle ne pourrait avoir meilleur mentor », répondit le fier papa en ronronnant.

Étoile de Feu s'écarta pour les laisser discuter des deux apprentis. Cœur d'Épines le rejoignit et miaula :

« Nous avons renouvelé le marquage du territoire, Étoile de Feu. Il n'y a aucune trace fraîche du Clan de la Rivière dans les rochers.

— Tant mieux », répondit le jeune chef.

Mais il n'écoutait qu'à moitié, trop préoccupé par ce qu'il venait d'apprendre. Tout portait à croire que l'alliance des deux Clans ennemis était plus forte que jamais. Et si Étoile du Tigre décidait de partir en guerre, le Clan du Tonnerre serait pris en étau entre les deux.

« Ô, Clan des Étoiles, murmura-t-il comme pour lui même. Montre-moi ce que je dois faire. »

De retour au camp, Étoile de Feu dépêcha des patrouilles supplémentaires, mais personne ne vit rien d'anormal. Les jours s'écoulèrent paisiblement jusqu'au soir de l'Assemblée suivante.

Tandis que le soleil se couchait derrière la haie d'épineux, Étoile de Feu partageait son repas avec Tornade Blanche près de la réserve de gibier.

« Qui emmèneras-tu avec toi ? s'enquit le lieutenant.

— Pas toi, je pense, répondit le jeune chef en avalant une bouchée d'écureuil. Je suis certain qu'Étoile du Tigre va passer à l'action, et je veux que tu gardes le camp. Je te laisserai aussi de bons guerriers.

— Tu fais bien, acquiesça le chasseur blanc en se léchant les babines après avoir fini son campagnol. Étoile du Tigre a échoué avec les chiens, mais il n'a sûrement pas dit son dernier mot.

— J'emmènerai Nuage de Bruyère et Nuage de Granit, décida Étoile de Feu. Ainsi que Cœur d'Épines. Il aura sans doute hâte d'assister à sa première Assemblée en tant que guerrier. Puis Tempête de Sable, Plume Grise et Pelage de Givre. Il te restera suffisamment de combattants si Étoile du Tigre décidait d'attaquer.

— Tu penses qu'il brisera la trêve ?

— À ton avis ? Il a guidé la meute jusqu'à nous... il n'est plus à ça près...

— Tu as raison ! Il se comporte comme s'il n'avait jamais entendu parler du Clan des Étoiles, répondit-il avant de marquer une pause. Et les deux jeunes apprentis, les petits d'Étoile du Tigre ? Tu ne les prends pas avec toi ?

— Jamais de la vie... Tu sais bien ce qui se passerait. Il veut récupérer ses enfants. Lors de la dernière Assemblée, il a dit qu'il laissait une lune à Étoile Bleue avant de les reprendre. Le temps est venu. Si Nuage Épineux et Nuage d'Or m'accompagnaient, Étoile du Tigre n'hésiterait pas à les enlever en pleine Assemblée.

— Ça ne m'étonnerait pas, en effet. Alors tu penses qu'ils devraient rester avec nous ?

— Pas toi ? » s'étonna Étoile de Feu.

Il croyait que tout le Clan du Tonnerre insisterait sur leur droit légitime à garder les deux apprentis. Cependant, si son lieutenant considérait qu'il valait mieux les rendre à leur père, Étoile de Feu prendrait le temps d'y réfléchir.

Mais Tornade Blanche était d'accord avec lui.

« Si. Ils appartiennent au Clan du Tonnerre. Leur mère est l'une des nôtres, tout comme leur père l'était encore à leur naissance. Le fait qu'Étoile du Tigre ait intégré le Clan de l'Ombre n'y change rien. Cependant, si nous voulons les garder, nous devrons nous battre.

— Eh bien, nous nous battrons, miaula le rouquin, déterminé. De plus, si nous acceptions de les lui renvoyer, Étoile du Tigre y verrait un signe de faiblesse. Il exprimerait d'autres revendications avant qu'on ait le temps de dire "rat".

— C'est vrai. »

Étoile de Feu prit une autre bouchée d'écureuil puis plissa les yeux en pensant à l'Assemblée imminente.

« Tu sais, Tornade Blanche, reprit-il, Étoile du Tigre ne s'en tirera pas à si bon compte. J'ai des révélations à faire lors de l'Assemblée. À ton avis, comment vont réagir les autres Clans en apprenant qu'il a essayé d'utiliser la meute de chiens pour nous détruire ? Même Plume Brisée n'était pas si cruel. Son propre Clan va se retourner contre lui. Ils pourraient bien le chasser de la forêt, et on serait débarrassé de lui. »

Les oreilles du lieutenant frémirent. À la grande surprise de son chef, il semblait moins optimiste que lui.

« Peut-être, miaula-t-il, mais ne sois pas surpris si cela ne se passe pas comme tu l'as prévu.

— Tu penses que le code du guerrier permet à un chat de décimer un Clan adverse en utilisant des chiens ?

— Bien sûr que non. Mais Étoile du Tigre peut très bien le nier. Quelles preuves avons-nous ? »

Étoile de Feu y réfléchit sérieusement. Longue Plume avait vu Étoile du Tigre apporter un lapin aux chiens. Plusieurs membres du Clan avaient détecté l'odeur du chat ennemi le long de la piste de lapins. Et Étoile du Tigre l'avait attaqué tout près des gorges, pour s'assurer que la meute le rattrape et lui fasse la peau. Il ne devait sa survie qu'à l'intervention inattendue d'Étoile Bleue.

D'accord, Patte de Brume et Pelage de Silex avaient aperçu Étoile du Tigre près de la rivière ce jour-là, mais ils avaient déjà des difficultés avec leur Clan. S'ils témoignaient contre Étoile du Tigre, leurs camarades pourraient ne pas les croire. Ce ne serait pas juste, comprit le jeune chef, de leur créer d'autres problèmes.

Toutes ses preuves reposaient donc uniquement sur la parole des membres de son Clan. Le Clan du Vent et le Clan de la Rivière savaient qu'un grave différend entre Étoile du Tigre et le Clan du Tonnerre avait conduit l'ancien lieutenant à l'exil. Mais le nouveau chef du Clan de l'Ombre pouvait les accuser de mentir.

« Alors nous verrons qui ils croiront, insista Étoile de Feu, furieux. Les chats de la forêt ne pensent pas tous qu'Étoile du Tigre est le sauveur envoyé par le Clan des Étoiles. Il ne s'en tirera pas comme ça.

— Espérons-le, soupira Tornade Blanche, qui se leva pour s'étirer. Tu vas connaître une soirée animée, Étoile de Feu. Je vais prévenir ceux que tu as choisis. »

Tandis que son lieutenant s'éloignait, Étoile de Feu se tapit près de la réserve de gibier et finit son écureuil. Cette Assemblée risquait d'être houleuse. À coup sûr, Étoile du Tigre allait réclamer ses enfants, et le rouquin soupçonnait qu'il en profiterait pour révéler le secret d'Étoile Bleue et accuser Patte de Brume et Pelage de Silex d'être des clan-mêlés.

Mais moi aussi, j'ai beaucoup de choses à dire, pensa-t-il, écartant les doutes que Tornade Blanche avait éveillés en lui. *Lorsque j'aurai fini de parler, aucun chat de la forêt – pas même ceux de son Clan – ne fera plus confiance à Étoile du Tigre.*

CHAPITRE 12

Avant de mener ses guerriers à l'Assemblée, Étoile de Feu fit halte au sommet du rocher qui dominait la clairière. La nuit était silencieuse. Des nuages s'amoncelaient à l'horizon, si bien que le jeune chef commençait à se demander si le Clan des Étoiles allait masquer la lune pour ajourner l'Assemblée.

Mais pour l'instant, la lune restait bien visible au-dessus des nuages, et l'odeur de chats leur parvint depuis la clairière en contrebas.

« Je ne sens que le Clan du Vent, murmura Plume Grise, tapi près de son ami. Que font les autres ?

— Seul le Clan des Étoiles le sait, répondit Étoile de Feu en haussant les épaules. Personnellement, ça ne me gênerait pas qu'Étoile du Tigre ne vienne pas. »

Il fit signe à ses guerriers de le suivre parmi les buissons, jusqu'au centre de la clairière. Comme l'avait dit Plume Grise, il n'y avait que des chats du Clan du Vent. Étoile de Feu avisa leur chef, Étoile Filante, assis près de son lieutenant, Patte Folle, au pied du Grand Rocher.

« Salutations, Étoile de Feu, miaula Étoile Filante en inclinant la tête. Oreille Balafrée m'a dit qu'il t'avait croisé alors que tu te rendais aux Hautes Pierres. Nous regrettons la disparition d'Étoile Bleue.

— Son propre Clan aussi, répondit Étoile de Feu, qui, à son tour, le salua d'un signe de tête. Elle était un grand chef.

— Tu seras son digne successeur, affirma le matou noir et blanc, dont le ton amical surprit Étoile de Feu. Tu as déjà bien servi ton Clan.

— Et... et j'espère le servir encore mieux à l'avenir », balbutia-t-il.

Étoile Filante approuva une fois de plus puis bondit au sommet du rocher. Avant de le suivre, Étoile de Feu passa ses guerriers en revue. Ils s'étaient mêlés aux chasseurs du Clan du Vent pour échanger les dernières nouvelles. Le jeune chef se félicita de voir que les deux Clans semblaient s'apprécier, malgré l'escarmouche récente à propos du gibier volé. Si la relation entre les Clans de l'Ombre et de la Rivière l'inquiétait, l'idée que le Clan du Vent serait peut-être leur allié en cas de coup dur le réconfortait.

Après avoir salué d'un mouvement de la queue Moustache et son apprenti, Nuage d'Ajoncs, qui discutaient avec Tempête de Sable, Étoile de Feu grimpa au sommet du Grand Rocher, près d'Étoile Filante.

Il s'y était déjà tenu une fois, après l'incendie, lorsque Étoile Bleue était trop malade pour se rendre à l'Assemblée. Pourtant, il n'était toujours pas habitué à contempler ses guerriers de si haut, ni à voir leurs yeux baignés de rayons de lune braqués sur lui. Étoile de Feu se crispa plus encore en pensant à ce qui les attendait : la confrontation avec Étoile du Tigre aurait sûrement lieu avant le coucher de la lune.

« Le Clan de l'Ombre et celui de la Rivière sont en retard, fit-il remarquer.

— Et les nuages menacent de cacher la lune, ajouta Étoile Filante, l'air inquiet. Le Clan des Étoiles est peut-être en colère. »

En levant la tête, Étoile de Feu nota que les nuages envahissaient peu à peu le ciel. L'air était humide. Il appréhendait tant la soirée que ses poils se dressaient le long de son échine. Qu'arriverait-il, se demanda le jeune chef, si le Clan des Étoiles voilait la lune et qu'Étoile du Tigre pouvait continuer à comploter en secret jusqu'à la prochaine Assemblée ?

« Étoile Filante, lança-t-il, décidant que le temps était venu de se confier au chef du Clan du Vent et de lui demander conseil. Je m'inquiète de ce qu'Étoile du Tigre peut bien... »

Il ne finit pas sa phrase. Un cri triomphant s'éleva de l'orée de la clairière et, l'instant d'après, les chats des Clans de l'Ombre et de la Rivière dévalaient la pente ensemble pour se masser autour du Grand Rocher. Étoile du Tigre atteignit le sommet d'un seul bond tandis qu'Étoile du Léopard le suivit plus lentement.

« Chats de tous les Clans ! déclara Étoile du Tigre sans saluer les autres chefs ni les consulter pour décider qui devrait prendre la parole en premier. J'ai une grande nouvelle à vous annoncer. Écoutez-moi bien, car notre vie dans la forêt va connaître un grand changement. »

Perplexe, Étoile de Feu dévisageait le chef du Clan de l'Ombre. Lorsque Étoile du Tigre avait parlé d'une « grande nouvelle », il avait cru un instant qu'il faisait allusion aux origines de Patte de Brume et de Pelage de Silex. Mais cela ne méritait pas une arrivée si spectaculaire et cela ne pouvait concerner le « grand changement » prédit par Étoile du Tigre.

Dans la clairière à leurs pieds régnait un silence de mort. Tous les chats avaient les yeux rivés sur le Grand Rocher, attendant que le chef au pelage tacheté s'explique. La fourrure d'Étoile de Feu se hérissa, sans qu'il sache si c'était dû à la tension des guerriers assemblés ou aux nuages menaçants.

« Un grand changement, répéta Étoile du Tigre. Et le Clan des Étoiles m'a montré qu'il revient au Clan de l'Ombre d'y préparer tous les chats de la forêt.

— Tous les chats ? marmonna Étoile Filante, qui fit un pas en avant. Étoile du Tigre...

— Le Clan de l'Ombre a l'approbation du Clan des Étoiles, poursuivit Étoile du Tigre en ignorant l'interruption. Nous sommes bénis car nous avons survécu à la maladie. Et j'ai reçu le soutien des guerriers d'autrefois avant tout parce qu'il est de mon devoir de restaurer le Clan et lui rendre sa gloire passée. »

Ah oui ? pensa Étoile de Feu. Après tout le mal que l'ancien lieutenant avait causé à son Clan natal, il refusait de croire ces paroles. Il parcourut la clairière des yeux, à la recherche de Rhume des Foins. Le guérisseur du Clan de l'Ombre avait fait de son mieux pour aider les siens à surmonter les difficultés lorsque Étoile Noire était leur chef, et Étoile de Feu avait l'intuition que l'arrivée d'Étoile du Tigre à leur tête ne lui plaisait que modérément. Il croyait savoir ce que le guérisseur pensait d'un tel discours, mais il eut beau scruter la clairière, il ne trouva pas Rhume des Foins.

Laissé au camp pour qu'il ne démente pas les affirmations d'Étoile du Tigre ? se demanda-t-il.

De même il ne put que remarquer l'absence de Pelage de Silex. Son statut de clan-mêlé lui avait-il attiré des problèmes ? Approuvait-il l'alliance de son Clan avec celui d'Étoile du Tigre ?

En revanche, Étoile de Feu aperçut Éclair Noir. L'ancien guerrier du Clan du Tonnerre se tenait près de Patte Noire, le lieutenant du Clan de l'Ombre, et ses yeux brillèrent d'admiration lorsqu'il leva la tête vers Étoile du Tigre. À l'évidence, il l'avait rejoint sans attendre après avoir été chassé de son Clan.

« Vous savez tous, continua Étoile du Tigre, que des événements incontrôlables ont changé le cours de notre vie. À la mauvaise saison dernière, la forêt a été inondée. Puis, un incendie a traversé le territoire du Clan du Tonnerre. » Il ponctua cette phrase d'un regard vers Étoile de Feu, qui aurait bien aimé gommer d'un coup de patte l'air arrogant du visage balafré de son ennemi. « Les Bipèdes sont de plus en plus nombreux à s'installer sur notre territoire. La vie est de plus en plus dure, et puisque la forêt change autour de nous, nous devons changer avec elle pour nous adapter. »

Des cris enthousiastes s'élevèrent de l'assemblée, mais Étoile de Feu remarqua qu'ils venaient essentiellement des guerriers des Clans de l'Ombre et de la Rivière. Les membres des deux autres Clans s'échangeaient des regards interrogateurs, comme s'ils ne parvenaient pas à comprendre où Étoile du Tigre voulait en venir. Étoile de Feu restait tout aussi interdit. En arrivant, il était persuadé que son ennemi révélerait le secret de Patte de Brume et Pelage de Silex pendant l'Assemblée, et qu'il exigerait qu'on lui rende ses petits. Étoile de Feu s'y était préparé, mais il devait maintenant affronter une situation bien différente.

« Le Clan des Étoiles m'a montré la voie, miaula Étoile du Tigre en jetant un œil vers le ciel, où les nuages orageux semblaient de plus en plus menaçants. Pour survivre aux difficultés qui nous attendent, nous devons nous entraider. Séparés en quatre Clans, nous gaspillons notre énergie à lutter les uns contre les autres. Réunis en un seul, nous serions forts ! Nous devons nous unir ! »

Un silence parfait suivit ces paroles. Étoile de Feu entendait une brise légère caresser les branches dénudées des Quatre Chênes, ainsi que le grondement lointain du tonnerre. Il resta bouche bée devant Étoile du Tigre. Un seul Clan dans la forêt ? Alors que le Clan des Étoiles avait décrété qu'il devait toujours y en avoir quatre ?

« Étoile du Léopard a déjà accepté d'unir le Clan de la Rivière au Clan de l'Ombre. Nous commanderons ensemble ce Clan plus important : le Clan du Tigre. »

Commander ensemble ? Étoile de Feu n'y crut pas un seul instant. Étoile du Tigre ne partagerait jamais le pouvoir avec qui que ce soit.

Le chef du Clan de l'Ombre se tourna alors vers Étoile de Feu et Étoile Filante.

« Nous sommes venus vous inviter à rejoindre le nouveau Clan, annonça-t-il, les yeux brillants. Régnons ensemble sur la forêt dans l'amitié et la paix. »

Avant qu'il ait fini de parler, Étoile Filante s'avança, la fourrure ébouriffée par la colère. Au lieu de répondre à Étoile du Tigre, il s'adressa à tous les chats présents dans la clairière.

« Le Clan du Tigre était le nom de l'un des quatre grands Clans de jadis, déclara-t-il d'une voix forte et claire comme s'il était encore un jeune matou. Étoile du Tigre n'a pas le droit de s'en servir aujourd'hui. Pas plus qu'il n'a le droit de changer le nombre de Clans de la forêt. Voilà d'innombrables saisons que nous sommes quatre Clans, conformément au code du guerrier et à la volonté du Clan des Étoiles. Si nous renonçons à nos traditions, nous courrons au désastre. » Il se tourna vers Étoile du Tigre et cracha : « Plutôt mourir qu'unir mon Clan au tien. »

Étoile du Tigre cligna doucement des yeux. Étoile du Feu distingua un éclair mauvais dans son regard, mais son ennemi répondit posément :

« Étoile Filante, je te comprends. Il s'agit d'une question importante. Un vétéran comme toi aura besoin de temps pour se rendre compte que ma proposition est la meilleure pour tous nos Clans.

— Je ne suis pas vieux au point d'avoir perdu la raison, espèce de crotte de renard ! » feula Étoile Filante.

Malgré ses oreilles rabattues, Étoile du Tigre garda son calme.

« Et qu'en pense le nouveau chef du Clan du Tonnerre ? » railla-t-il, d'un ton où perçait toute sa haine envers le félin au pelage de feu.

Le sang d'Étoile de Feu se figea dans ses veines lorsqu'il imagina l'avenir. Son territoire et celui d'Étoile Filante se situaient entre ceux d'Étoile du Tigre et d'Étoile du Léopard. Maintenant que les Clans de l'Ombre et de la Rivière étaient alliés, les deux autres Clans seraient pris en étau.

Un coup d'œil en contrebas apprit à Étoile de Feu qu'un malaise grandissant se répandait dans la clairière parmi les guerriers des Clans du Tonnerre et du Vent. Tempête de Sable avait bondi et feulait : « Jamais, Étoile de Feu, jamais ! » Mais certains membres du Clan du Vent échangeaient des propos angoissés, comme s'ils pesaient le pour et le contre. Le guerrier tacheté avait fait preuve d'intelligence, se dit Étoile de Feu. La plupart de ses affirmations étaient vraies : les conditions de vie étaient de plus en plus dures. Les chats penseraient peut-être que leurs problèmes seraient résolus s'ils s'unissaient au sein d'un seul et même Clan. Pourtant, le jeune chef était persuadé que leur destin était de vivre dans quatre Clans distincts. Et même s'il avait pu envisager l'idée d'un Clan unique, jamais il n'aurait accepté qu'Étoile du Tigre en soit le chef.

« Eh bien, Étoile de Feu, marmonna son ennemi juré. Tu as perdu ta langue ?

— Je ne te permettrai jamais de me prendre mon Clan, cracha-t-il.

— Essaie un peu, pour voir, ajouta Étoile Filante.

— Vous prendre vos Clans ? » répéta Étoile du

Tigre, les yeux écarquillés. L'espace d'un instant, son air indigné fut presque crédible. « Je suis venu ici en paix proposer un plan pour nous sauver tous. Étoile Filante, Étoile de Feu, je veux que vous admettiez que c'est la meilleure solution et que vous me rejoigniez de votre plein gré, ajouta-t-il d'une voix où filtrait la menace. Le Clan des Étoiles n'attendra pas indéfiniment. »

Étoile de Feu bouillait de colère. Comment Étoile du Tigre osait-il prétendre que son désir de régner seul sur la forêt était la volonté du Clan des Étoiles ?

D'un bond, il tourna le dos au guerrier tacheté et fit face à l'assistance. Le temps était venu pour lui de parler. Une fois qu'il en aurait fini, Étoile du Tigre apparaîtrait sous son vrai jour : un assassin capable de verser le sang pour arriver à ses fins. Étoile du Léopard allait voir à quel genre de chat elle avait accordé sa confiance.

« Chats du Clan du Vent, du Clan de la Rivière et du Clan de l'Ombre, lança-t-il. Je ne peux garder le silence plus longtemps. Vous ne pouvez faire confiance à Étoile du Tigre. Il faut vous méfier de lui comme d'un blaireau acculé. »

Du coin de l'œil, il vit les muscles d'Étoile du Tigre tressaillir sous son pelage. Puis le chef du Clan de l'Ombre regarda de nouveau vers le ciel, retrouva son calme et l'écouta avec une expression d'indifférence marquée.

« Je sais que nombre d'entre vous ont dû se demander pourquoi Étoile du Tigre avait quitté le Clan du Tonnerre. Vous voulez connaître la vérité ? Ce chat est avide de pouvoir, et dangereux. Il est prêt à tuer d'autres chats afin de régner en maître absolu. »

Il s'interrompit lorsqu'un éclair zébra le ciel, telle une griffe luminescente de feu blanc sur la forêt. Le tonnerre gronda au-dessus de leurs têtes, noyant les paroles d'Étoile de Feu. On aurait cru que le Grand Rocher lui-même avait été foudroyé.

« C'est un signe ! Un signe ! hurla Étoile du Tigre en levant la tête vers le ciel, ses yeux jaunes brillant au clair de lune qui filtrait encore entre les nuages de plus en plus noirs. Je te remercie, Clan des Étoiles, pour nous avoir montré ta volonté. Cette Assemblée est terminée. »

D'un miaulement, il intima à ses chats de le suivre et banda ses muscles pour sauter au pied du Grand Rocher. Avant de s'élancer, il tourna la tête, les yeux emplis de haine.

« Pas de chance, chat domestique, cracha-t-il. Pense à mon offre. C'est la dernière occasion de sauver ces misérables ! »

Avant qu'Étoile de Feu ait eu le temps de répliquer, le chef du Clan de l'Ombre sauta du rocher et disparut dans les buissons qui délimitaient la clairière. Les félins de son Clan s'élancèrent à sa suite. Étoile du Léopard descendit à son tour et rassembla les guerriers du Clan de la Rivière.

Lorsqu'un deuxième éclair s'abattit, Étoile de Feu et Étoile Filante se dévisagèrent, sous le choc. L'orage éclata enfin : une rafale de vent ébranla le rocher et faillit déséquilibrer Étoile de Feu. La pluie tombait maintenant à torrents.

Presque aveuglé par la pluie battante, Étoile de Feu bondit au pied du roc, tantôt sautant tantôt glissant, et fila à travers la clairière pour rejoindre les buissons, appelant ses guerriers au passage. Quelques instants plus tard, il se trouva tapi sous une aubépine avec Plume Grise et Tempête de Sable. S'ébrouant pour chasser l'eau de sa fourrure, il chercha des yeux Étoile Filante mais le chef du Clan du Vent ne l'avait pas suivi.

L'averse frappait le sol si fort que les gouttelettes rebondissaient et éclaboussaient tout. Sous l'assaut du vent, les Quatre Chênes mis à mal émettaient d'inquiétants grincements. Dans la clairière, l'herbe et les fougères étaient aplaties par la furie de l'orage. Le chaos ambiant n'avait d'égal que celui qui régnait dans la tête d'Étoile de Feu.

« Je n'arrive pas à y croire ! miaula-t-il en haussant la voix pour couvrir les hurlements du vent. Jamais je n'aurais cru qu'Étoile du Tigre irait jusqu'à revendiquer la domination de toute la forêt.

— Mais que peut-on y faire ? demanda Plume Grise. Tu n'as pas eu le temps de révéler à tout le monde la vérité à son sujet.

— Ce n'est pas sa faute, si l'orage a éclaté, fit remarquer Tempête de Sable.

— Cela ne sert à rien de regretter, leur dit Étoile de Feu. C'est trop tard, maintenant. Nous devons décider de ce que nous allons faire.

— Décider de quoi ? feula Tempête de Sable, ses yeux verts excités par la soif du combat. Nous allons nous battre, bien sûr ! Jusqu'à ce qu'on ait débarrassé pour de bon la forêt de cette crotte de renard. »

Étoile de Feu acquiesça. Il garda le silence, mais ne put s'empêcher de penser à la prophétie d'Étoile Bleue.

Les quatre deviendront deux. Lion et Tigre s'affronteront au combat.

Le « Tigre » désignait sans doute le Clan du Tigre, mais qui était le « Lion » ? Étoile de Feu éluda cette question, alors même qu'il se rappelait la fin de la prophétie :

Le sang régnera sur la forêt.

CHAPITRE 13

L'ORAGE FUT BIENTÔT FINI. Étoile de Feu entraîna ses guerriers vers le camp à travers une forêt où la moindre brindille, la moindre fougère ployait sous le poids de la pluie. Dans le ciel maintenant dégagé, la Toison Argentée étincelait. Étoile de Feu leva les yeux vers elle, lui adressant une prière muette : *Noble Clan des Étoiles, montre-moi ce que je dois faire.*

Il redoutait qu'Étoile du Tigre ait envoyé des guerriers pour attaquer le camp. Ainsi affaibli, le Clan du Tonnerre n'aurait d'autre choix que d'allier ses guerriers survivants au Clan du Tigre. À son grand soulagement, il vit en sortant du tunnel d'ajoncs que tout était calme.

Tornade Blanche quitta son poste de garde devant le gîte des guerriers pour le rejoindre.

« Vous rentrez tôt. Je me demandais si ces nuages orageux allaient voiler la lune.

— Ce fut le cas, mais il y a pire encore.

— Pire encore ? » répéta le vétéran, les yeux ronds tandis que son chef lui rapportait ce qui s'était passé.

D'autres félins les rejoignirent et Étoile de Feu entendit les miaulements scandalisés de ses guerriers lorsqu'ils apprirent les manigances d'Étoile du Tigre.

« Lorsque l'orage a éclaté, conclut-il, Étoile du Tigre a déclaré que c'était un signe du Clan des Étoiles. Puis, il est parti avec Étoile du Léopard, et l'Assemblée a pris fin.

— C'était peut-être bien un signe, miaula Tornade Blanche, furieux. Un signe de la colère du Clan des Étoiles envers lui.

— Qu'en penses-tu, Museau Cendré ? demanda Étoile de Feu à la guérisseuse, dont les yeux bleus trahissaient une vive inquiétude.

— Je n'en sais rien, admit-elle. Si c'était un signe, il signifierait que le Clan des Étoiles t'a empêché de dire la vérité, et j'ai du mal à le croire. Parfois, un orage n'est rien d'autre qu'un orage.

— Dans ce cas, ce n'est pas de chance pour le Clan du Tonnerre, marmotta Longue Plume.

— Si seulement j'avais été là, feula Flocon de Neige. J'aurais sauté à la gorge d'Étoile du Tigre. Comme ça, finis les problèmes.

— Alors, heureusement que tu n'étais pas là, rétorqua Étoile de Feu. Attaquer un chef de Clan en pleine Assemblée ? Voilà qui aurait sûrement provoqué la colère du Clan des Étoiles. »

Flocon de Neige plissa les yeux d'un air de défi.

« S'il est tellement puissant, pourquoi le Clan des Étoiles ne fait-il rien pour aider le Clan du Tonnerre ?

— Il nous aidera peut-être en temps voulu, avança Cœur Blanc.

— Que va-t-on faire ? demanda Poil de Souris, qui semblait nerveuse, et prête à quitter le camp pour aller affronter leurs ennemis sur-le-champ. Tu n'envisages pas de rejoindre ce... Clan du Tigre, au moins ?

— Jamais de la vie, la rassura son chef. Mais nous devons prendre le temps de réfléchir et de nous reposer, ajouta-t-il en bâillant et en s'étirant. Pour l'instant, il faut doubler les patrouilles. Des volontaires pour partir à l'aube ?

— Compte sur moi, répondit aussitôt Poil de Souris.

— Merci, miaula Étoile de Feu. Garde un œil sur la frontière avec le Clan de l'Ombre. Et si tu croises un guerrier d'Étoile du Tigre, tu sais quoi faire.

— Oh que oui, grogna Flocon de Neige en agitant la queue. Je t'accompagne, Poil de Souris. Je ne cracherais pas sur quelques fourrures du Clan de l'Ombre pour décorer ma litière. »

Tornade Blanche désigna Poil de Fougère et Cœur d'Épines pour compléter la patrouille, et les quatre félins partirent se reposer avant que l'aube ne pointe. Un par un, les autres chats rejoignirent leur tanière. Ils étaient si choqués qu'ils ne pouvaient tout à fait dissimuler leur peur.

Une fois seul avec Museau Cendré, le jeune chef laissa échapper un long soupir.

« Cela ne s'arrêtera donc jamais ? » murmura-t-il.

La guérisseuse le réconforta en pressant son museau contre le sien.

« Je ne sais pas, admit-elle. Seul le Clan des Étoiles le sait. Parfois, je me dis que la forêt ne connaîtra pas la paix tant qu'Étoile du Tigre vivra. »

★

« Bien, miaula Étoile de Feu. Attaque-moi. »

À quelques longueurs de queues de renard, Nuage Épineux était tapi dans la combe. Son mentor l'observait ramper vers lui, ses yeux d'ambre fixant un côté puis l'autre, cherchant le meilleur endroit où frapper.

L'instant d'après, le jeune félin bondit. Mais Étoile de Feu l'attendait. Il se glissa sur le côté et lui donna un coup de tête dans le flanc, envoyant valser son élève dans le sable.

« Il te faudra être plus rapide, le réprimanda Étoile de Feu. Ton ennemi ne doit pas avoir le temps de penser. »

Nuage Épineux se remit sur ses pattes, crachant du sable, et s'élança de nouveau. Ses pattes tendues s'abattirent sur la tête de son mentor, qui fut déséquilibré et tomba à la renverse. Nuage Épineux le maintint au sol, sa truffe touchant presque celle d'Étoile de Feu.

« Comme ça ? » demanda le jeune félin.

Étoile de Feu le repoussa.

« Laisse-moi me relever, espèce de lourdaud ! maugréa-t-il en se secouant pour débarrasser le sable de sa fourrure. Oui, comme ça. Tu apprends vite, Nuage Épineux. »

Les yeux de l'apprenti brillèrent et le rouquin eut soudain l'impression d'être face à Étoile du Tigre en plus jeune. En fait, il s'agissait d'Étoile du Tigre tel qu'il aurait dû être : fort, agile, courageux et, oui, ambitieux, mais l'ambition de Nuage Épineux semblait concentrée sur son désir de devenir le meilleur des guerriers pour son Clan.

Étoile de Feu ne put réprimer un ronronnement satisfait. Au milieu de tous les problèmes que devait affronter le Clan du Tonnerre, l'entraînement de son apprenti lui offrait quelques instants de répit.

Mais les mots que prononça alors Nuage Épineux lui rappelèrent ses responsabilités de chef.

« Étoile de Feu, je voulais te poser une question... Pourquoi tout le monde pense que ce serait mal de rejoindre le Clan du Tigre ?

— Quoi ? » fit le rouquin, soudain bouillonnant de colère.

Nuage Épineux se crispa, mais il poursuivit, soutenant le regard de son mentor :

« Nuage de Granit m'a répété les paroles d'Étoile du Tigre. Les temps sont durs, c'est vrai. Tout le monde se plaint du manque de gibier et de la présence des Bipèdes dans la forêt. De plus, le Clan du Tigre sera le Clan le plus fort si le Clan de la Rivière s'unit avec le Clan de l'Ombre. Ne serait-il pas logique de les rejoindre ? »

Étoile de Feu prit une grande inspiration. Après tout, il avait posé le même genre de questions à son arrivée dans la forêt, ne comprenant pas la rivalité et les combats entre les Clans.

« D'une part, il y a toujours eu quatre Clans dans la forêt. D'autre part, cela signifierait la fin du Clan du Tonnerre.

— Pourquoi ?

— Parce qu'on ne peut pas croire Étoile du Tigre lorsqu'il affirme que les quatre chefs régneraient ensemble », expliqua Étoile de Feu. Sachant qu'il évoquait le père du jeune chat, il s'efforçait de parler gentiment, sans toutefois lui cacher la dure vérité. « Étoile du Tigre s'accaparerait tout le pouvoir. Nous perdrions ce qui fait de nous le Clan du Tonnerre. »

Nuage Épineux resta silencieux un moment. Puis il répondit :

« Je vois. Merci, Étoile de Feu. C'est ce que je voulais savoir.

— Reprenons, alors, conclut le mentor en se mettant sur ses pattes. Je veux te montrer une technique qui pourrait te servir... »

Pendant la suite de l'entraînement, il se rendit compte qu'il se remettait à douter de la loyauté de Nuage Épineux.

Étoile de Feu envoya ensuite son apprenti chasser pour les anciens. Il s'apprêtait à retourner au camp lorsque Flocon de Neige bondit au sommet de la combe sablonneuse, suivi de près par Cœur Blanc.

« Étoile de Feu ! On va répéter les techniques de combat de Cœur Blanc. Tu veux venir voir comment elle s'en sort ?

— Bien sûr... Allez-y. »

Même si les blessures de la jeune chatte étaient guéries, Étoile de Feu avait du mal à croire qu'elle serait un jour une vraie guerrière, qu'elle se battrait avec succès pour son Clan. Mais depuis qu'elle avait changé de nom, elle semblait bien plus heureuse et assurée, et il voulait l'encourager autant que possible.

Flocon de Neige et Cœur Blanc coururent jusqu'au milieu de la combe. Pendant quelques instants, ils restèrent à l'affût, puis Flocon de Neige se lança et donna à Cœur Blanc quelques coups de patte du côté de son visage blessé. Sous l'impact, Cœur Blanc roula sur le côté, et Étoile de Feu se crispa, imaginant les dégâts qu'aurait fait un chat ennemi s'il l'avait frappée de toutes ses forces, les griffes sorties.

Mais une fois au sol, au lieu de s'éloigner de Flocon de Neige, Cœur Blanc se propulsa vers lui et, d'un coup de patte, elle faucha son compagnon qui tomba dans le sable. Ce mouvement piqua l'intérêt du jeune chef qui observa avec attention les deux félins au corps à corps. Soudain, Cœur Blanc eut le dessus, plaquant au sol Flocon de Neige en lui maintenant une patte sur la gorge.

« Je n'ai jamais rien vu de tel, miaula Étoile de Feu en les rejoignant, pendant que la jeune chatte libérait son camarade et que ce dernier se secouait. Cœur Blanc, essaie de faire la même chose avec moi. »

Manifestement nerveuse, Cœur Blanc lui fit face. Étoile de Feu eut plus de mal qu'il ne s'y attendait à l'attaquer du côté où elle ne voyait plus. La jeune chatte ne cessait de se déplacer d'avant en arrière, l'obligeant à changer sans arrêt de position. Quand enfin il bondit vers elle, elle esquiva les pattes du rouquin et le faucha de la même manière que précédemment. Pendant quelques instants, ils luttèrent, mais Étoile de Feu finit par l'immobiliser.

« C'est plus dur qu'on croirait, pas vrai ? miaula Flocon de Neige qui trottait vers eux, la mine réjouie.

— En effet. Bravo, Cœur Blanc. » Étoile de Feu la laissa se relever. L'œil intact de la jeune chatte brillait de plaisir. Pour la première fois, le rouquin se demanda si elle pourrait devenir une guerrière malgré tout. « Continue à t'entraîner. Je reviendrai bientôt voir tes progrès. Voilà une technique que tout le Clan devrait connaître. »

Après l'orage, le froid revint. Tous les matins, un fin duvet de gel blanc recouvrait l'herbe et les fougères. Il neigea de nouveau, et le gibier se fit plus rare encore. Les quelques proies que les chasseurs arrivaient à attraper s'avéraient bien maigres, à peine de quoi faire une bouchée pour un chat affamé.

« Si je ne prends pas bientôt un repas digne de ce nom, je vais me transformer en squelette », se plaignit Plume Grise.

Étoile de Feu et son ami patrouillaient non loin des Quatre Chênes, accompagnés de Longue Plume et de Cœur d'Épines. Étoile de Feu avait espéré trouver davantage de gibier en s'éloignant du camp, là où le feu ne s'était pas propagé, mais la chasse n'avait pas été bonne.

« Je vais tenter ma chance près de la rivière », lança-t-il.

Il descendit la pente jusqu'aux buissons qui longeaient la rive. Lorsqu'il s'arrêta pour humer l'air, l'odeur de gibier était faible, et il n'entendit aucun des bruits caractéristiques signalant la présence de petites créatures dans les fourrés.

Avec si peu de viande fraîche, le Clan s'affaiblissait de jour en jour. La mauvaise saison s'annonçait comme une épreuve, sans parler de la nouvelle menace que représentait le Clan du Tigre. Les guerriers auraient-ils la force de se défendre ? Étoile de Feu n'en était pas certain.

Ses pas le guidèrent d'instinct jusqu'à la rivière aux berges gelées, où il comptait se désaltérer. Il posa une patte sur la glace pour en tester la solidité mais celle-ci céda aussitôt et il dut secouer sa patte pour en faire tomber les gouttelettes glaciales.

Lorsqu'il se pencha pour boire, le soleil perça à travers les feuilles au-dessus de lui. La lumière étincela sur l'eau et nimba le reflet d'Étoile de Feu de rayons dorés. Soudain, son visage disparut à la surface, remplacé par l'image d'un lion rugissant. Étoile de Feu avait entendu la description de cette créature dans bien des récits rapportés par les anciens : sa fourrure couleur de feu s'allongeait autour de la tête pour former une crinière épaisse et dans ses yeux brillait l'éclat d'une force et d'un pouvoir illimités.

Étoile de Feu fit un bond en arrière. Il gémit en heurtant un arbre et tomba parmi les feuilles mortes. Lorsqu'il leva la tête, Petite Feuille se tenait devant lui, de l'autre côté du cours d'eau.

Une lueur d'amusement éclairait les prunelles de la jolie chatte écaille, et elle ronronna comme pour rire.

« Petite feuille ! » s'exclama Étoile de Feu. Jamais encore elle n'était venue à lui alors qu'il était éveillé, et il se demanda ce que cela signifiait. Il bondit sur ses pattes, prêt à traverser la rivière pour la rejoindre, mais d'un mouvement de la queue, elle lui intima de rester où il était.

« Réfléchis à ce que tu viens de voir, Étoile de Feu, lui conseilla-t-elle, sérieuse, sa gaieté ayant fondu tel le givre à l'aube. Apprends ce que tu dois devenir.

— Que veux-tu dire ? » demanda-t-il.

Mais la silhouette de Petite Feuille commençait déjà à s'estomper. Ses yeux se posèrent sur lui, emplis d'amour, et son corps pâlit à tel point qu'Étoile de Feu put voir la rive opposée à travers elle.

« Petite Feuille, ne me quitte pas déjà, implora-t-il. J'ai besoin de toi. »

Les yeux de la jolie chatte brillèrent encore un instant, puis elle disparut pour de bon.

« Étoile de Feu ! » C'était la voix de Plume Grise. Le rouquin secoua la tête pour s'éclaircir les idées et se tourna vers son ami qui arrivait sur la berge.

« Tout va bien ? demanda le guerrier gris. Tu as crié si fort que tout le gibier, d'ici aux Quatre Chênes, a dû t'entendre !

— Ce n'est rien. Quelque chose m'a surpris, c'est tout. »

Plume Grise le fixa un moment, comme si cette réponse ne le satisfaisait pas, puis il se détourna.

« Si tu le dis, miaula-t-il en retournant sur ses pas. Viens voir le lapin qu'a attrapé Longue Plume. Il est tellement gros qu'on dirait un renard ! »

Étoile de Feu ne bougea pas. Encore sous le choc de sa vision, il tremblait de tous ses membres. Il s'était vu dans la peau de l'un des grands guerriers de jadis, un membre du Clan du Lion. La prophétie d'Étoile Bleue lui revint en tête comme un écho. *Lion et Tigre s'affronteront au combat.*

Cela signifiait-il qu'un nouveau Clan – le Clan du Lion – se soulèverait pour faire face au Clan du Tigre ? Le Clan des Étoiles attendait-il donc qu'Étoile de Feu en soit le chef ?

CHAPITRE 14

« ÉTOILE DE FEU, miaula Plume Grise. Je voudrais te demander quelque chose. »

Le jeune chef était tapi près de la réserve de gibier. Il venait de voir Poil de Fougère quitter le camp à la tête de la patrouille du soir et prenait maintenant le temps de manger sa part de gibier avant d'emmener une autre patrouille inspecter la frontière du Clan de l'Ombre.

« Bien sûr, répondit-il. De quoi s'agit-il ? »

Plume grise se coucha près de son ami mais, avant qu'il ait le temps de parler, Nuage d'Or sortit à grands pas de la tanière des anciens, tête et queue hautes tandis qu'elle se dirigeait vers le tunnel d'ajoncs. Ses yeux de jade étincelaient de colère. Nuage Épineux la suivit, un tas de mousse serré entre les mâchoires. Il semblait soucieux.

« Nuage d'Or ! lança Étoile de Feu. Que se passe-t-il ? »

Il crut que l'apprentie allait l'ignorer, mais elle finit par se tourner vers lui.

« C'est Petite Oreille ! feula-t-elle. Il parle comme s'il cherchait à se faire arracher la fourrure à coups de griffes...

— Tu ne devrais pas dire de telles choses d'un ancien, la tança son chef. Petite Oreille a bien servi le Clan en son temps, et nous devons le respecter.

— Et s'il commençait par me respecter, moi ? lâcha l'apprentie, si furieuse qu'elle semblait avoir oublié à qui elle parlait. J'étais un tout petit peu en retard pour changer les litières, et Petite Oreille a dit qu'Étoile du Tigre n'avait jamais voulu aider les anciens lui non plus, et qu'il voyait que j'allais mal tourner, comme mon père ! expliqua-t-elle en grattant le sol sablonneux de ses griffes comme si elle imaginait les plonger dans la fourrure de l'ancien. Ce n'est pas la première fois qu'il raconte ce genre de choses. Je ne vois pas pourquoi je devrais le supporter sans rien dire ! »

Entre-temps, Nuage Épineux les avait rejoints, posant à terre la mousse qu'il portait dans la gueule.

« Tu sais très bien que les articulations de Petite Oreille lui font mal par temps froid, miaula le jeune chat.

— Tu n'es pas mon mentor ! feula-t-elle. Tu n'as pas à me dire ce que je dois faire.

— Calme-toi, Nuage d'Or », intervint Étoile de Feu. Il aurait voulu la convaincre que personne ne pensait qu'elle deviendrait une traîtresse et un assassin, comme son père, mais il savait que ce n'était pas tout à fait vrai. « Tu te débrouilles très bien en tant qu'apprentie, et tu deviendras une grande guerrière. Tôt ou tard, le Clan s'en apercevra.

— C'est ce que je lui ai dit, coupa Nuage Épineux, avant de se tourner vers sa sœur. Nous devons prouver que nous ne sommes pas comme Étoile du

Tigre. C'est la seule façon de montrer au Clan que nous sommes loyaux.

— Certains le savent déjà », ajouta Plume Grise, et Nuage Épineux le remercia d'un regard.

La colère de Nuage d'Or semblait apaisée, mais elle brillait encore un peu dans ses yeux verts. Sur un signe de tête, elle prit la direction du tunnel d'ajoncs et lança par-dessus son épaule :

« Je vais chercher de la mousse fraîche. »

Nuage Épineux attendit qu'elle soit partie et dit :

« Je suis désolé, Étoile de Feu. Mais Nuage d'Or a le droit d'être furieux.

— Je sais, le rassura le rouquin. S'il est de bonne humeur, j'en toucherai deux mots à Petite Oreille.

— Merci, Étoile de Feu », souffla Nuage Épineux en s'inclinant, avant de ramasser sa mousse et de partir rejoindre sa sœur.

Le jeune chef suivit du regard les deux apprentis d'un air inquiet. Il devait voir Petite Oreille, et le plus vite possible. Ce n'était pas en reprochant aux deux apprentis les méfaits de leur père que le Clan s'assurerait de leur loyauté.

Il se souvint soudain que Plume Grise voulait lui parler.

« Bon, raconte-moi tout, miaula-t-il en se tournant vers son ami.

— C'est à propos de mes petits, confia Plume Grise. Depuis l'Assemblée, je n'arrête pas de penser à eux. Comme Patte de Brume et Pelage de Silex n'y étaient pas, je n'ai pas pu leur demander de nouvelles. Mais maintenant qu'Étoile du Tigre a pour ainsi dire pris le contrôle du Clan de la Rivière, je suis sûr qu'ils sont en danger. »

Étoile de Feu prit une bouchée de campagnol qu'il mastiqua pensivement.

« Je ne vois pas pourquoi ils seraient plus en danger que les autres chats, répondit-il en déglutissant. Étoile du Tigre voudra sans doute s'assurer que tous les apprentis deviennent des combattants forts. »

Plume Grise n'eut pas l'air convaincu.

« Mais Étoile du Tigre sait qui est leur père, fit-il remarquer. Et il me déteste. J'ai peur qu'il reporte sa haine sur Nuage de Plume et Nuage d'Orage. »

Étoile de Feu comprit que son ami avait peut-être raison.

« Et que veux-tu faire ? lui demanda-t-il.

— Je voudrais que tu m'accompagnes de l'autre côté de la rivière et qu'on les ramène au Clan du Tonnerre, avoua-t-il, nerveux.

— Tu as perdu la tête ? Tu demandes à ton chef de violer le territoire du Clan de la Rivière et d'y kidnapper deux apprentis ?

— Vu comme ça, bien sûr... miaula le guerrier gris.

— C'est pourtant ce que tu proposes ! » répliqua Étoile de Feu.

Il tentait de dissimuler à quel point il était choqué, mais le plan de Plume Grise ressemblait par trop au crime que Plume Brisée avait commis jadis lorsqu'il avait volé des chatons. Si Étoile de Feu donnait son accord et que le Clan de la Rivière le découvrait, cela lui donnerait une bonne raison d'attaquer le Clan du Tonnerre. Sachant que le Clan de l'Ombre se joindrait à lui, Étoile de Feu ne pouvait prendre un tel risque.

« Je savais que tu refuserais de m'aider, soupira Plume Grise avant de lui tourner le dos et de s'éloigner, la queue basse.

— Je veux bien t'aider, Plume Grise, le rappela Étoile de Feu. Il faut qu'on y réfléchisse ensemble. » Tandis que son ami revenait vers lui, le guerrier roux poursuivit : « Tu ne sais pas si tes enfants sont en danger. Ils sont apprentis, maintenant, ce ne sont plus des chatons. Ils ont le droit de décider de leur avenir. Et s'ils veulent rester dans le Clan de la Rivière ?

— Je sais, fit Plume Grise. Ne t'inquiète pas, Étoile de Feu. Je comprends qu'il n'y ait rien que tu puisses faire.

— Ce n'est pas ce que j'ai dit. » Malgré ce que lui dictait sa conscience, Étoile de Feu ne pouvait en rester là. Son camarade remua les oreilles, plein d'espoir, et le jeune chef continua : « Imaginons qu'on y aille discrètement, juste toi et moi, pour s'assurer qu'ils vont bien... Si c'est le cas, alors tu n'auras plus à t'inquiéter. Sinon, je leur dirai que, s'ils le souhaitent, le Clan du Tonnerre est prêt à les accueillir. »

Les yeux jaunes de Plume Grise s'illuminèrent.

« C'est parfait, merci, Étoile de Feu. On pourrait y aller maintenant ?

— Si tu veux. Laisse-moi le temps de finir ce campagnol. Va dire à Tornade Blanche que le camp est sous sa responsabilité. Mais ne lui dévoile pas où nous allons », ajouta-t-il.

Tandis que Plume Grise filait vers le gîte des guerriers, le jeune chef finit d'une bouchée son repas et se passa un coup de langue sur le museau. Le guerrier gris revint aussitôt et les deux amis se dirigèrent vers le tunnel.

Soudain, une silhouette sombre et familière en sortit.

« Nuage de Jais ! se réjouit Étoile de Feu. Quelle bonne surprise !

— Je suis content de te retrouver, répondit le matou noir en collant sa truffe à celles d'Étoile de Feu et de son camarade. Plume Grise, voilà des lunes que je ne t'ai pas vu ! Comment vas-tu ?

— Très bien. Quant à toi, un seul regard suffit à comprendre que tu mènes la belle vie, le railla-t-il en admirant la fourrure noire et brillante du nouveau venu.

— Je voulais rendre hommage à Étoile Bleue, expliqua Nuage de Jais. Tu m'en avais donné la permission, Étoile de Feu.

— Bien sûr, répondit le rouquin, qui sentait Plume Grise trépigner tant il avait hâte de partir. Nuage de Jais, tu veux bien aller voir Museau Cendré ? Elle te mènera là où on a enterré Étoile Bleue. Plume Grise et moi devons partir en mission.

— On se croirait de retour au bon vieux temps ! s'esclaffa Nuage de Jais. De quoi s'agit-il ?

— On va jeter un œil sur mes enfants, dans le territoire du Clan de la Rivière, lui apprit Plume Grise. Je m'inquiète pour eux, maintenant qu'Étoile du Tigre a pris le contrôle. »

L'expression stupéfaite de Nuage de Jais rappela à Étoile de Feu qu'il ne savait rien des derniers événements survenus dans la forêt. En quelques mots, il lui rapporta les paroles qu'Étoile du Tigre avait prononcées lors de la dernière Assemblée.

« Mais c'est une catastrophe ! feula leur ancien camarade. Est-ce que je peux vous aider ? Je pourrais vous accompagner. »

Ses yeux pétillaient. Étoile de Feu comprit que le solitaire était excité à l'idée de partir à l'aventure. Comme il avait changé ! Il n'avait plus rien de l'apprenti nerveux jadis tourmenté par son mentor, Griffe de Tigre.

« Entendu, conclut-il, son instinct lui disant que la présence de Nuage de Jais à leur côté serait un atout. Nous sommes contents que tu viennes avec nous. »

Tandis qu'il filait dans la forêt suivi de ses deux plus vieux amis, Étoile de Feu fut submergé par des souvenirs de l'époque où ils s'entraînaient côte à côte, où ils chassaient ensemble, en tant qu'apprentis. Pendant un instant, il put même s'imaginer que ce temps était revenu, qu'il s'était débarrassé de ses responsabilités comme un arbre perd ses feuilles, et qu'il avait retrouvé sa jeunesse et son insouciance.

Mais son esprit le ramena brusquement à la réalité. Il était chef de Clan désormais, il ne pouvait donc échapper aux devoirs qui le liaient à ses guerriers.

Le temps qu'Étoile de Feu et ses amis atteignent l'orée de la forêt, le soleil était descendu bien bas dans le ciel. Le jeune chef fit signe aux deux autres de rester en retrait, puis se faufila dans les sous-bois pour observer la rivière.

Il s'arrêta devant le passage à gué, où des roches émergées constituaient le chemin le plus facile pour accéder au territoire du Clan de la Rivière. Tandis qu'il observait l'eau grise et glaciale, il sentit une forte odeur de chats, à la fois du Clan de la Rivière et du Clan de l'Ombre. Une patrouille cheminait sur l'autre rive. Ils étaient trop loin pour qu'Étoile de Feu puisse les identifier, mais il ne voyait pas les fourrures bleu-gris de Patte de Brume et de Pelage de Silex.

Il ne put s'empêcher d'être déçu. Si l'un de leurs deux amis s'était tenu là, Plume Grise aurait pu prendre des nouvelles de ses enfants et la mission n'aurait pas été plus loin. Ils n'avaient d'autre choix que de pénétrer en territoire ennemi.

Étoile de Feu savait qu'il risquait le tout pour le tout. Si jamais on découvrait qu'un chef de Clan avait violé le territoire d'un Clan adverse, il aurait de gros problèmes. Mais il devait le faire pour son ami.

Plume Grise le rejoignit à tâtons.

« Que se passe-t-il ? demanda le matou. Pourquoi on s'arrête là ? »

Étoile de Feu inclina ses oreilles vers la patrouille. L'instant d'après, cette dernière disparaissait parmi les roseaux et leur odeur se dissipa peu à peu.

« C'est bon, annonça le jeune chef. Allons-y. »

Il passa en premier, sautant de pierre en pierre au-dessus des eaux vives et sombres. Il repensa à l'inondation de la mauvaise saison passée, lorsque Plume Grise et lui avaient failli se noyer en sauvant deux des petits de Patte de Brume. Étoile du Léopard s'était empressé d'oublier cet épisode. Tout comme elle avait oublié que les deux guerriers du Clan du Tonnerre avaient aidé les félins affamés du Clan de la Rivière en leur apportant du gibier chassé sur leur propre territoire.

Mais cela ne servait à rien de ressasser tout ça. Lorsqu'il sauta sur la rive opposée, il fila se cacher entre les roseaux et s'assura une fois encore qu'aucun ennemi ne se trouvait dans les parages. Il ne percevait dans l'air que des traces du passage de la patrouille.

À pas menus, il se dirigea vers le camp ennemi, Plume Grise et Nuage de Jais le suivant de près, aussi silencieux que des ombres.

Soudain, la brise lui apporta une autre odeur. Étoile de Feu s'arrêta, les moustaches frémissantes. Ses yeux s'écarquillèrent lorsqu'il reconnut la puanteur de la charogne : non loin, de la viande pourrissait depuis des jours et des jours, tant et si bien que la pestilence empoisonnait l'air ambiant.

« Berk ! Qu'est-ce que c'est que ça ? » feula Nuage de Jais, oubliant la discrétion de mise.

Étoile de Feu ravala la bile qui lui était montée à la gorge.

« Je n'en sais rien. J'allais dire un terrier de renard, mais je ne sens aucun renard, admit le chef.

— Ça empeste en tout cas ! râla Plume Grise. Allez, Étoile de Feu, il faut qu'on avance avant qu'on nous trouve.

— Non. Je sais que nous sommes venus pour tes enfants, mais tout cela est bien trop étrange. Il nous faut enquêter. »

Devant eux, à quelques longueurs de queue, un ruisseau venait se jeter dans la rivière. Étoile de Feu s'enfonça dans les roseaux pour remonter son cours. La pestilence empirait à chaque pas et, sous la puanteur de la charogne, il commença à discerner l'odeur de nombreux chats, un mélange entre le Clan de l'Ombre et celui de la Rivière, comme la patrouille qu'il avait aperçue. Il fit une halte et d'un signe ordonna à ses amis de l'imiter. Il entendit alors des bruits venant d'un peu plus loin : le bruissement des roseaux mêlés à des voix de chats.

« C'est étrange, soupira Plume Grise. Le camp se trouve de l'autre côté... »

D'un mouvement de la queue, le rouquin lui intima le silence. Au moins, la puanteur masquerait leur odeur et leur permettrait de rester cachés.

Sur le qui-vive, Étoile de Feu reprit sa progression jusqu'à ce que les roseaux soient trop éparses pour le dissimuler. Arrivé à la lisière d'une clairière, il s'avança aussi loin que possible et observa la scène.

Il dut serrer les mâchoires pour réprimer un cri d'indignation. Le ruisseau courait d'un côté de la clairière, ses eaux stagnaient presque à cause des restes de gibier abandonnés dans son lit où ils pourrissaient. Des chats étaient tapis sur la rive, dépeçant leurs proies. Mais ce n'était pas ce qui avait provoqué la colère d'Étoile de Feu.

En face de lui, à l'autre bout de la clairière, se dressait un énorme tas d'ossements. Ils brillaient comme des branches éclairées par les dernières lueurs du jour – des os de musaraigne pas plus gros qu'une dent, mêlés à d'autres aussi gros que des os de cuisses de renards ou de blaireaux.

Le sang d'Étoile de Feu se figea dans ses veines. Il crut un instant revivre son rêve. Il se rappela le sang qui avait jailli du monticule, et n'eut qu'une envie :

fuir à toutes jambes. Son cauchemar était devenu réalité. Couché au sommet de la butte sinistre, la fourrure noire tachetée contrastant avec les ossement blanchis par le soleil, trônait Étoile du Tigre, le chef du nouveau Clan du Tigre.

Étoile de Feu resta caché. Il devait découvrir ce que tramait son ennemi. Plume Grise et Nuage de Jais le rejoignirent en rampant. Le pelage de Nuage de Jais s'ébouriffa et Plume Grise réprima un haut le cœur.

Une fois le choc de la découverte passé, Étoile de Feu étudia la scène attentivement. Le monticule n'était composé que d'os de proies, et ne comptait pas d'ossements de chats, au contraire de son rêve. À son pied, d'un côté, se tenait Patte Noire, le lieutenant du Clan de l'Ombre. Et de l'autre, Étoile du Léopard. Le regard de cette dernière balayait nerveusement la clairière. Étoile de Feu se demanda si elle regrettait ce qui était arrivé aux siens. Son désir de renforcer son Clan l'avait aveuglée, et elle devait découvrir seulement maintenant la vraie nature d'Étoile du Tigre. Mais quels que soient les sentiments de l'ancien chef du Clan de la Rivière, elle ne pouvait plus revenir en arrière.

« Je ne vois pas mes enfants », murmura Plume Grise dans un souffle à l'oreille de son ami.

Patte de Brume et Pelage de Silex manquaient eux aussi à l'appel. En fait, la plupart des chats présents appartenaient au Clan de l'Ombre, même si Étoile de Feu aperçut Griffe Noire et Gros Ventre, deux guerriers du Clan de la Rivière. Les guérisseurs des deux Clans n'étaient nulle part en vue, et le jeune chef se demanda ce qu'il devait en penser.

Trop choqué pour agir, il n'avait toujours pas bougé lorsque Étoile du Tigre se leva. Quelques petits os dégringolèrent du monticule. Dans la lumière crépusculaire, les yeux du guerrier tacheté étincelèrent, et il lança un cri de triomphe :

« Chats du Clan du Tigre, approchez-vous de la Colline Macabre pour une assemblée. »

Aussitôt, les félins dispersés dans la clairière s'exécutèrent, la tête basse en signe de respect. D'autres sortirent des roseaux.

« Il a dû construire cette colline pour avoir son propre Promontoire, souffla Nuage de Jais. Comme ça, il peut regarder son Clan de haut. »

Le chef ennemi attendit que tous ses guerriers se soient assis puis annonça :

« Le temps du jugement est venu. Qu'on amène les prisonniers ! »

Étoile de Feu échangea un regard perplexe avec Plume Grise. Où Étoile du Tigre avait-il trouvé des prisonniers ? Avait-il déjà lancé une attaque contre le Clan du Vent ?

Selon les ordres d'Étoile du Tigre, un guerrier du Clan de l'Ombre – Crocs Pointus, un des anciens chats errants de Plume Brisée – disparut dans les roseaux. Il revint un instant plus tard, traînant un autre chat derrière lui. Étoile de Feu ne reconnut pas tout de suite le guerrier gris, maigre, à la fourrure négligée, et dont une oreille déchirée saignait abondamment. Puis, lorsque Crocs Pointus le poussa au milieu du cercle de chats au pied de la Colline Macabre, Étoile de Feu le reconnut : Pelage de Silex !

Sentant Plume Grise se crisper près de lui, il avança une patte pour lui faire comprendre qu'il ne devait pas trahir leur présence. Les oreilles de Plume Grise frémirent, mais il resta immobile et silencieux, les yeux rivés sur la clairière.

Les roseaux s'écartèrent une nouvelle fois. Étoile de Feu reconnut tout de suite le chat qui en émergea, le pelage lisse et la tête haute et fière. C'était Éclair Noir. *Le traître !* pensa son ancien chef, bouillant de colère.

D'autres félins le suivirent peu après : un guerrier du Clan de l'Ombre guidait deux chats de petite taille, l'un rayé gris argent, l'autre au pelage gris épais et uni. Ils étaient aussi maigres que Pelage de Silex et avançaient d'un pas hésitant dans la clairière. Pressés l'un contre l'autre à l'ombre de la Colline Macabre, ils regardaient autour d'eux avec des yeux écarquillés par la peur.

Un frisson glacé tétanisa les muscles d'Étoile de Feu. Les deux jeunes chats n'étaient autres que Nuage de Plume et Nuage d'Orage, les enfants de Plume Grise.

CHAPITRE 15

❧

PLUME GRISE ÉMIT un grondement sourd et s'apprêta
à bondir.

« Non ! hoqueta Étoile de Feu qui sauta sur son
ami avant qu'il quitte les ombres protectrices des
roseaux. Si Étoile du Tigre nous voit, nous sommes
perdus ! »

De l'autre côté, Nuage de Jais retint Plume Grise
par l'épaule.

« Étoile de Feu a raison, siffla-t-il. Nous n'aurions
aucune chance contre eux tous. »

Plume Grise se débattit désespérément comme s'il
n'avait rien entendu.

« Lâchez-moi ! feula-t-il. Je vais l'écorcher vif, cette
vermine ! Je vais l'étriper !

— Non ! répéta Étoile de Feu dans un murmure
angoissé. Si nous nous montrons maintenant, nous
nous ferons massacrer. Nous n'abandonnerons pas tes
enfants, je te le promets, mais nous devons attendre
le moment propice pour aller les sauver. »

Plume Grise lutta encore un instant, puis grogna
qu'il comprenait et finit par se calmer. Étoile de Feu
le relâcha, faisant signe à Nuage de Jais de l'imiter.

« Avant tout, il faut qu'on découvre ce qui se passe », déclara ensuite le jeune chef.

Dans l'intervalle, Étoile du Tigre avait commencé à parler, couvrant le bruit qu'ils avaient fait dans les roseaux.

« Chats du Clan du Tigre, commença-t-il, vous connaissez tous les épreuves qui nous attendent. Le froid de la mauvaise saison nous menace. Les Bipèdes nous menacent. Les deux autres Clans de la forêt, qui n'ont pas encore eu la sagesse de rejoindre le Clan du Tigre, nous menacent eux aussi. »

Le bout de la queue d'Étoile de Feu s'agita, et ce dernier se tourna vers Plume Grise. *C'est Étoile du Tigre, la menace !* Tout ce que souhaitaient les Clans du Tonnerre et de la Rivière, c'était vivre en paix, selon les anciennes traditions du Clan des Étoiles et du code du guerrier.

Mais le regard de braise de Plume Grise ne quittait pas ses deux enfants, tapis au pied de la Colline Macabre. Il ne vit pas le regard de son ami.

« Puisque nous sommes entourés d'ennemis, continua Étoile du Tigre, nous devons nous assurer que nos propres guerriers sont loyaux. Il n'y a pas de place au sein du Clan du Tigre pour la demi-mesure. Pas de place pour des chats qui pourraient hésiter à combattre ou, pire encore, se retourner contre leur propre Clan. Le Clan du Tigre n'acceptera aucun traître ! »

À part le traître qui en est le chef, pensa Étoile de Feu. *Et Éclair Noir, qui était prêt à laisser son propre Clan se faire dévorer par des chiens.*

Des cris enthousiastes s'élevèrent de l'assemblée. Étoile du Tigre laissa la clameur enfler puis, d'un signe de la queue, il ordonna le silence.

« Et surtout, nous n'accepterons pas de subir l'abomination des clan-mêlés. Aucun guerrier digne de ce nom ne choisirait sa compagne ou son compagnon parmi les chats d'un autre Clan, diluant le sang pur dont nous ont dotés nos ancêtres. Étoile Bleue et Plume Grise, du Clan du Tonnerre, ont tous deux bafoué le code du guerrier en ayant des petits avec des membres du Clan de la Rivière. Les fruits de leurs unions, comme ceux que vous voyez devant vous, ne sont pas dignes de confiance. »

Il s'interrompit, et Patte Noire, son lieutenant, hurla : « Ordures ! Ordures ! »

Éclair Noir reprit ce slogan, et bientôt un chœur de cris et de piaillements s'éleva de l'assistance. Cette fois-ci, Étoile du Tigre n'intervint pas pour apaiser les esprits, contemplant d'un air satisfait les chats en contrebas.

Il a dû répéter tout cela avec Patte Noire, comprit Étoile de Feu, horrifié.

Il remarqua que les guerriers du Clan de l'Ombre criaient avec plus d'enthousiasme que les autres. Les guerriers d'Étoile du Léopard n'étaient sans doute pas complètement d'accord avec le chef du Clan de l'Ombre, mais ils n'osaient pas garder le silence.

Les deux apprentis clan-mêlés se tapirent un peu plus près du sol, comme s'ils craignaient de se faire emporter par la vague de haine du Clan du Tigre. Pelage de Silex vint se coucher devant eux d'un geste protecteur, défiant du regard l'assemblée de félins.

Où est Patte de Brume ? se demanda Étoile de Feu. *Étoile du Tigre sait qu'elle aussi est une clan-mêlée. Qu'a-t-il fait d'elle ?*

Étoile du Tigre poursuivit :

« La présence des clan-mêlés a été acceptée jusqu'à maintenant, mais le temps de la tolérance est révolu. Il n'y a pas de place dans le Clan du Tigre pour des guerriers qui ont prêté allégeance à deux Clans. Comment croire qu'ils ne trahiront pas nos secrets, ou qu'ils ne se retourneront pas contre nous pour nous tuer ? Peut-on attendre du Clan des Étoiles qu'il se batte à nos côtés si nous laissons ceux au cœur et au sang impurs vivre parmi nous ?

— Non ! feula Éclair Noir, sortant ses griffes et agitant la queue.

— Non, mes amis. Nous devons nous débarrasser de ces erreurs de la nature ! Alors notre Clan sera de nouveau pur et nous serons sûrs du soutien du Clan des Étoiles. »

Pelage de Silex se leva d'un bond. Il était si faible qu'il trébucha et manqua tomber, mais il parvint à rester debout et se tourna vers Étoile du Tigre.

« Personne n'a jamais remis en question ma loyauté ! grogna-t-il. Descends de là et dis-moi en face que je suis un traître ! »

Étoile de Feu ne put qu'admirer le courage désespéré du guerrier gris. Étoile du Tigre aurait pu l'achever d'un coup de patte, et pourtant Pelage de Silex restait combatif.

« Patte de Brume et moi, nous ne savions même pas qu'Étoile Bleue était notre mère. Nous l'avons appris il y a deux lunes, insista Pelage de Silex. Toute notre vie, nous avons été loyaux envers le Clan de la Rivière. Que ceux qui ne sont pas d'accord avec moi s'avancent et prouvent que je mens ! »

Étoile du Tigre donna un coup de queue furieux vers Étoile du Léopard.

« Tu as manqué de discernement quand tu as choisi ce déchet comme lieutenant, feula-t-il. Le Clan de la Rivière est étouffé par les mauvaises herbes. Il faut les arracher. »

Éberlué, Étoile de Feu vit Étoile du Léopard baisser la tête. Voilà qui montrait à quel point Étoile du Tigre était devenu puissant, pour qu'un chef de Clan jadis si exceptionnel ne puisse pas ou ne veuille pas protéger son propre lieutenant.

Néanmoins, les mots du guerrier tacheté redonnèrent espoir à Étoile de Feu. Son ennemi semblait sur le point de bannir Pelage de Silex et les deux apprentis. Dans ce cas, Étoile de Feu et ses amis n'auraient qu'à les attendre à la frontière pour les ramener ensuite au camp, où ils seraient en sécurité.

Lorsque Étoile du Tigre reprit la parole, son ton était mesuré et froid.

« Pelage de Silex, je te donne une chance de prouver ta loyauté envers le Clan du Tigre. Tue ces deux apprentis. »

Un silence étrange s'installa dans la clairière, que seul un cri étouffé de Plume Grise vint briser. Heureusement, les guerriers du Clan du Tigre étaient tellement absorbés que personne ne l'entendit.

« Étoile de Feu ! Nous devons faire quelque chose ! »

Ses griffes labouraient le sol et ses muscles étaient

bandés, mais ses yeux fixaient le rouquin comme s'il attendait son ordre pour attaquer.

Nuage de Jais se tourna vers lui, plus inquiet que jamais.

« Nous ne pouvons pas les regarder mourir sans rien faire ! »

Étoile de Feu sentait sa fourrure s'ébouriffer tant il était tendu. Il savait qu'il ne pourrait pas rester tapi là pendant que les enfants de Plume Grise se feraient assassiner sous leurs yeux. S'il le fallait, il serait prêt à se battre jusqu'à la mort pour les sauver.

« Attends un instant, murmura-t-il. Voyons comment va réagir Pelage de Silex. »

Le guerrier gris s'était tourné vers Étoile du Léopard.

« Je n'obéis qu'à toi, feula-t-il. Tu as conscience que ce que me demande Étoile du Tigre est mal. Que veux-tu que je fasse ? »

Étoile du Léopard sembla hésiter, et Étoile de Feu espéra de nouveau qu'elle s'opposerait à Étoile du Tigre et à la destruction de son Clan. Mais il avait sous-estimé la force de son ambition, et sa croyance aveugle dans les promesses d'Étoile du Tigre.

« Les temps sont durs, miaula-t-elle enfin. Nous luttons pour notre survie et nous devons pouvoir compter sur tous nos camarades. Il n'y a pas de place pour une loyauté fluctuante. Fais ce qu'Étoile du Tigre t'a demandé. »

Pelage de Silex la dévisagea un instant, instant qui parut une éternité à Étoile de Feu. Puis il se tourna vers les deux apprentis, qui se firent tout petits, leurs yeux luisant de terreur.

Nuage d'Orage passa un coup de langue réconfortant sur le front de sa sœur et lui dit :

« Nous nous défendrons. Je ne le laisserai pas nous tuer. »

Paroles courageuses, pensa Étoile de Feu malgré son désespoir. Pelage de Silex était un guerrier expérimenté et talentueux ; malgré son état de faiblesse, il restait une menace pour les deux jeunes félins qui avaient à peine commencé leur apprentissage et avaient manifestement subi eux aussi des mauvais traitements pendant leur emprisonnement.

Le guerrier du Clan de la Rivière hocha la tête en direction de Nuage d'Orage, comme un mentor félicitant son élève pour son courage. Puis il fit de nouveau face à Étoile du Tigre.

« Il faudra d'abord me tuer, Étoile du Tigre ! » feula-t-il.

Le chef au pelage tacheté plissa les yeux et agita la queue vers Éclair Noir.

« Très bien. Tue-le », ordonna-t-il.

Le guerrier tigré de noir prit son élan, frémissant d'excitation à l'idée de pouvoir prouver sa loyauté à son nouveau Clan. Grognant sous l'effort, il se jeta sur Pelage de Silex.

Une vague de compassion et de peur envahit Étoile de Feu. Il ne voyait qu'une partie du combat. Le guerrier gris était si faible qu'il ne serait pas de taille. Étoile de Feu voulait bondir dans la clairière et se battre au côté de Pelage de Silex, mais il savait que ce serait suicidaire en présence d'autant de chats ennemis. Il devait attendre là dans l'espoir, aussi infime soit-il, de sauver les apprentis. Étoile de Feu n'avait jamais connu un tel tourment : rester caché pendant qu'un ami se faisait assassiner.

Contre toute attente, Pelage de Silex se révéla toujours aussi agile. Rapide comme l'éclair, il bascula sur le dos, les quatre pattes tendues et les griffes dehors, prêt à arracher la fourrure d'Éclair Noir qui lui tomba ainsi sur le ventre et non sur les épaules.

La gorge d'Étoile de Feu se serra. Il se rappela d'un jour durant son apprentissage où Étoile Bleue, la mère de Pelage de Silex, lui avait appris cette technique. *Étoile Bleue, si tu peux voir ce qui se passe, aide-le !* supplia-t-il.

Les deux guerriers n'étaient plus qu'une vague forme roulant sur le sol, et l'on distinguait à peine leur fourrure et leurs griffes. Les autres chats s'étaient reculés afin de leur faire de la place, sans pour autant briser l'étrange silence. Ils étaient tellement concentrés sur le combat qu'Étoile de Feu se demanda si ce n'était pas le moment idéal pour sauver les apprentis. Mais Étoile du Tigre était couché au sommet de la Colline Macabre, d'où il voyait nettement la clairière. Il les repérerait au premier coup d'œil.

Pelage de Silex avait plongé ses crocs dans la nuque d'Éclair Noir et il essayait de secouer son assaillant. Mais ce dernier était trop grand et trop fort pour lui. Il perdit sa prise et les deux guerriers bondirent chacun de son côté, haletant. Éclair Noir saignait d'une griffure au-dessus de l'œil gauche et des touffes de fourrure avaient été arrachées de son flanc. Pelage de Silex était plus abîmé encore : lorsqu'il secoua une patte avant, des gouttes de sang aspergèrent le sol.

« Remue-toi, Éclair Noir ! lança Patte Noire. Tu te bats comme un chat domestique ! »

Feulant de colère, Éclair Noir repartit au combat, mais Pelage de Silex l'attendait de nouveau. Il glissa sur le côté, entaillant le flanc d'Éclair Noir, puis il s'attaqua à une patte arrière lorsque le guerrier le percuta avant de rouler au sol. Pelage de Silex chancela sous l'impact, mais le temps qu'Éclair Noir se remette sur ses pattes, il était déjà prêt. Cette fois-ci, le guerrier du Clan de la Rivière fut plus prompt que son adversaire : il le projeta sur le dos et lui enfonça ses crocs et ses griffes dans la gorge.

Étoile de Feu entendit Plume Grise retenir sa respiration. Ses yeux jaunes lançaient des éclairs ; à côté de lui, Nuage de Jais labourait le sol de ses griffes. Étoile de Feu sentit l'espoir lui réchauffer le cœur. Était-il possible que Pelage de Silex gagne le combat ?

Mais Étoile du Tigre n'avait aucune intention de laisser la vie sauve à Pelage de Silex. Tandis qu'Éclair Noir essayait en vain de se libérer, le chef ennemi pointa les oreilles vers Patte Noire.

« Achève-le », ordonna-t-il.

Le lieutenant du Clan de l'Ombre se jeta dans la mêlée. Il mordit Pelage de Silex à l'épaule et lui fit lâcher prise tout en évitant ses coups de pattes. Éclair Noir sauta sur Pelage de Silex pour lui immobiliser l'arrière-train, tandis que Patte Noire lui tranchait la gorge avec ses griffes.

Le félin gris émit un râle qui ne dura guère. Les deux guerriers du Clan du Tigre le relâchèrent et s'écartèrent de lui. Le corps de Pelage de Silex fut secoué de convulsions et son sang jaillit de sa gorge.

Un cri hésitant s'éleva parmi les spectateurs, qui se transforma bientôt en hurlement de triomphe. Même Étoile du Léopard, après une brève hésitation, mêla sa voix aux autres. Les deux apprentis étaient les seuls à garder le silence, leurs yeux terrifiés rivés sur le guerrier qui avait donné sa vie pour les sauver.

Étoile de Feu ne put que regarder avec horreur le corps de Pelage de Silex se raidir lorsqu'il rendit son dernier soupir.

CHAPITRE 16

« Non... » gémit Plume Grise.

Étoile de Feu se pressa contre son ami, partageant son chagrin et sa colère de voir que le courage de Pelage de Silex n'avait servi à rien dans un combat injuste.

Patte Noire baissa les yeux sur le corps sans vie, l'air satisfait. Éclair Noir se tourna vers les deux apprentis.

« Étoile du Tigre, miaula-t-il, ceux-là, laisse-moi les tuer. »

Plume Grise aurait bondi sans qu'Étoile de Feu puisse l'arrêter si Étoile du Tigre n'avait pas secoué sa tête couturée de cicatrices.

« Tu en es sûr, Éclair Noir ? Un seul prisonnier arrive à te battre, et tu crois que tu peux affronter deux apprentis à la fois ? »

Éclair Noir inclina la tête, honteux. Les yeux de son chef se plissèrent lorsqu'il regarda les deux jeunes félins. Ils étaient pelotonnés l'un contre l'autre, tremblant sous le choc. Ils ne semblaient guère comprendre que leur vie ne tenait qu'à un fil.

« Non, souffla finalement Étoile du Tigre. Pour l'instant, je leur laisse la vie sauve. Ils pourront peut-être m'être utiles. »

Étoile de Feu jeta un coup d'œil à Plume Grise, qui lui rendit son regard. Ses yeux reflétaient à la fois son soulagement et sa crainte.

Étoile du Tigre appela Crocs Pointus :

« Ramène les apprentis à leur prison. »

Le guerrier hocha la tête et entraîna les deux chats abasourdis dans les roseaux. Plume Grise les suivit des yeux jusqu'à ce qu'ils disparaissent.

« L'assemblée est terminée », déclara Étoile du Tigre.

Aussitôt, les guerriers se dispersèrent. Étoile du Tigre sauta de la Colline Macabre et s'engagea dans les roseaux, flanqué de Patte Noire et d'Éclair Noir. Étoile du Léopard se retrouva seule dans la clairière. Elle rejoignit à pas feutrés le corps meurtri de son ancien lieutenant. Doucement, elle baissa la tête pour fourrer son museau dans le pelage gris. Si elle miaula un adieu, Étoile de Feu ne l'entendit pas. L'instant d'après, elle fit demi-tour et suivit Étoile du Tigre.

« Maintenant ! s'exclama Plume Grise en se levant d'un bond. Étoile de Feu, nous devons sauver mes enfants.

— Oui, mais ne nous précipitons pas. Nous devons nous assurer que la clairière est déserte. »

Il sentait près de lui son ami trembler, sous tension.

« Je m'en fiche ! feula-t-il. S'ils essaient de nous arrêter, je les éventre !

— Tes petits ne craignent rien pour le moment, murmura Nuage de Jais. Évitons de prendre des risques inutiles. »

Prudemment, Étoile de Feu passa la tête au-dessus des roseaux. L'obscurité était presque totale, seule la lumière de la Toison Argentée et le pâle éclat de la lune venaient éclairer les sous-bois. Les odeurs des Clans de l'Ombre et de la Rivière se dissipèrent rapidement. Le rouquin n'entendit rien que le bruissement sec du vent dans les roseaux.

« Ils sont partis, murmura-t-il. C'est notre unique chance. Nous devons découvrir où ils gardent les apprentis prisonniers et...

— ... et nous devons les libérer, l'interrompit Plume Grise. Par tous les moyens. »

Étoile de Feu hocha la tête.

« Nuage de Jais, tu es toujours partant ? demanda-t-il à son ancien camarade. C'est dangereux...

— Tu crois que je pourrais vous laisser après ce qu'on vient de voir ? s'indigna-t-il, les yeux étincelants. Jamais de la vie. Je vous accompagne.

— Tant mieux, répondit le rouquin. Je n'en attendais pas moins de toi. »

Faisant signe à ses amis de le suivre, il se fraya un passage jusqu'à la clairière, le pas soudain hésitant lorsqu'il quitta l'abri des roseaux. Il savait que cette mission allait à l'encontre du code du guerrier, mais Étoile du Tigre ne lui laissait guère le choix. Il ignorait comment les guerriers de jadis auraient pu assister à l'exécution de Pelage de Silex sans rien faire pour le sauver.

Les trois chats rampèrent jusqu'au cours d'eau où les carcasses pourrissantes s'étalaient sur la rive. Malgré sa colère, Étoile de Feu s'indigna d'un tel gâchis.

« Regardez-moi ça, feula-t-il.

— On pourrait se rouler dedans, suggéra Nuage de Jais. Cela masquerait notre odeur. »

Étoile de Feu opina du chef, et cette idée calma sa fureur. Nuage de Jais pensait en guerrier. Étoile de Feu se frotta contre les restes d'un lapin, bientôt imité par ses compagnons. Les yeux de Plume Grise luisaient comme deux croissants de lune jaunes.

Une fois qu'ils furent tous trois imprégnés de l'odeur de charogne, Étoile de Feu s'engouffra dans les roseaux, suivant le chemin emprunté par Crocs Pointus. Un sentier étroit se dessinait sur la boue gelée, comme si cet itinéraire servait régulièrement. Tous les sens du meneur étaient en alerte.

À mesure qu'ils s'éloignaient de la rivière et se rapprochaient des champs situés de l'autre côté du territoire ennemi, les roseaux devinrent plus clairsemés et le sol, plus escarpé. Lorsqu'ils arrivèrent à la lisière de la roseraie, ils virent une pente herbeuse couverte ici et là d'ajoncs et de buissons d'aubépine. Environ à mi-hauteur, une cavité s'ouvrait comme une bouche béante. Crocs Pointus était couché devant l'entrée.

« Des empreintes mènent jusqu'à ce trou », murmura Étoile de Feu.

Plume Grise leva le museau pour humer l'air, puis émit un soupir de dégoût.

« Ces chats sont tarés. Tu as raison, Étoile de Feu. C'est bien là. Je m'occupe de Crocs Pointus, conclut-il en montrant les dents.

— Non, fit Étoile de Feu, intimant à ses amis de ne pas bouger. Nous ne pouvons pas nous battre. Le bruit attirerait tous les chats du territoire. Il faut qu'on se débarrasse de lui autrement.

— Laissez-moi faire, suggéra Nuage de Jais en labourant le sol avec ses griffes d'un air anxieux mais déterminé. Il vous reconnaîtrait, mais moi, il ne m'a jamais vu. »

Étoile de Feu hésita un moment avant de hocher la tête.

« Comment vas-tu faire ?

— J'ai un plan. » Les yeux du solitaire étincelaient comme s'il se délectait à l'idée de prendre des risques, à croire qu'utiliser ses talents de guerrier lui avait manqué. « Ne t'en fais pas, ça va aller », lui assura le chat noir.

Il se redressa puis sortit des roseaux et avança vers le terrier, la tête et la queue bien hautes. Crocs Pointus se leva et fit quelques pas vers lui, la fourrure ébouriffée.

Étoile de Feu se tint prêt à bondir au cas où le guerrier ennemi attaquerait. Mais malgré son air agressif, celui-ci se contenta de renifler Nuage de Jais d'un air soupçonneux.

« Je ne te connais pas, feula-t-il. Qui es-tu et que veux-tu ?

— Tu crois peut-être connaître tous les membres du Clan de la Rivière ? rétorqua Nuage de Jais froidement. J'ai un message de la part d'Étoile du Tigre. »

Crocs Pointus émit un grognement et agita ses moustaches en le reniflant de nouveau.

« Par le Clan des Étoiles, tu pues ! s'exclama-t-il.

— Tu ne t'es pas senti ! rétorqua Nuage de Jais. Il t'intéresse, ce message, ou quoi ? »

Étoile de Feu et Plume Grise échangèrent un regard

tandis que Crocs Pointus hésitait. Le jeune chef sentit son cœur palpiter dans sa poitrine.

« Je t'écoute, finit par grommeler le guerrier du Clan de l'Ombre.

— Étoile du Tigre veut que tu le rejoignes sur-le-champ. Il m'a envoyé garder les prisonniers à ta place.

— Quoi ? fit Crocs Pointus, agitant la queue, incrédule. Seuls les membres du Clan de l'Ombre s'occupent des prisonniers. Vous autres du Clan de la Rivière, vous êtes trop mous. Pourquoi Étoile du Tigre t'a envoyé, toi, au lieu d'un guerrier de notre Clan ? »

Étoile de Feu se crispa. Nuage de Jais venait de commettre une erreur qui pouvait lui être fatale.

Mais le solitaire ne sembla pas contrarié. Il fit mine de rebrousser chemin et déclara :

« Je pensais qu'on ne formait qu'un seul et même Clan maintenant. Mais fais comme tu veux. Je dirai à Étoile du Tigre que tu n'as pas voulu venir.

— Non, attends. Je n'ai pas dit ça. Si Étoile du Tigre me demande... Où est-il, alors ?

— Par là, signala Nuage de Jais, pointant le bout de sa queue vers le camp du Clan de la Rivière. Éclair Noir et Patte Noire sont avec lui.

— Entendu, marmotta Crocs Pointus. Mais tu restes à l'extérieur jusqu'à mon retour. Si je sens ta sale odeur à l'intérieur, je t'écorche vif ! »

Il s'élança le long de la pente tandis que Nuage de Jais prenait place devant le terrier. Étoile de Feu et Plume Grise se tapirent dans les roseaux lorsque Crocs Pointus passa à deux ou trois longueurs de queue de là. Dans son empressement, il ne prit même pas le temps de humer l'air avant de disparaître sur le sentier.

Étoile de Feu et Plume Grise bondirent alors hors des roseaux et rejoignirent Nuage de Jais. Les narines de Plume Grise frémirent.

« Oui ! Ils sont là-dedans ! » miaula-t-il avant de plonger dans le trou.

Étoile de Feu se tourna vers le solitaire.

« Bien joué, Nuage de Jais ! »

Ce dernier se lécha la patte et la passa plusieurs fois sur son oreille pour dissimuler son embarras.

« C'était facile, face à une boule de poils aussi stupide.

— Oui, mais il se doutera de quelque chose dès qu'il aura rejoint son chef. Monte la garde et préviens-nous si tu vois le moindre chat », ordonna-t-il avant de s'engouffrer derrière Plume Grise.

Il se retrouva dans une galerie longue et étroite creusée dans le sol sablonneux. Très vite, les ténèbres l'enveloppèrent. Il sentit une odeur de renard, mais elle était diffuse, comme si l'occupant d'origine était parti depuis longtemps. Une odeur bien plus forte imprégnait l'obscurité, celle de chats apeurés ayant abandonné tout espoir.

La galerie descendait en pente douce. Avant d'arriver au bout, Étoile de Feu entendit un bruit de pas et des miaulements surpris.

« Père ? Est-ce bien toi ? »

L'instant d'après, Étoile de Feu ne sentit plus sa fourrure frôler les parois de chaque côté. Il se retrouva bientôt le nez dans le pelage d'un autre chat ; il reconnut l'odeur de Plume Grise, ainsi que celle des deux apprentis. Bondissant de joie, Étoile de Feu perçut la présence d'un troisième chat.

« Patte de Brume ! Que le Clan des Étoiles soit loué, nous t'avons trouvée !

— C'est toi, Étoile de Feu ? » La voix de la guerrière était enrouée, et résonna tout près de son oreille. « Qu'est-ce que tu fais là ?

— C'est une longue histoire, répondit le jeune chef. Je vous raconterai tout bientôt, mais nous devons d'abord sortir d'ici. Plume Grise, tu es prêt ? »

Un miaulement tendu lui répondit. Même si Étoile de Feu ne pouvait le voir, il l'imaginait pelotonné contre Nuage de Plume et Nuage d'Orage.

« Allons-y, indiqua le rouquin, qui peina à faire demi-tour dans la galerie. Patte de Brume, tu nous accompagnes jusqu'au camp du Clan du Tonnerre. » Se rappelant à quel point Pelage de Silex et les deux apprentis avaient semblé faibles, il ajouta : « Tu tiendras le coup ?

— Une fois sortie de ce trou, je pourrais aller au bout du monde, miaula-t-elle avec détermination.

— Nous aussi, ajouta Nuage de Plume.

— Tant mieux. Patte de Brume, je suis désolé, mais nous n'avons pu sauver Pelage de Silex... ajouta Étoile de Feu, cherchant ses mots.

— Je le sais, répondit la guerrière, la voix empreinte de tristesse. Les apprentis m'ont tout raconté. Ils disent qu'il est mort courageusement.

— C'est vrai. Tout le Clan des Étoiles l'honorera. » Étoile de Feu pressa son museau dans la fourrure de

Patte de Brume pour la réconforter. « Viens. Nous allons faire en sorte qu'il ne soit pas mort en vain. Étoile du Tigre n'aura pas l'occasion de te faire du mal. »

Malgré la peur qui lui tenaillait le cœur, le jeune chef se faufila le long du tunnel. Devant l'entrée, il fit une halte pour s'assurer qu'ils pouvaient sortir sans crainte puis bondit à l'extérieur. Il avait l'impression que la puanteur de la prison lui collerait à la fourrure pour toujours. Ils descendirent la pente tous ensemble, Nuage de Jais fermant la marche, à l'affût du moindre danger.

Aussi silencieux que des ombres, les félins suivirent le sentier parmi les roseaux jusqu'à la clairière désertée. La Colline Macabre projetait son ombre malfaisante sur le corps de Pelage de Silex qui gisait sous le clair de lune.

Patte de Brume se dirigea vers son frère et effleura son pelage de la truffe. Étoile de Feu voyait maintenant qu'elle était aussi maigre et sale que le guerrier mort ; ses côtes saillaient sous sa fourrure crasseuse, et ses yeux reflétaient sa souffrance.

« Pelage de Silex, oh... mon frère, murmura-t-elle. Que vais-je faire sans toi ? »

Étoile de Feu guettait le moindre bruit. Malgré l'inquiétude qui lui hérissait les poils, il laissa à Patte de Brume le temps de dire au revoir à son frère. Comme ils ne pourraient pas ramener le corps de Pelage de Silex pour lui accorder la cérémonie rituelle, Patte de Brume n'aurait pas d'autre occasion de lui faire ses adieux.

Nuage d'Orage, l'apprenti de Pelage de Silex, s'approcha lui aussi. Il posa son visage contre celui de son mentor avant de retourner auprès de son père.

Étoile de Feu ne put s'empêcher de penser à Étoile Bleue, à l'amour qu'elle éprouvait pour ses deux enfants perdus. N'avait-elle vécu que pour voir son enfant mourir assassiné et la rejoindre au sein du Clan des Étoiles ? Son fils et elle avaient affronté la mort avec courage. L'ambition démesurée d'Étoile du Tigre avait causé leur perte. À cette idée, Étoile de Feu n'avait plus qu'une envie : affronter son ennemi et lui faire payer ses crimes.

« Étoile de Feu, il faut qu'on y aille », souffla Plume Grise, dont les yeux brillaient dans le clair-obscur.

Ses mots firent réagir Patte de Brume. Avant qu'Étoile de Feu ait eu le temps de répondre, elle releva la tête, regarda son frère une dernière fois avec amour et rejoignit les autres.

Étoile de Feu se dirigea à grands pas vers la rivière et se détendit à mesure que s'estompait la puanteur émanant de la Colline Macabre et des charognes. Plume Grise aidait les deux apprentis, les encourageant par des petits coups de museau et de doux miaulements. Patte de Brume suivait le rythme bravement, les coussinets gercés et douloureux à cause de son emprisonnement, tandis que Nuage de Jais restait en retrait, les oreilles tendues vers l'arrière, guettant des bruits de poursuite.

Mais seul le clapotis de l'eau venait briser le silence de la nuit et ils atteignirent la rivière sans rencontrer le moindre chat. Lorsque Étoile de Feu aperçut le passage à gué, il osa espérer qu'ils s'en tireraient sans embûches.

C'est alors qu'un hurlement lointain résonna dans les roseaux, et les six chats se figèrent sur place.

« Les prisonniers se sont échappés ! »

CHAPITRE 17

« **V**ITE, AU GUÉ ! » feula Étoile de Feu.

Seuls, les membres du Clan du Tonnerre n'auraient eu aucun mal à traverser, mais ils ne pouvaient abandonner les prisonniers. Plume Grise rejoignit Nuage de Jais pour défendre leurs arrières, tandis qu'Étoile de Feu poussait les chats du Clan de la Rivière.

« Laissez-nous ! implora Patte de Brume. Ce serait idiot qu'ils nous capturent tous.

— Jamais ! grogna Plume Grise. Nous sommes avec vous, un point c'est tout. »

Le long de la rive, les anciens prisonniers trébuchaient mais ils s'efforçaient de garder le rythme. Étoile de Feu apercevait non loin les ondulations de l'eau, là où le courant était brisé par les pierres. Hélas, les cris dans le lointain se firent plus puissants et, lorsqu'il tourna la tête, il sentit l'odeur du Clan de l'Ombre.

« Par le Clan des Étoiles ! murmura-t-il. Ils nous rattrapent ! »

Cependant, lorsqu'ils atteignirent enfin le passage à gué, leurs poursuivants n'étaient toujours pas en vue. Le jeune chef bondit sur la première pierre, puis la seconde et, d'un geste de la queue, il fit signe à Patte de Brume de le suivre.

« Dépêche-toi ! » la pressa-t-il.

La guerrière prit son élan et sauta ; elle chancela un instant en atterrissant sur la surface glissante mais retrouva son équilibre. Les deux apprentis suivirent. Étoile de Feu, les pattes trempées par le courant, s'arrêta à mi-chemin pour attendre les autres.

Leurs protégés étaient si faibles qu'ils avançaient très lentement et se crispaient avant chaque saut. Patte de Brume fut la première à le rejoindre. Le rouquin se poussa sur le bord de la pierre pour la laisser passer. Les deux apprentis étaient encore loin derrière. Dans son impatience, Étoile de Feu griffait le rocher sous ses pattes tout en essayant de rester calme. Lorsque les premières silhouettes sortirent des roseaux, il s'efforça de ne rien dire. Nuage d'Orage s'apprêtait à sauter ; le guerrier roux le regarda dans les yeux et l'encouragea :

« Allez... Tu t'en sors très bien. »

Alors que son frère prenait son élan, Nuage de Plume aperçut les guerriers du Clan de l'Ombre courir vers eux.

« Ils arrivent ! » hurla-t-elle.

Nuage d'Orage fut déconcentré et évalua mal la distance qui le séparait de la pierre suivante. Ses pattes avant atterrirent sur la roche, mais son arrière-train plongea dans l'eau. Le courant se prit dans son épaisse fourrure, menaçant de l'entraîner malgré ses efforts pour grimper sur la pierre.

« Je glisse ! gémit-il. Je ne vais pas pouvoir tenir ! »

Étoile de Feu sauta sur le rocher précédent, tenant à peine debout sur l'espace laissé par l'apprenti. Le rouquin plongea les crocs dans la nuque du jeune chat au moment même où ce dernier lâchait prise. Étoile de Feu sentit ses pattes glisser sur le rocher lisse, emporté par le poids du jeune chat.

Il aperçut soudain Plume Grise qui nageait vers son fils, bravant le courant dans l'eau glaciale. Le guerrier gris se coula sous Nuage d'Orage et le souleva d'un mouvement d'épaule. Étoile de Feu réussit alors à le hisser sur le rocher, où il s'affala en tremblant.

Un coup d'œil vers la rive apprit à Étoile de Feu que Nuage de Jais incitait Nuage de Plume à sauter sur le rocher suivant. L'ancien membre du Clan du Tonnerre se faisait mouiller les pattes pour lui laisser la place au sec.

Derrière eux, leurs poursuivants avaient atteint le gué. Patte Noire se tenait en première ligne, flanqué de Crocs Pointus et de trois ou quatre autres chasseurs... Étoile de Feu comprit qu'ils ne feraient pas le poids face à eux.

« Allez ! cria-t-il. Dépêchez-vous ! » Il donna un coup de museau à Nuage d'Orage. « Continue, suis Patte de Brume ! »

Patte Noire prit son élan, prêt à sauter, les yeux rivés sur la pierre où se tenait Nuage de Jais. Ce dernier s'était interposé entre les guerriers du Clan de l'Ombre et Nuage de Plume. Le cœur du rouquin se serra. Le solitaire était courageux, mais les jours où il s'entraînait pour devenir un guerrier étaient bien loin et il n'aurait aucune chance face à un vétéran de la trempe de Patte Noire.

Plume Grise repartit en nageant vers le solitaire. Un hurlement déchira l'air lorsque d'autres guerriers du Clan de l'Ombre jaillirent des roseaux et s'alignèrent sur la rive.

« Continue ! lança Étoile de Feu à Patte de Brume. Emmène Nuage d'Orage. Moi, j'y retourne. »

Mais avant qu'il ait pu agir, un cri belliqueux monta de l'autre rive, celle qui appartenait au territoire du Clan du Tonnerre. Étoile de Feu aperçut trois silhouettes émerger des sous-bois : Flocon de Neige, suivi de près par Tempête de Sable et Cœur d'Épines.

« Que le Clan des Étoiles soit loué... » soupira-t-il. Il se figea soudain lorsque Flocon de Neige bondit vers la rivière. Les yeux furieux et les griffes sorties, il fonçait droit vers Patte de Brume, qui venait enfin d'atteindre la rive.

Étoile de Feu enjamba les dernières pierres à toute allure pour intercepter son neveu. Il lui fonça dessus, l'envoyant rouler au sol.

« Cervelle de souris ! feula-t-il. L'ennemi est là-bas ! »

D'un mouvement brusque de la tête, il désigna le milieu de la rivière, où Nuage de Jais et Plume Grise affrontaient Patte Noire sur la pierre centrale. Nuage d'Orage se préparait pour son dernier saut, tandis que Nuage de Plume était recroquevillée, deux ou trois pierres derrière lui. Tempête de Sable et Cœur d'Épines s'élancèrent sur les pierres vers les guerriers du Clan de l'Ombre et les deux apprentis se firent tout petits pour les laisser passer.

Flocon de Neige marmonna un « désolé » à l'intention de Patte de Brume, puis il rejoignit ses compagnons. Étoile de Feu s'apprêtait à faire de même lorsqu'il vit Patte Noire glisser dans la rivière et se faire emporter par le courant. Il disparut un instant sous la surface de l'eau avant de réapparaître un peu plus loin, nageant bon an mal an vers la rive, les oreilles plaquées sur le crâne. Les trois guerriers du Clan du Tonnerre se tenaient sur la même pierre, serrés les uns contre les autres, griffant le rocher et crachant en direction de leurs poursuivants.

« Si vous tenez à la vie, restez où vous êtes », grogna Tempête de Sable.

Les guerriers ennemis s'avancèrent timidement sur les premières pierres. Peu habitués à la rivière, ils manquaient d'équilibre et ne semblaient guère pressés d'affronter leurs adversaires enragés.

« Repliez-vous ! ordonna Patte Noire en grimpant sur la berge, la fourrure dégoulinante. Laissez-les partir ; ce ne sont que des clan-mêlés, tout juste bons à jeter en pâture aux corbeaux ! »

Ses guerriers ne se firent pas prier pour obéir et, en un éclair, ils disparurent parmi les roseaux.

Étoile de Feu s'efforça d'aider les deux apprentis à finir leur traversée. Plume Grise et Nuage de Jais les suivaient de près : le guerrier gris avait perdu une touffe de poils sur l'épaule et le solitaire saignait d'une oreille, mais ils n'étaient pas gravement blessés.

« Bravo à vous tous, miaula le rouquin en se tournant vers les autres chasseurs. Je n'ai jamais été aussi content de vous voir. Qu'est-ce qui vous amène là ?

— Toi. Tu avais demandé des patrouilles supplémentaires sur la frontière, expliqua Flocon de Neige, haletant. Vous avez eu de la chance qu'on arrive au bon moment. »

Étoile de Feu sentit ses pattes se dérober sous lui tellement il était soulagé. Le Clan des Étoiles avait guidé la patrouille jusqu'à eux.

« Bien, reprit-il. Nous ferions mieux de regagner le camp. Ces trois chats ont besoin de repos. Nuage de Jais, je te conseille de nous accompagner pour que Museau Cendré examine ton oreille. »

Étoile de Feu ferma la marche, craignant que des guerriers du Clan de l'Ombre ne décident de traverser la rivière malgré tout, mais il n'entendit rien de suspect. Tempête de Sable le rejoignit en cours de route.

« Que s'est-il passé ? demanda-t-elle. Que font ces trois chats du Clan de la Rivière sur notre territoire ? »

Étoile de Feu s'arrêta pour lui lécher l'oreille.

« Ils étaient prisonniers. Si nous les avions laissés là-bas, Étoile du Tigre les aurait tués.

— Pourquoi ? fit-elle, horrifiée.

— Parce que leurs parents venaient de deux Clans différents. Étoile du Tigre pense que les clan-mêlés ne sont pas dignes de vivre parmi les chats de la forêt.

— Mais ses propres enfants sont des clan-mêlés !

— Non, parce que Étoile du Tigre appartenait encore au Clan du Tonnerre lorsqu'ils sont nés. En tout cas, c'est ce qu'il dirait. Le grand Étoile du Tigre ne peut donner naissance qu'à des chatons au sang pur, pas vrai ?

— Les pauvres, murmura la guerrière, manifestement choquée et dégoûtée. Tu vas les autoriser à vivre parmi nous ?

— Bien sûr. Que pouvons-nous faire d'autre ? »

Lorsqu'ils arrivèrent au camp, la lune luisait haut dans le ciel et baignait le ravin d'une lumière argentée. Étoile de Feu avait du mal à croire que son camp pouvait être si paisible, alors que la clairière sanglante et la Colline Macabre, théâtre de la violence des ambitions d'Étoile du Tigre, se trouvaient si près d'eux.

Cependant, lorsqu'il sortit du tunnel d'ajoncs, l'illusion de paix fut aussitôt brisée. Tornade Blanche se précipita vers lui, suivi de Poil de Fougère. Le jeune guerrier semblait affolé.

« Que le Clan des Étoile soit loué, tu es enfin de retour, Étoile de Feu ! s'exclama-t-il. C'est Nuage d'Or... elle a disparu ! »

CHAPITRE 18

❧

« COMMENT ÇA, ELLE A DISPARU ? répéta Étoile de Feu, pris de panique. Qu'est-ce qui s'est passé ?

— Nous ne savons pas vraiment », répondit Tornade Blanche. Il était plus calme que Poil de Fougère, mais ses yeux trahissaient son inquiétude. « Nuage Épineux a donné l'alerte, disant qu'il ne la trouvait pas. Au début, cela ne m'a pas alarmé, mais lorsque nous avons fouillé le camp, nous ne l'avons trouvée nulle part. Et personne ne l'a vue sortir.

— C'est ma faute, ajouta Poil de Fougère. Je suis son mentor.

— Tu n'y es pour rien, le rassura Tornade Blanche. Je t'avais envoyé chasser. Tu ne peux pas te trouver à deux endroits à la fois. »

Poil de Fougère secoua la tête d'un air désespéré.

« Va chercher Nuage Épineux », ordonna Étoile de Feu à Cœur d'Épines, qui détala vers la tanière des apprentis.

Pendant qu'ils attendaient, Étoile de Feu envoya Nuage de Jais et les trois membres du Clan de la Rivière voir Museau Cendré. Plume Grise les accompagna pour tout expliquer à la guérisseuse et s'assurer que ses chatons s'en remettraient. Le guerrier gris avait beau être transi de froid à cause de sa fourrure trempée par l'eau glaciale de la rivière, seuls ses petits le préoccupaient : tandis qu'ils traversaient la clairière, il ne les quittait pas d'un pas, telle une ombre bienveillante.

« Je ne sais pas quoi en penser, miaula Tornade Blanche. Peut-être que Nuage d'Or avait une idée en tête, qu'elle est partie toute seule et qu'elle est coincée quelque part, ou blessée...

— Ou bien elle a rejoint le Clan de l'Ombre, intervint Poil de Fougère, la fourrure ébouriffée. Étoile du Tigre l'a peut-être enlevée !

— C'est impossible, il se trouvait sur le territoire du Clan de la Rivière, lui expliqua Étoile de Feu. Tout comme Patte Noire et Éclair Noir. »

Il vit les oreilles de Tornade Blanche tressaillir ; il lui faudrait tout raconter à son lieutenant aussi vite que possible.

« Il aurait pu envoyer un autre chat pour faire le sale boulot, suggéra Flocon de Neige.

— Tu as senti des chats du Clan de l'Ombre près du camp ? demanda le jeune chef à son lieutenant. Ou même des chats du Clan de la Rivière ?

— Rien du tout, Étoile de Feu.

— Alors il semble qu'elle soit partie de son plein gré, miaula Étoile de Feu. Elle voulait peut-être chasser toute seule, pour une fois. » Mais il se rappelait trop bien l'incident entre l'apprentie et Petite Oreille pour y croire vraiment. Étoile de Feu se demanda s'il avait sous-estimé la rancune de la jeune chatte.

L'arrivée de Nuage Épineux interrompit le fil de ses pensées.

« Raconte-moi tout ce qu'a fait ta sœur avant de disparaître, lui demanda le rouquin.

— Les tâches habituelles des apprentis, répondit le jeune chat, le regard brillant d'inquiétude. Nous avons changé les litières des anciens et nous leur avons apporté à manger. Puis j'ai été chercher de la bile de souris pour enlever une tique à Petite Oreille. À mon retour, Nuage d'Or était partie. Je ne l'ai pas revue depuis.

— Où as-tu regardé ?

— Là où on avait trouvé la mousse pour les litières, mais elle n'y était pas. Et dans la Combe sablonneuse.

— Bien. As-tu demandé aux anciens si elle leur a parlé ?

— Je m'en suis chargé, répondit Tornade Blanche. Mais ils ne se souvenaient de rien de particulier.

— Et Bouton-d'Or ? poursuivit Étoile de Feu. Est-ce que Nuage d'Or lui a dit quelque chose ? »

Tornade Blanche secoua la tête.

« Elle s'est affolée. Je l'ai envoyée avec Poil de Souris inspecter les Grands Pins. Elles ne sont pas encore rentrées.

— Vous avez essayé de suivre son odeur ?

— Bien sûr, répondit Poil de Fougère. Mais nous avons perdu sa piste en haut du ravin. »

Étoile de Feu hésita. Il voulait croire plus que tout qu'il y avait une explication simple à l'absence de Nuage d'Or. Le Clan des Étoiles l'en garde, jamais il n'aurait souhaité de mal à ses apprentis ; pourtant, il préférait l'imaginer blessée, gisant quelque part dans la forêt, plutôt qu'au sein du Clan de l'Ombre. Il craignait par-dessus tout qu'elle ait choisi de rejoindre son père.

« Je vais partir à sa recherche, annonça-t-il. Il est probablement trop tard, mais...

— Je t'accompagne », lança son neveu.

Le rouquin le remercia d'un signe de la tête. Flocon de Neige était l'un des meilleurs pisteurs du Clan.

« Entendu. Tempête de Sable, Cœur d'Épines, vous venez avec nous. »

Étoile de Feu sortit du camp le premier. La fatigue lui coupait les pattes ; la nuit touchait presque à sa fin, et il n'avait pas fermé l'œil. Comme il aurait aimé s'installer dans son antre avec un morceau de gibier ! Il devinait qu'il n'en aurait pas l'occasion avant longtemps.

Suivre l'odeur de Nuage d'Or dans le ravin ne fut pas difficile, même si elle commençait à se dissiper. En revanche, il perdit sa trace un peu plus haut, tout comme Poil de Fougère avant lui. Étoile de Feu se dit que l'apprentie avait dû sauter de rocher en rocher, afin de laisser le moins de traces possible. Nuage d'Or était-elle si malheureuse au sein du Clan qu'elle s'était sentie obligée de partir ?

Un cri de Flocon de Neige le sortit de ses pensées :

« Venez voir ! Elle est passée par là ! » lança-t-il depuis les buissons qui surplombaient le ravin.

Le jeune chef le rejoignit en quelques bonds. Il sentit lui aussi une faible trace du passage de l'apprentie. Ils remontèrent ensemble la piste jusqu'aux arbres, la truffe rivée au sol, ignorant les odeurs plus marquées des proies qui peuplaient les sous-bois. Ils ne trouvèrent pas la moindre trace d'un autre chat. Jusque-là au moins, elle était seule.

Puis, à l'orée d'une clairière, ils perdirent de nouveau sa piste, et même le flair aiguisé de Flocon de Neige ne parvint pas à la retrouver.

Un vent froid s'était levé, poussant les nuages vers la lune et ébouriffant la fourrure des matous. Tandis qu'Étoile de Feu parcourait la clairière en long, en large et en travers, une pluie fine et glaciale se mit à tomber.

« Crotte de souris ! grogna Flocon de Neige. Maintenant c'est fichu. »

Étoile de Feu dut reconnaître qu'il avait raison. Il appela Tempête de Sable et Cœur d'Épines, qui menaient leurs recherches plus loin.

« Rentrons au camp, déclara-t-il. Nous ne pouvons plus rien faire. »

Tempête de Sable se figea un instant, les yeux fixés sur la direction que semblait prendre la piste.

« On dirait qu'elle se dirigeait vers les Quatre Chênes », annonça-t-elle.

Ce qui était logique, pensa Étoile de Feu. Il fallait passer par les Quatre Chênes si l'on voulait rejoindre un chat d'un autre Clan ou passer la frontière. Une vague de frissons l'envahit. Il ne pouvait plus croire que Nuage d'Or était partie chasser seule, et il voyait à l'expression troublée de ses guerriers que tous commençaient à partager ses craintes : Nuage d'Or avait choisi de rejoindre le Clan de l'Ombre.

Lorsque la patrouille revint au camp, Poil de Fougère et Nuage Épineux les attendaient fébrilement dans la clairière. Bouton-d'Or, la mère de la disparue, et Poil de souris les avaient rejoints. Les quatre chats semblaient anéantis et désespérés sous la pluie battante.

« Alors ? demanda Bouton-d'Or lorsque Étoile de Feu s'avança. Qu'avez-vous trouvé ?

— Rien, admit-il à voix basse. Nous ne savons pas où elle se trouve.

— Dans ce cas, pourquoi avoir arrêté les recherches ? lâcha la guerrière d'une voix sèche.

— Dans le noir et sous la pluie, nous ne pouvons plus rien faire. Elle peut être n'importe où.

— Tu t'en fiches, pas vrai ! feula Bouton-d'Or, que la colère faisait monter dans les aigus. Tu penses qu'elle est partie de son plein gré ! Tu ne lui as jamais fait confiance ! »

Étoile de Feu chercha ses mots, conscient de la demi-vérité contenue dans cette accusation. Mais Bouton-d'Or n'attendit pas qu'il lui réponde. Elle fit volte-face et disparut derrière les branches du gîte des guerriers.

« Attends ! l'appela-t-il, mais elle l'ignora.

— Elle ne pensait pas ce qu'elle a dit, le rassura Tempête de Sable. Je vais aller la calmer. »

Fatigué et découragé, Étoile de Feu se tourna vers Nuage Épineux, prêt à encaisser encore des reproches. Mais l'apprenti restait calme, le regard impénétrable.

« C'est bon, Étoile de Feu, miaula-t-il. Je sais que tu as fait le maximum. Merci. »

La tête et la queue basses, il se dirigea vers la tanière des apprentis.

Étoile de Feu l'observa s'éloigner. La fatigue le rattrapa : il lui semblait que plusieurs lunes s'étaient écoulées depuis que Plume Grise lui avait suggéré d'aller voir ses petits. L'aube, grise et froide, apparut dans le ciel. Le rouquin devait absolument se reposer, mais il lui restait une chose à faire : consulter Museau Cendré pour s'assurer que les chats du Clan de la Rivière se remettraient de leurs épreuves.

En chemin, ses doutes sur sa capacité à diriger le Clan l'assaillirent de nouveau. Un guerrier avait été banni, puis avait rejoint l'ennemi... et il était prêt à tuer pour prouver sa loyauté. Une apprentie avait disparu. Toute la forêt subissait une vague de terreur et de haine qu'il ne savait comment combattre. La vision le montrant auréolé d'une crinière de lion lui semblait bien loin. Il se demandait si le Clan des Étoiles, en lui choisissant un destin glorieux, ne s'était pas trompé.

Le lendemain matin, il convoqua une assemblée pour expliquer à tous les événements de la veille et la présence de guerriers ennemis dans leur camp. Depuis le Promontoire, Étoile de Feu observait les membres de son Clan sortir de leur gîte les uns après les autres.

Patte de Brume et les deux apprentis se tenaient au pied du rocher, près de Plume Grise et de Museau Cendré. Étoile de Feu constata avec bonheur qu'ils semblaient déjà ragaillardis, comme si un bon repas et les soins de la guérisseuse leur avaient rendu leurs forces.

Nuage de Jais était parti à l'aube, son oreille déchirée recouverte de toiles d'araignée et les yeux brillants du souvenir de la bataille.

« C'est fou comme ça revient vite ! Je n'avais pas oublié les techniques de combat, avait-il miaulé.

— Tu t'en es très bien sorti, avait ronronné Étoile de Feu. Tu es un véritable ami pour le Clan du Tonnerre.

— Puisque Étoile du Tigre est plus puissant que jamais, le Clan du Tonnerre a besoin de tout le soutien possible », avait répondu le solitaire d'un air grave.

Nuage de Jais avait passé un moment sur la tombe d'Étoile Bleue avant de prendre la direction de la ferme près des Hautes Pierres. Étoile de Feu se demanda s'il aurait de nouveau besoin de son aide. Les ennemis d'Étoile du Tigre devraient s'associer pour le chasser de la forêt. Pourtant, Étoile de Feu savait que le combat final serait le sien, et le sien seulement.

Il attendit que tous les félins se soient installés autour du Promontoire avant de prendre la parole :

« Vous êtes déjà tous au courant que Plume Grise, Nuage de Jais et moi nous sommes rendus hier soir sur le territoire du Clan de la Rivière. »

Il décrivit ensuite la Colline Macabre, les cadavres de proies pourrissant dans le ruisseau et le discours d'Étoile du Tigre qui avait attisé la haine de ses guerriers contre les clan-mêlés. Sa voix se brisa lorsqu'il évoqua l'exécution de Pelage de Silex, et il vit certains guerriers frissonner d'horreur et se pelotonner les uns contre les autres.

« Qu'attendons-nous pour attaquer le Clan de l'Ombre et nous venger ? feula Pelage de Poussière.

— Ce n'est pas aussi simple. Seul, le Clan du Tonnerre n'est pas de taille face aux Clans de l'Ombre et de la Rivière réunis.

— Il n'y a qu'une façon d'en être sûr, protesta Flocon de Neige, qui s'était levé d'un bond.

— Mais où attaquer ? demanda son oncle. Des guerriers des deux Clans se trouvent sur le territoire du Clan de la Rivière, et Étoile du Tigre n'a pas laissé son propre camp sans défense. Je partage votre colère. Je n'apprécie pas les agissements d'Étoile du Tigre, et je redoute ses moindres décisions. J'aimerais savoir ce que le Clan des Étoiles attend de nous, mais jusqu'à présent, nos ancêtres sont restés silencieux. Museau Cendré, t'ont-ils parlé ?

— Non, pas encore », répondit la guérisseuse, les yeux levés vers lui.

Flocon de Neige se rassit, les oreilles frémissantes. Cœur Blanc se frotta à lui pour l'apaiser.

Étoile de Feu se demanda s'il avait eu raison de dire qu'il n'avait reçu aucun message des ancêtres. Il s'était tout de même vu dans la rivière sous les traits du chef du Clan du Lion. La prophétie d'Étoile Bleue lui revint en mémoire : *Les quatre deviendront deux. Lion et Tigre s'affronteront au combat.*

Tel un rayon de soleil perçant à travers les branches, Étoile de Feu eut une illumination. Les quatre *Clans* deviendront deux. Cela signifiait-il que son Clan devait s'unir avec le Clan du Vent ?

« Nous sommes toujours là, Étoile de Feu ! » lança Pelage de Poussière.

Étoile de Feu sursauta et reprit :

« Excusez-moi. Je vous ai réunis pour que nous

accueillions ensemble les trois membres du Clan de la Rivière que nous avons sauvés. Vous connaissez déjà Patte de Brume. Nuage de Plume et Nuage d'Orage sont les enfants de Plume Grise. Je pense que, tant qu'ils sont en danger chez eux, leur place est dans notre Clan. »

Une vague de murmures parcourut l'assistance. Étoile de Feu constata que la plupart des siens étaient d'accord avec lui, mais certains ne semblaient pas convaincus.

Longue Plume fut le premier à exprimer ses doutes.

« Tout ça, c'est bien joli, Étoile de Feu, et je suis désolé pour eux, mais s'ils restent là, que vont-ils manger ? Nous sommes au milieu de la mauvaise saison. Nous avons déjà du mal à subvenir aux besoins du Clan.

— Je chasserai pour eux ! promit Plume Grise en se levant d'un bond. Je trouverai de quoi les nourrir tous les trois, et même plus s'il le faut.

— Nous ne sommes pas impotents, ajouta Patte de Brume. Donnez-nous deux ou trois jours pour reprendre des forces, et nous chasserons pour nous-mêmes, et pour vous. »

Poil de Souris se leva et s'adressa à Étoile de Feu.

« La question n'est pas de savoir qui va chasser. Après le feu, la saison est encore plus difficile que d'habitude. Nous sommes tous affamés, et nous aurons besoin de toutes nos forces si nous devons affronter le Clan du Tigre. À mon avis, ils devraient rentrer chez eux. »

Tempête de Sable bondit avant que le rouquin puisse répondre.

« Ils ne peuvent pas rentrer chez eux ! Tu n'as rien écouté, ou quoi ? Ils se feront massacrer, comme Pelage de Silex.

— Tu veux qu'on pense que le Clan du Tonnerre envoie volontairement des chats à la mort ? » renchérit Poil de Fougère.

Poil de Souris baissa la tête, la fourrure hérissée par la colère.

« De plus, n'oublions pas que ces chats descendent pour moitié du Clan du Tonnerre, fit remarquer Tornade Blanche. Ils ont le droit de nous demander l'asile. »

De son point de vue en hauteur, Étoile de Feu vit l'expression choquée de ses guerriers qui, lorsqu'ils se tournèrent un par un vers Patte de Brume, eurent pendant une fraction de seconde l'impression de voir le fantôme vivant de leur ancien chef. Le rouquin se rappela l'hostilité de son Clan lorsque Patte de Brume et Pelage de Silex avaient accompli la cérémonie du partage avec leur défunte mère. Tornade Blanche avait pris un risque en évoquant cet épisode.

Mais cette fois-ci, nul ne protesta. Même Poil de Souris et Longue Plume restèrent silencieux. Le récit d'Étoile de Feu avait éveillé la compassion de ses guerriers. Tout le monde se calma, puis des murmures d'approbation se firent entendre.

Le jeune chef se pencha vers les trois félins du Clan de la Rivière.

« Bienvenue au sein du Clan du Tonnerre, miaula-t-il.

— Merci, Étoile de Feu, répondit Patte de Brume, tête baissée. Nous ne l'oublierons jamais.

— J'ai fait ce que je pensais être juste. Et j'espère que vous serez bientôt remis sur pattes.

— Cela ne saurait tarder, le rassura Museau Cendré. Ils n'ont besoin que de nourriture saine et d'un endroit chaud où dormir.

— C'est vrai, il n'y avait pas de litière dans cet horrible trou, soupira Nuage de Plume en frissonnant, les yeux troublés.

— N'y pense plus, lui conseilla Patte de Brume en lui léchant l'oreille. Concentre-toi sur ta guérison. Dès que tu iras mieux, nous reprendrons l'entraînement. »

Étoile de Feu se souvint alors que Patte de Brume était le mentor de Nuage de Plume. Il était en train de s'interroger sur la difficulté d'entraîner un apprenti en territoire inconnu lorsque Plume Grise intervint :

« Pelage de Silex était le mentor de Nuage d'Orage, alors il faudra lui en trouver un autre. Est-ce que je peux me charger de lui ?

— Bonne idée, miaula Étoile de Feu, qui vit luire dans les yeux de son ami de la fierté et du plaisir lorsque ce dernier regarda son fils. Profitons-en pour célébrer la cérémonie. »

Il n'était pas sûr que cela soit nécessaire, puisque l'apprenti n'appartenait pas vraiment au Clan du Tonnerre, mais au fond de lui, il désirait se rapprocher du Clan des Étoiles grâce aux rituels ancestraux.

Il sauta au pied du Promontoire et fit signe à Nuage d'Orage de s'approcher. Le jeune chat vint se placer devant lui d'une démarche encore hésitante, mais la tête haute.

« Nuage d'Orage, tu as déjà commencé ton apprentissage. Pelage de Silex était un grand mentor, et le Clan du Tonnerre pleure sa disparition. Mais tu dois continuer l'entraînement. » Il se tourna vers son ami et poursuivit : « Plume Grise, tu seras le nouveau mentor de Nuage d'Orage. Tu as supporté ton chagrin avec la force d'un guerrier, et j'attends que tu transmettes ce que tu as appris à cet apprenti. »

Plume Grise hocha solennellement la tête puis rejoignit son fils à pas feutrés avant de le toucher du museau. Étoile de Feu intercepta le regard de Poil de Fougère. Le jeune guerrier semblait satisfait que son ancien mentor ait un nouvel apprenti.

Étoile de Feu annonça la fin de l'assemblée et s'approcha de Tempête de Sable.

« Je veux te demander une faveur, dit-il à la guerrière.

— Quoi donc ?

— À propos de Patte de Brume. Elle aura du mal à entraîner Nuage de Plume ici. Elle ne sait pas où se trouve la Combe sablonneuse et ne connaît pas les endroits dangereux, ni ceux qui abritent le plus de gibier. »

Le jeune chef hésita à poursuivre, craignant de commettre un impair. Quelques lunes plus tôt, il avait choisi Poil de Fougère comme mentor de Nuage d'Or, et Tempête de Sable avait été profondément blessée qu'il ne l'ait pas désignée. Sa proposition pourrait la vexer.

« Je t'écoute, le pressa-t-elle.

— Je... je voulais te demander d'aider Patte de

Brume à entraîner Nuage de Plume. Je ne vois pas qui serait mieux placé que toi pour cette tâche. »

La guerrière le dévisagea un instant avant de répondre.

« Tu crois vraiment pouvoir m'amadouer avec tes compliments ?

— Mais je... »

La jeune chatte ne put contenir un rire.

« En fait, tu y es peut-être bien arrivé. Bien sûr que je l'aiderai, stupide boule de poils. Je vais lui annoncer de suite.

— Merci, Tempête de Sable », soupira-t-il, soulagé.

Une longue plainte les interrompit. Ceux qui se trouvaient encore dans la clairière se tournèrent vers le tunnel d'ajoncs. Étoile de Feu ne comprit pas tout de suite la cause du raffut, mais il sentit la présence d'un chat étranger ainsi que l'odeur métallique du sang.

Il se faufila entre ses guerriers et s'arrêta devant l'entrée du tunnel. Un matou en sortit en boitant, tellement abîmé qu'on le reconnaissait à peine. Une longue estafilade courait sur son flanc, d'où perlaient des gouttes de sang. Sa fourrure emmêlée était couverte de sable et de poussière, et l'un de ses yeux restait fermé.

Puis, Étoile de Feu distingua la couleur du pelage sous la saleté et reconnut l'odeur du Clan du Vent. Le nouveau venu, qui tenait à peine debout tant il souffrait, n'était autre que Griffe de Pierre.

« Griffe de Pierre ! s'exclama Étoile de Feu. Que se passe-t-il ? »

Le guerrier blessé claudiqua vers lui pour haleter, à bout de forces :

« Vous devez nous aider, Étoile de Feu ! Étoile du Tigre est en train d'attaquer notre camp ! »

CHAPITRE 19

Étoile de Feu grimpait le dénivelé qui menait au territoire du Clan du Vent depuis les Quatre Chênes. Un groupe de guerriers l'accompagnait : Plume Grise, Poil de Fougère, Tempête de Sable, Flocon de Neige et Pelage de Poussière suivi de son apprenti, Nuage de Granit. Le jeune chef n'avait pas osé emmener plus de guerriers, de peur qu'Étoile du Tigre n'ait prévu de les attaquer eux aussi. Il avait laissé le camp sous la responsabilité de Tornade Blanche et tous les autres chasseurs montaient la garde.

Ses pattes effleuraient à peine la terre meuble de la lande tandis qu'il filait vers le camp attaqué. Un vent froid plaqua sa fourrure, véhiculant l'odeur distante du Clan de l'Ombre. Il savait qu'il se trouvait encore trop loin, mais il imaginait entendre les bruits de la bataille.

« Nous arriverons trop tard, haleta Plume Grise. Combien de temps a mis Griffe de Pierre pour venir jusqu'à nous, dans son état ? »

Étoile de Feu ne gaspilla pas son souffle à répondre. Plume Grise avait raison. Ce n'était pas la première fois que le Clan du Tonnerre accourait pour porter secours au Clan du Vent contre les Clans alliés de l'Ombre et de la Rivière. Mais jadis, ils avaient été prévenus plus tôt et avaient réussi à repousser les assaillants. Cette fois-ci, le temps qu'ils atteignent le camp, le combat serait peut-être déjà fini. Pourtant le rouquin ne voulait pas renoncer. Le code du guerrier, l'amitié qui le liait au Clan du Vent et la nécessité de s'unir pour résister à Étoile du Tigre, tout le poussait à mener ses guerriers à la rescousse de leurs voisins aussi vite que possible.

À mesure qu'ils approchaient, l'odeur du Clan de la Rivière se mêlait faiblement à celle du Clan de l'Ombre, formant une nouvelle odeur – celle du Clan du Tigre. Ils étaient bientôt arrivés ; le cœur d'Étoile de Feu se serra en constatant que nul cri de bataille ne lui parvenait. Le combat devait être terminé. Le rouquin ralentit l'allure lorsque ses guerriers et lui abordèrent la dernière montée avant le camp, le ventre noué à l'idée de ce qu'il allait découvrir.

Il se dirigea d'un pas décidé vers l'arête, d'où il pourrait voir le champ de bataille. L'odeur du Clan de la Rivière était puissante, ainsi que celle du sang et de la peur. Une plainte étrange brisa le silence lorsque le rouquin parvint au sommet et découvrit les exactions d'Étoile du Tigre.

Des buissons de genêts bordaient la clairière qui abritait le Clan du Vent. Quelques fleurs jaunes tenaient encore sur leurs branches épineuses. Au-delà, au centre du camp, Étoile de Feu distinguait une poignée de chats pelotonnés les uns contre les autres, presque immobiles. Soudain, une reine à la fourrure écaille leva la tête et poussa une autre plainte à fendre le cœur.

« Belle-de-Jour ! » s'exclama Étoile de Feu.

Faisant signe à ses guerriers de le suivre, il dévala la pente entre les buissons et déboula dans le camp, où il se trouva nez à nez avec le chef du Clan, Étoile Filante. La fourrure noir et blanc du matou, couverte de poussière, était arrachée par endroits, et sa longue queue traînait tant il était épuisé.

« Étoile de Feu ! fit-il d'une voix brisée par le chagrin. Je savais que tu viendrais.

— Trop tard, malheureusement. Je suis désolé.

— Tu as fait de ton mieux, répondit-il en secouant la tête d'un air las, avant de se tourner vers ses guerriers tapis au centre de la clairière, trop éprouvés ou blessés pour bouger. Tu vois ce qu'a fait Étoile du Tigre ?

— Raconte-nous ce qui est arrivé, le pressa Plume Grise.

— C'est clair, non ? Étoile du Tigre et ses guerriers nous ont attaqués par surprise... Nous n'avons rien pu faire, et nous étions trop peu nombreux. »

Étoile de Feu s'avança, l'estomac retourné. Nul guerrier du Clan du Vent n'en était sorti indemne. Couché sur le flanc, Patte Folle, le lieutenant du Clan, saignait abondamment d'une blessure au côté ; près de lui gisait Œil Vif, une chatte dont l'épaule ne comptait plus que quelques touffes de fourrure gris clair. Leurs yeux contemplaient le vide, comme s'ils ne pouvaient croire ce qui s'était passé.

Étoile de Feu avait du mal à l'admettre, lui aussi. C'était une attaque gratuite, qui n'avait pas été annoncée à la dernière Assemblée. Étoile du Tigre n'avait pas gagné de territoire supplémentaire. Son seul but avait été de terroriser le Clan du Vent.

« Eh, Étoile de Feu ! » lança une petite voix derrière lui. C'était Moustache, son vieil ami, qui était couché sur le flanc. Il souffrait de profondes blessures à la gorge et à l'épaule. Écorce de Chêne, leur guérisseur, s'appliquait à les couvrir de toiles d'araignée, mais le sang suintait encore.

« Moustache... » Étoile de Feu s'interrompit, ne sachant que dire.

La douleur faisait briller les yeux du guerrier blessé.

« C'est moins grave qu'il n'y paraît, marmonna-t-il. T'aurais dû voir l'état de mon adversaire.

— Si seulement j'étais arrivé à temps...

— Moi aussi, je le regrette. Regarde là-bas. »

Moustache tourna la tête, et se fit réprimander par Écorce de Chêne : « Ne bouge pas ! »

Étoile de Feu suivit le regard de son ami. Belle-de-Jour, la reine qui avait poussé ces horribles plaintes, était penchée sur le corps immobile d'un autre chat. Un petit chat roux et blanc à la fourrure déchirée.

« Non... » La gorge du jeune chef se serra. « Pas Nuage d'Ajoncs !

— Étoile du Tigre l'a tué, expliqua Moustache d'une voix où perçait la colère. Il l'a rivé au sol au centre de la clairière, entouré de ses guerriers pour nous empêcher d'approcher. Il... il a dit qu'il allait le tuer pour nous montrer ce qui nous arriverait à tous si jamais on refusait de le rejoindre. »

Étoile de Feu ferma les yeux, incapable de supporter cette scène sanglante, mais l'image du chef du

Clan du Tigre, de son corps massif clouant le frêle apprenti au sol tandis qu'il menaçait les guerriers du Clan du Vent, le hantait sans relâche. Il fut parcouru de frissons. Il repensa au jour où Plume Grise et lui étaient partis à la recherche du Clan du Vent pour le ramener à son camp alors que le Clan de l'Ombre l'avait chassé de son territoire. À l'époque, Étoile de Feu avait porté Nuage d'Ajoncs, alors un tout petit chaton, jusque de ce côté-ci du Chemin du Tonnerre.

Et tout cela pour rien, à cause d'Étoile du Tigre. Étoile de Feu ne put s'empêcher de se demander si son ennemi avait délibérément choisi de tuer Nuage d'Ajoncs en raison du lien unissant l'apprenti et le rouquin.

Il rouvrit les yeux et, laissant Moustache derrière lui, il se dirigea vers Belle-de-Jour. Il attira son attention en la touchant du museau. Elle leva la tête, ses yeux magnifiques embués par la douleur.

« Étoile de Feu, murmura-t-elle. Jamais je n'aurais cru que mon fils finirait comme ça, alors que tu l'avais sauvé. Pourquoi le Clan des Étoiles nous inflige-t-il cela ? »

Il se coucha près d'elle et se pressa contre sa fourrure pour la réconforter. Puis il enfouit sa truffe dans le pelage de Nuage d'Ajoncs.

« Il aurait fait un valeureux guerrier », soupira-t-il.

Il leva la tête, alerté par les pas d'un autre chat. C'était Plume Grise, qui venait rendre hommage au jeune apprenti et murmurer quelques paroles de consolation à sa mère.

« Étoile de Feu, quels sont tes ordres ? demanda-t-il ensuite. Nous ne pouvons pas les laisser dans cet état. »

Étoile de Feu lécha une dernière fois l'oreille de Belle-de-Jour et se leva pour rejoindre son ami.

« Emmène deux ou trois chasseurs en patrouille. Plus un ou deux encore vaillants du Clan du Vent. Ils connaissent leurs frontières mieux que nous. Vérifie qu'aucun guerrier du Clan du Tigre ne traîne dans les parages. Si tu en trouves, tu sais quoi faire : chasse-les, ou tue-les s'il le faut. Et rapporte autant de proies que possible. Les membres du Clan du Vent ont besoin de nourriture, et ils ne sont pas capables de chasser.

— Entendu », obtempéra son ami.

Il appela Tempête de Sable, Flocon de Neige et Pelage de Poussière, et demanda à Étoile Filante la permission de patrouiller sur son territoire. Ce dernier accepta avec reconnaissance, et ordonna à Plume Noire, qui s'en était tiré avec quelques griffures et quelques touffes de poils en moins, de les accompagner.

« Il faut qu'on parle, déclara le chef du Clan du Vent à Étoile de Feu. Étoile du Tigre a laissé un message pour toi.

— Un message ?

— Il veut que nous le retrouvions tous les deux demain à midi aux Quatre Chênes. Il dit qu'il en a assez d'attendre. Il veut connaître notre décision... Et il nous a montré jusqu'où il ira si nous refusons de le rejoindre. »

D'un mouvement de la queue, il désigna ses guerriers blessés et le corps sans vie de l'apprenti – toute sa peine était contenue dans ce simple geste.

Étoile de Feu soutint son regard, et les deux chefs partagèrent un instant de communion parfaite.

« Plutôt mourir que rejoindre le Clan d'Étoile du Tigre, déclara enfin Étoile de Feu.

— Tout à fait d'accord, approuva Étoile Filante. Et je suis content que tu penses comme moi. Étoile Bleue ne s'était pas trompée sur ton compte. Bien des chats te considéraient comme trop jeune et trop inexpérimenté lorsqu'elle t'a nommé lieutenant, mais tu as plus que prouvé ta valeur. La forêt a besoin de chats comme toi. »

Étoile de Feu s'inclina, embarrassé par ces compliments inattendus.

« Alors... nous nous retrouverons demain aux Quatre Chênes, miaula-t-il enfin.

— Oui. Étoile de Feu, je te conseille de venir avec quelques guerriers. Lorsque nous refuserons son offre, je doute qu'il nous laisse repartir sans nous attaquer. »

Étoile de Feu sentit son sang se figer dans ses veines. Il réalisa que son aîné avait raison.

« Alors s'il le faut, nous nous battrons côte à côte ?

— Côte à côte, promit Étoile Filante. Nos Clans s'uniront pour que, tel le lion, nous combattions le tigre tapi dans nos bois. »

Étoile de Feu en resta bouche bée. Son allié ne pouvait connaître la prophétie d'Étoile Bleue, ni sa propre vision. Et pourtant ses paroles faisaient écho aux mots de son mentor. *Les quatre deviendront deux. Lion et Tigre s'affronteront au combat.* Le Clan des Étoiles lui avait-il parlé, à lui aussi ? Étoile de Feu savait que le meneur du Clan du Vent ne le lui dirait pas : ce qui se passait entre un chef et les esprits des guerriers de jadis restait à jamais secret. Mais cet écho rappela au rouquin qu'ils étaient tous deux chefs, et qu'ils avaient derrière eux la force de deux Clans puissants.

Ne quittant pas du regard le noble chat noir et blanc, Étoile de Feu miaula :

« Je jure devant le Clan des Étoiles que mon Clan sera l'ami du tien, pour que nous combattions cette menace ensemble.

— Je le jure également », répondit Étoile Filante sur un ton solennel.

Étoile de Feu leva la tête et huma l'air, qui portait encore une faible trace des assaillants. Il savait que cette promesse les lierait jusqu'à ce qu'Étoile du Tigre soit chassé de la forêt... ou jusqu'à ce qu'ils aient perdu leurs neuf vies au combat.

CHAPITRE 20

LE SOLEIL SE COUCHAIT sur le cours d'eau, embrasant la rivière. Ses rayons chauffaient la fourrure d'Étoile de Feu. Perché au sommet des Rochers du Soleil, il observait le territoire du Clan de la Rivière.

« Je me demande ce que l'avenir nous réserve », murmura-t-il.

Près de lui, Tempête de Sable secoua la tête sans répondre et se pressa contre lui. Une fois revenu du camp dévasté du Clan du Vent, Étoile de Feu avait demandé à la guerrière roux pâle de patrouiller avec lui. Il avait éprouvé le besoin de s'éloigner du reste du Clan pour se préparer à affronter Étoile du Tigre. Mais il ne voulait pas rester seul, et la présence de Tempête de Sable le réconfortait.

Ils avaient contourné les Rochers aux Serpents avant de suivre le Chemin du Tonnerre menant à la frontière avec le Clan de l'Ombre, et avaient renouvelé le marquage de leur territoire jusqu'aux Quatre Chênes. Ensuite, ils étaient revenus en longeant la frontière qui les séparait du Clan de la Rivière.

Ils ne virent aucune trace d'intrusion de la part du Clan du Tigre. Les frontières étaient sûres, pourtant

Étoile de Feu savait que l'enjeu de la bataille contre le Clan du Tigre, si bataille il y avait, dépasserait de loin la question des frontières. Elle mettrait un point final à son conflit avec Étoile du Tigre, qui durait pour ainsi dire depuis que lui-même était venu vivre dans la forêt.

Il s'attardait sur les rochers, savourant cet instant en tête à tête avec Tempête de Sable.

« Étoile du Tigre est déterminé à devenir le chef de toute la forêt, miaula-t-il. Une guerre est probable.

— Et c'est le Clan du Tonnerre qui en souffrira le plus, ajouta la guerrière. Quels renforts le Clan du Vent pourra-t-il nous envoyer ? »

La voix de Tempête de Sable tremblait, mais son compagnon savait que, avec ou sans le Clan du Vent, chaque chat du Clan du Tonnerre se battrait courageusement à ses côtés.

La lumière flamboyante disparut peu à peu. Étoile de Feu se tourna pour contempler sa forêt bien-aimée. Une étoile solitaire brillait dans le ciel indigo.

Est-ce toi, Étoile Bleue ? demanda-t-il en silence. Veilles-tu toujours sur nous ?

Il espérait de tout son cœur que son ancien mentor protégeait encore le Clan pour lequel elle avait donné sa vie. S'ils survivaient au lendemain et réussissaient à rester libres malgré la quête de pouvoir absolu d'Étoile du Tigre, ils le devraient au Clan des Étoiles.

Tout était calme et tranquille. Nulle brise ne venait ébouriffer leur fourrure, nulle proie ne se faufilait entre les rochers. Étoile de Feu avait l'impression que la forêt elle-même retenait son souffle.

« Je t'aime, Tempête de Sable », murmura-t-il, pressant son museau contre son flanc.

La guerrière se tourna pour plonger son regard vert pétillant dans le sien.

« Je t'aime aussi, répondit-elle. Et je sais que, quoi qu'il arrive, nous viendrons à bout de cette épreuve grâce à toi. »

Le rouquin aurait aimé partager ses certitudes. Malgré ses doutes, il se laissa réconforter par la confiance qu'elle lui accordait.

« Nous devons rentrer au camp pour nous reposer », dit-il.

Lorsqu'ils arrivèrent près du ravin, la nuit était tombée et une bise glaciale s'était levée. Le gel faisait miroiter l'herbe et les rochers. Lorsque Étoile de Feu sortit du tunnel d'ajoncs, une silhouette blanche surgit des ténèbres.

« Je commençais à m'inquiéter, miaula Tornade Blanche. Je pensais que vous aviez eu des ennuis.

— Non, tout va bien, le rassura le jeune chef. Les alentours sont calmes. Même les souris n'osent pas se montrer.

— Dommage. La réserve de gibier en aurait bien besoin. »

Tornade Blanche lui rapporta qu'il avait dépêché des patrouilles et organisé des tours de garde aux abords du camp.

« Va dormir, conclut-il. Demain sera une dure journée.

— Oui. Merci, Tornade Blanche.

— Je vais vérifier les sentiers », lança le guerrier blanc en disparaissant dans l'obscurité.

« Tu n'aurais pas pu choisir meilleur lieutenant, déclara Tempête de Sable.

— J'en ai conscience. J'ignore ce que je ferais sans lui. »

La guerrière se tourna vers son compagnon, ses yeux emplis de tristesse et de sagesse.

« Tu le découvriras peut-être demain, soupira-t-elle. Si Étoile du Tigre nous force à nous battre, il y aura des morts, Étoile de Feu.

— Je sais. »

En vérité, il n'y avait guère songé avant cet instant. Parmi les chats endormis près de lui, les amis qu'il aimait, les guerriers en qui il avait confiance, certains ne seraient plus. Dans la victoire ou la défaite, des chasseurs qu'Étoile de Feu mènerait au combat ne reviendraient pas. Et ils mourraient parce qu'il leur aurait ordonné de se battre. La peine lui transperça le cœur, si profondément qu'il faillit hurler.

« Je sais, répéta-t-il. Mais que puis-je y faire ?

— Sois fort, dit-elle d'une voix douce. Tu es notre chef. Tu dois accomplir ton devoir. Et tu es très doué pour ça. »

Embarrassé, Étoile de Feu ne trouva rien à lui répondre. L'instant d'après, la guerrière pressa son museau contre le sien.

« Je ferais mieux d'aller dormir, murmura-t-elle.

— Attends », lança le rouquin. Il ne se sentait guère capable d'affronter la solitude de son antre sous le Promontoire, plein d'ombres et de souvenirs. « Je ne veux pas rester seul cette nuit. Viens dans ma tanière.

— Entendu. Si tu le souhaites... »

Étoile de Feu lui lécha l'oreille et traversa la clairière. Le rideau de lierre qui en dissimulait jadis l'entrée n'avait pas encore repoussé depuis l'incendie, mais la tanière était plongée dans les ténèbres.

Grâce à son odorat plus qu'à sa vue, Étoile de Feu devina qu'un des apprentis lui avait apporté à manger : un lapin. Il se souvint alors à quel point il avait faim. Tempête de Sable et lui se couchèrent côte à côte pour le partager, en avalant goulûment chaque bouchée.

« J'en avais bien besoin, ronronna la guerrière en tendant ses pattes avant, le dos arqué, pour s'étirer longuement dans un mouvement gracieux. Je pourrais dormir toute une lune », ajouta-t-elle dans un bâillement.

Étoile de Feu lui fit de la place sur sa litière de mousse, et elle s'y pelotonna, les yeux clos.

« Bonne nuit, Étoile de Feu, chuchota-t-elle.

— Bonne nuit », répondit-il en posant sa truffe sur la fourrure de sa belle.

Bientôt, la respiration régulière de la guerrière lui indiqua qu'elle s'était endormie. Malgré son épuisement, Étoile de Feu était incapable d'en faire autant. Il regarda la lune se lever et déverser sa lumière pâle par l'entrée de la tanière, teintant le pelage de Tempête de Sable de reflets argentés. Elle était si belle, pensa le rouquin, si précieuse à ses yeux. Et pourtant, elle aussi pourrait mourir.

Voilà ce qu'être chef signifie, comprit-il. Le lendemain à l'aube, il sentirait pour la première fois le poids réel du fardeau que le Clan des Étoiles avait

posé sur ses épaules. Serait-il assez fort pour le supporter ?

Je t'en prie, Clan des Étoiles, aide-moi à me conduire
en chef, pensa-t-il en s'installant près d'elle. Bientôt
apaisé par la chaleur de sa compagne, il se laissa enfin
gagner par le sommeil.

CHAPITRE 21

Lorsqu'il s'éveilla, Étoile de Feu vit la pâle lumière du soleil inonder le sol de sa tanière. Près de lui, Tempête de Sable dormait toujours et sa respiration soulevait la mousse à intervalles réguliers. Prenant soin de ne pas la réveiller, il se leva, s'étira et sortit d'un pas léger dans l'air frais du petit matin.

Tornade Blanche apparut presque aussitôt dans la clairière déserte, bondissant hors du gîte des guerriers.

« La patrouille de l'aube est déjà partie, annonça-t-il. Poil de Fougère, Poil de Souris et Plume Grise. Je leur ai dit de faire un détour par la frontière du Clan de l'Ombre et de venir nous faire leur rapport.

— Bien. Étoile du Tigre serait capable d'arranger une rencontre à midi et de prévoir une attaque au même moment. C'est pourquoi je te laisse la charge du camp, avec autant de guerriers que possible.

— Emmène tous ceux dont tu as besoin. Tout ira bien. La jeune Cœur Blanc promet d'être une guerrière hors pair, grâce à ses entraînements avec Flocon de Neige. Et les anciens peuvent encore sortir leurs griffes, s'ils y sont contraints.

— Et ils le seront avant la fin, prédit Étoile de Feu. Merci, Tornade Blanche. Je sais que je peux compter sur toi. »

Le lieutenant hocha la tête et s'en retourna dans le repaire des guerriers. Son chef le regarda partir, avant de traverser la clairière vers le tunnel de fougères menant à la tanière de Museau Cendré.

Devant l'entrée, il entendit sa voix s'échapper de la faille dans la roche.

« Baies de genièvre, feuilles de souci, graines de pavot... »

Un coup d'œil à l'intérieur lui permit de voir que la chatte grise vérifiait les tas d'herbes et de baies médicinales alignés le long du mur.

« Bonjour, Museau Cendré, miaula-t-il. Tout est en ordre ?

— Plus que jamais, répondit-elle en se tournant vers lui, l'air sombre.

— Tu penses donc que l'affrontement est inévitable ? Le Clan des Étoiles t'a-t-il parlé ? »

La chatte le rejoignit sur le seuil de sa tanière.

« Non. Mais mon bon sens me suffit pour savoir qu'il y aura un combat. Je n'ai pas besoin d'un signe de nos ancêtres pour en être certaine. »

Elle avait raison, bien sûr, pourtant ses paroles le glacèrent jusqu'aux os. À l'aube d'un événement aussi crucial, pourquoi n'avaient-ils reçu aucun signe ? Leurs ancêtres les avaient-ils abandonnés au moment où ils avaient le plus besoin d'eux ? Étoile de Feu se dit, mais trop tard, qu'il aurait dû se rendre aux Hautes Pierres pour partager les rêves du Clan des Étoiles.

« Sais-tu pourquoi le Clan des Étoiles reste silencieux ? lui demanda-t-il.

— Non. Mais je suis convaincue d'une chose, poursuivit-elle comme si elle lisait dans ses pensées. Le Clan des Étoiles ne nous a pas oubliés. Il a décrété voilà bien longtemps que quatre Clans de chats devaient se partager la forêt, et il ne va pas rester sans réagir pendant qu'Étoile du Tigre bouleverse ses lois. »

Il la remercia et partit rassembler ses guerriers. Si seulement il avait pu partager ses certitudes...

Tandis qu'Étoile de Feu menait ses guerriers vers les Quatre Chênes, des bourrasques de vent faisaient onduler l'herbe de la pente et leur apportaient l'odeur mêlée d'un grand nombre de chats. Les nuages moutonnant dans le ciel crachaient une pluie battante, que chaque rafale transformait en milliers d'aiguilles.

Arrivé au sommet, Étoile de Feu fit halte, tapi à l'abri des buissons, pour observer la clairière en contrebas. Flocon de Neige apparut aussitôt près de lui.

« Pourquoi attendre ? demanda son neveu. Finissons-en une bonne fois pour toutes.

— Pas tant que je ne saurai pas ce qui se passe. Nous risquerions de tomber dans une embuscade. » Il se tourna vers ses guerriers. « Vous savez tous ce que nous sommes venus faire ici. Étoile du Tigre veut que nous rejoignions son Clan, et il ne tolérera aucun refus. J'aimerais croire que nous pourrons nous en tirer sans combattre, mais rien n'est moins sûr. »

Flocon de Neige attira alors l'attention d'Étoile de Feu. Par-dessus son épaule, le jeune chef aperçut Étoile Filante surgir sur la crête qui surplombait la clairière, suivi de ses guerriers.

« Bien, le Clan du Vent est là. Allons les rejoindre. »

Afin de rester à couvert, Étoile de Feu suivit la courbe de la clairière pour rejoindre le matou noir et blanc à la longue queue.

Le chef du Clan du Vent s'inclina en signe de bienvenue.

« C'est un jour sombre pour la forêt, déclara-t-il.

— En effet. Mais nos Clans se battront pour respecter le code du guerrier. »

Étoile de Feu fut étonné par le nombre de chasseurs qui accompagnaient leur chef. Sachant à quel point ses troupes avaient souffert de l'attaque d'Étoile du Tigre, il s'attendait à ne voir qu'un petit groupe de guerriers du Clan du Vent. Pourtant, ils étaient presque tous présents. Leurs corps portaient les traces du combat, mais dans leur regard brillait une détermination farouche. Le rouquin reconnut son ami Moustache, au flanc barré par une longue entaille rougeâtre, et Belle-de-Jour, dont les yeux froids reflétaient le désir de venger la mort de son fils.

Étoile du Tigre allait être surpris devant le nombre de guerriers du Clan du Vent venus se battre, pensa Étoile de Feu. Après une grande inspiration, il lança :

« Allons-y.

— Prends la tête, Étoile de Feu », proposa Étoile Filante.

Étoile de Feu s'étonna que ce chef plus vieux et plus expérimenté lui fasse un tel honneur, puis d'un geste de la queue, il fit signe aux deux Clans réunis de le suivre : *Le Clan du Lion,* songea-t-il avec fierté. Il accomplissait son destin.

Il descendit la pente, se faufila entre les buissons, tous ses sens en alerte. Mais il n'entendit rien d'autre que la végétation qui bruissait au passage de ses guerriers. L'odeur du Clan du Tigre n'était pas encore perceptible.

Tandis que le jeune chef menait ses combattants sous les grands arbres, les buissons de l'autre côté de la clairière s'écartèrent pour laisser place à Étoile du Tigre. Patte Noire, Éclair Noir et Étoile du Léopard l'encadraient comme des ombres vindicatives. Les yeux du grand chat tacheté luirent d'un éclat mauvais lorsqu'ils aperçurent Étoile de Feu. Le rouquin comprit que, pour son ennemi aussi, cette guerre était avant tout une affaire personnelle. Étoile du Tigre ne voulait rien tant que plonger ses crocs et ses griffes dans la fourrure d'Étoile de Feu pour le réduire en pièces.

Au lieu de l'effrayer, ce constat le galvanisa. *Qu'il essaie seulement !* pensa-t-il.

« Salutations, Étoile du Tigre, miaula Étoile de Feu d'un ton froid. Alors tu es venu. Tu cherches toujours les prisonniers que tu as perdus sur le territoire du Clan de la Rivière ou bien tu t'es résigné ?

— Cela, tu le regretteras un jour, grogna son ennemi.

— J'attends de voir ça », rétorqua le rouquin.

Le chef du Clan du Tigre ne répondit pas et attendit qu'une nouvelle vague de combattants sorte des buissons. Ils étaient toute une cohorte, nota Étoile de

Feu, mais certains portaient des blessures et autres traces de morsures dues à leur attaque du Clan du Vent. Son cœur se mit à palpiter lorsqu'il comprit que la guerre qu'il avait si longtemps redoutée pouvait éclater d'un instant à l'autre.

Étoile du Tigre s'avança d'un pas, la tête levée d'un air de défi.

« As-tu réfléchi à ma proposition ? Je te donne le choix : rejoins-moi et accepte mon autorité, ou tu seras détruit. »

Étoile de Feu échangea un regard rapide avec Étoile Filante. Nul besoin de mots. Ils avaient déjà choisi.

Le jeune chef parla au nom des deux Clans.

« Nous rejetons ta proposition. Il n'a jamais été question que la forêt soit gouvernée par un seul Clan, et surtout pas si le chef est un assassin sans honneur !

— Ce sera pourtant le cas, ronronna Étoile du Tigre, sans même réfuter l'accusation du rouquin. Avec ou sans vous, Étoile de Feu, ce sera pourtant le cas. Aujourd'hui, à midi, l'ère des quatre Clans connaîtra sa fin.

— Ma réponse est toujours la même, miaula Étoile de Feu. Jamais le Clan du Tonnerre ne se soumettra.

— Le Clan du Vent non plus, ajouta Étoile Filante.

— Je vois que ton courage n'a d'égal que ta stupidité ! »

Sur ces mots, il balaya du regard les guerriers des Clans du Vent et du Tonnerre. Étoile de Feu entendit des grognements s'élever parmi les combattants du Clan du Tigre qui se trouvaient derrière leur chef. Il fit tout pour ne pas se laisser impressionner par leurs yeux brillants et leur fourrure ébouriffée. L'espace d'un instant, personne ne bougea. Étoile de Feu se prépara à entendre Étoile du Tigre lancer l'attaque.

Puis un cri s'éleva derrière lui, suivi d'un seul mot : « Nuage d'Or ! »

Nuage Épineux s'avança d'un pas raide jusqu'à son chef, les yeux rivés sur les rangs ennemis. Suivant son regard, le rouquin aperçut la jeune chatte, qui se tenait près de Bois de Chêne, un guerrier du Clan de l'Ombre.

« Que fait-elle là-bas ? lança Poil de Fougère en se rapprochant d'Étoile de Feu. C'est vrai alors, Étoile du Tigre l'a bien kidnappée !

— Kidnappée ? répéta le chef ennemi avec un ronronnement amusé. Pas du tout. Nuage d'Or nous a rejoints de son plein gré. »

Étoile de Feu ne savait s'il devait le croire. Nuage d'Or baissait la tête, comme si elle ne souhaitait pas croiser les regards de son frère et de son ancien mentor. Il devait admettre qu'elle n'avait pas l'air prisonnière, mais plutôt embarrassée d'être le centre de l'attention.

« Nuage d'Or ! l'interpella Nuage Épineux. Qu'est-ce que tu fabriques ? Tu appartiens au Clan du Tonnerre ! Rejoins-nous ! »

La peine dans la voix du jeune apprenti serra la gorge d'Étoile de Feu. Il se souvenait à quel point il avait lui-même souffert lorsque Plume Grise avait choisi de partir pour le Clan de la Rivière.

Nuage d'Or garda le silence.

« Non, Nuage Épineux, miaula Étoile du Tigre. C'est à toi de nous rejoindre. Ta sœur a fait le bon choix. Le Clan du Tigre régnera sans partage sur la forêt, et tu peux te ranger du côté des vainqueurs. »

Nuage Épineux se crispa. Enfin, après tous les doutes et les soupçons qu'avait nourris le rouquin à l'égard de son apprenti, le jeune chat devait faire un choix simple. Suivrait-il son père ou resterait-il fidèle à son Clan ?

« Qu'en dis-tu ? le pressa Étoile du Tigre. Le Clan du Tonnerre n'en a plus pour longtemps. Tu n'as rien à gagner avec eux.

— Tu veux que je te rejoigne ? » répéta Nuage Épineux en grondant. Il marqua une pause pour tenter de contenir sa colère. Lorsqu'il reprit la parole, ses mots résonnèrent si clairement que tous les chats de la clairière les entendirent. « Tu veux que je te rejoigne ? Après tout ce que tu as fait ? Plutôt mourir ! »

Un murmure d'approbation s'éleva des membres du Clan du Tonnerre.

Les yeux du chef ennemi étincelaient de rage.

« Tu es sûr ? feula-t-il. Je ne te le proposerai pas deux fois. Rejoins-moi tout de suite, ou tu mourras !

— Au moins, le Clan des Étoiles m'accueillera comme un membre loyal du Clan du Tonnerre », répliqua Nuage Épineux, la tête haute.

Un frisson de fierté traversa le corps d'Étoile de Feu, du museau jusqu'au bout de la queue. Rien n'aurait pu enrager davantage son ennemi que son propre fils le reniant en faveur du Clan qu'il méprisait.

« Idiot ! cracha Étoile du Tigre. Tu mourras donc aux côtés de ces autres imbéciles ! »

Le rouquin se prépara à l'attaque, certain que le combat allait commencer. Pourtant, à sa grande surprise, Patte Noire fit un signe de la queue.

Les buissons du versant opposé frémirent, laissant apparaître d'autres chats, sous les yeux écarquillés d'Étoile de Feu. Il ne les avait jamais vus. Ils étaient tous maigres à faire peur, et leur fourrure semblait négligée. En revanche, il voyait que leurs membres fins ne manquaient pas de puissance. Ils puaient la charogne et le Chemin du Tonnerre. Ces félins ne venaient pas de la forêt.

Ébahis, les guerriers des Clans du Vent et du Tonnerre les regardaient débouler dans la clairière, toujours plus nombreux. Ils se déployèrent en un demi-cercle autour du Clan du Tigre, rangée après rangée. Étoile de Feu ne se rappelait pas avoir vu autant de chats réunis, pas même lors d'une Assemblée.

« Alors ? fit Étoile du Tigre d'un ton mielleux. Tu es toujours certain de vouloir te battre contre moi ? »

CHAPITRE 22

Sous le choc, Étoile de Feu regarda les nouveaux venus s'avancer. Il remarqua que certains portaient des colliers.

« Des colliers ? » feula Nuage de Granit derrière lui, comme un écho à ses pensées. La voix aiguë de l'apprenti exprimait tout son dégoût. « Regarde-les... Des chats domestiques ! On n'aura aucun mal à les battre !

— Tais-toi, lui ordonna Pelage de Poussière, son mentor. Tu n'as pas vu de quoi ils étaient capables. Nous ne savons encore rien de ces intrus. »

Étoile de Feu se tut jusqu'à ce que les étrangers aient fini de prendre place autour du Clan du Tigre. Un robuste matou noir et blanc sortit de leurs rangs et se posta près d'Étoile du Tigre. Étoile de Feu en déduisit qu'il s'agissait du chef. Il était presque aussi imposant qu'Étoile du Tigre, et son corps musculeux était couturé de cicatrices. Même s'ils portaient des colliers, Étoile de Feu savait que ces combattants n'étaient en rien de simples chats domestiques.

Derrière le colosse noir et blanc apparut un chat noir bien plus petit, qui avança d'un pas léger pour se poster de l'autre côté d'Étoile du Tigre. Le rouquin se demandait de qui il pouvait bien s'agir. Il ressemblait plus à un guérisseur qu'à un guerrier.

Étoile de Feu sentit soudain tous ses poils se dresser, et lorsqu'il inspira, l'air lui sembla épais, comme avant un orage.

« Alors, Étoile du Tigre, miaula-t-il en se forçant à parler d'un ton égal, tu ne nous présentes pas tes nouveaux amis ?

— Voici le Clan du Sang, annonça son ennemi. Ils viennent du camp des Bipèdes. Je les ai amenés dans la forêt pour vous convaincre, vous autres imbéciles, de me rejoindre. Je savais que tu n'aurais pas l'intelligence d'accepter sans faire d'histoires. »

Des sifflements outrés s'élevèrent des Clans du Tonnerre et du Vent. Étoile de Feu entendit Cœur d'Épines murmurer : « Tu te souviens de ces chats dont nous avons senti la trace le jour de mon baptême ? Je parie qu'ils appartenaient au Clan du Sang. »

Le jeune guerrier avait sans doute raison, se dit Étoile de Feu. C'était donc une patrouille de chats errants, venus inspecter la forêt pour évaluer ce qu'Étoile du Tigre avait à leur offrir. Mais que leur avait-il promis, exactement ? Partager la forêt en échange de leur aide ?

« Tu vois, Étoile de Feu ? reprit Étoile du Tigre en jubilant. Je suis encore plus puissant que le Clan des Étoiles, car j'ai décidé de changer le nombre de Clans de la forêt. De quatre, il n'y en aura plus que deux : le Clan du Tigre et le Clan du Sang, qui se partageront le pouvoir. »

Étoile de Feu regarda son ennemi avec angoisse. Il n'y avait plus aucune chance de le raisonner. Sa soif de pouvoir l'avait rendu fou. Une seule image l'obsédait : lui, dominant tout le reste. Cette idée avait pris tant d'importance dans son esprit qu'elle masquait la lumière du Clan des Étoiles.

« Non, Étoile du Tigre, répondit-il doucement. Si tu veux te battre, battons-nous. Le Clan des Étoiles décidera qui est le plus fort.

— Espèce de cervelle de souris ! feula l'autre. Je n'étais venu que pour parlementer ! Souviens-toi que c'est ta faute, si nous en sommes arrivés là. Et lorsque tes compagnons mourront les uns après les autres autour de toi, ils te maudiront dans leur dernier souffle. » Il se tourna d'un bond vers la horde de chats massés derrière lui. « Clan du Sang, à l'attaque ! »

Personne n'obéit.

Les yeux ambrés d'Étoile du Tigre s'écarquillèrent. Il hurla :

« À l'attaque ! C'est un ordre ! »

De nouveau, nul ne bougea, excepté le petit chat noir qui s'avança d'un pas. Il coula un regard vers Étoile de Feu.

« Je suis Fléau, le chef du Clan du Sang, miaula-t-il d'une voix froide et posée. Étoile du Tigre, mes guerriers n'ont pas à t'obéir. Ils attaqueront quand *moi*, je l'ordonnerai, et pas avant. »

Étoile du Tigre lui adressa un regard incrédule, chargé de haine, comme s'il n'en revenait pas que cette petite boule de poils s'oppose à lui. Étoile de Feu profita de l'occasion. Il s'avança jusqu'aux deux autres chefs. Derrière lui, Plume Grise souffla : « Prends garde ! »

Mais l'heure n'était plus à la prudence. L'avenir même de la forêt était en jeu, et son équilibre pouvait être rompu à tout moment, entre la quête sanguinaire d'Étoile du Tigre et les caprices de ce Clan du Sang inconnu.

Le rouquin put voir le collier de Fléau de plus près. Il était orné de dents : de dents de chiens... et de chats. Par le Clan des Étoiles ! Tuaient-ils donc leurs semblables pour porter leurs dents tel un trophée ?

Fléau n'était pas le seul à porter le même accessoire lugubre. Le rouquin sentit son ventre se nouer tandis que l'image d'une vague de sang poisseux inondant la clairière, et léchant les pattes des chats, s'imposait à lui. Il ne tremblait pas seulement pour lui-même et les siens, mais pour tous les félins de la forêt, amis et ennemis confondus.

Le sang allait-il régner sur la forêt, comme l'avait annoncé Étoile Bleue dans sa prophétie ? Parlait-elle alors du Clan du Sang ? Étoile de Feu lança un regard assassin à Étoile du Tigre, traduisant toute la haine qu'il ressentait envers lui pour avoir guidé ces chats dans la forêt.

Mais il savait qu'il devait garder son calme s'il voulait se faire entendre du Clan du Sang. Après un signe de tête au chef, il articula clairement pour que tous prêtent l'oreille :

« Salutations, Fléau. Je suis Étoile de Feu, chef du Clan du Tonnerre. J'aimerais te dire que vous êtes les bienvenus dans la forêt... Mais tu ne me croirais pas, et je ne veux pas te mentir. Contrairement à ton allié supposé, ici présent, je suis un chat d'honneur », ajouta-t-il avec un battement de la queue vers Étoile du Tigre, essayant d'exprimer tout son mépris dans ce seul geste. « Si tu as cru une seule de ses promesses, tu as commis une grave erreur.

— Étoile du Tigre m'a dit qu'il avait des ennemis dans cette forêt », répondit le chat noir d'une voix aussi froide qu'une bourrasque à la mauvaise saison. Lorsque le rouquin le regarda dans les yeux, il eut l'impression de plonger au cœur de la nuit, dans des ténèbres où même la plus infime lumière du Clan des Étoiles ne pouvait briller. « Pourquoi devrais-je te croire, toi, et pas lui ? »

Étoile de Feu prit son inspiration. Voilà l'occasion qu'il attendait depuis le début, l'occasion manquée à la dernière Assemblée, lorsque le tonnerre et les éclairs avaient mis fin au rassemblement. Il pouvait enfin se dresser devant les quatre Clans de la forêt pour révéler au grand jour les horribles complots d'Étoile du Tigre. Il ne s'agissait plus maintenant de ternir la réputation de son ennemi, mais de sauver la forêt de la destruction.

« Chats de tous les Clans, lança-t-il, et particulièrement ceux du Clan du Sang, vous n'aurez pas de mal à me croire. Les crimes d'Étoile du Tigre parlent d'eux-mêmes. Lorsqu'il n'était encore qu'un guerrier du Clan du Tonnerre, il a tué notre lieutenant, Plume Rousse, espérant prendre sa place. Mais c'est Cœur de Lion qui l'a remplacé. Lorsque ce noble guerrier est mort au combat, face au Clan de l'Ombre, Étoile du Tigre a enfin obtenu ce qu'il voulait. »

Il marqua une pause. Un silence de mort planait

sur la clairière, que brisèrent les grognements d'Étoile du Tigre :

« Tu gaspilles ta salive, petit chat domestique. Cela ne changera rien.

— Devenir lieutenant ne lui a pas suffi, poursuivit Étoile de Feu en ignorant la remarque de son ennemi. Étoile du Tigre voulait devenir chef de Clan. Il a tendu un piège à Étoile Bleue près du Chemin du Tonnerre, mais c'est mon apprentie qui est tombée dedans. Voilà comment Museau Cendré s'est blessée à la patte. »

Une vague de murmures scandalisés parcourut l'assistance. Mis à part le Clan du Sang, tout le monde connaissait Museau Cendré, et même les chats des autres Clans l'appréciaient.

« Ensuite, Étoile du Tigre a comploté avec Plume Brisée, l'ancien chef du Clan de l'Ombre emprisonné dans notre camp. Il a mené une horde de chats errants jusqu'à nous et tenté d'assassiner Étoile Bleue de ses propres griffes. Je l'en ai empêché. Nous avons repoussé l'attaque, et exilé Étoile du Tigre. Après quoi, il a massacré un autre de nos guerriers, Vif-Argent, avant de prendre la tête du Clan de l'Ombre. »

Le jeune chef balaya du regard les chats assemblés devant lui. Il ne savait pas comment le Clan du Sang et son chef, Fléau, allaient prendre ses révélations, mais il constata qu'il avait retenu l'attention de tous les autres. Il prit son temps avant de poursuivre, pour être sûr que tous entendraient distinctement la partie la plus horrible de cette histoire.

« Étoile du Tigre a toujours voulu se venger du Clan du Tonnerre. Il y a trois lunes, une meute de chiens est arrivée dans la forêt. Étoile du Tigre a chassé pour eux, puis a disposé des cadavres de lapins entre leur repaire et notre camp pour les mener jusqu'à nous. Il a égorgé une de nos reines, Plume Blanche, et a laissé sa dépouille à l'entrée de notre Clan pour exciter les molosses avec cet avant-goût de notre sang. Si nous n'avions pas déjoué son plan à temps, le Clan du Tonnerre aurait été anéanti.

— Cela n'aurait pas été une grande perte », gronda son ennemi.

Étoile de Feu se força à poursuivre :

« C'est à cette occasion qu'Étoile Bleue, notre Chef, a trouvé la mort de la façon la plus courageuse qui soit : en me sauvant, moi et tout son Clan, de la meute. »

Il s'attendait à des cris outragés, mais rien ne vint briser le silence qui accueillit la fin de son histoire. Sous le choc, les guerriers ne le quittaient pas des yeux, incapables d'articuler un seul mot.

Étoile de Feu jeta un regard vers Étoile du Léopard, qui se tenait toujours derrière Étoile du Tigre, près de Patte Noire et d'Éclair Noir. Le chef du Clan de la Rivière semblait horrifié. L'espace d'un instant, le rouquin eut le fol espoir que la chatte revienne aussitôt sur son alliance avec Étoile du Tigre, mais elle resta muette.

« Voilà l'histoire d'Étoile du Tigre, miaula Étoile de Feu d'une voix angoissée en se tournant vers Fléau. Que nous apprend-elle ? Qu'il est prêt à tout pour obtenir le pouvoir. S'il vous a promis que vous vous partageriez la forêt, il ne faut pas le croire. Il n'en cédera pas le moindre brin d'herbe, ni à vous ni à quiconque. »

Fléau plissa les yeux. Il semblait peser les paroles du rouquin, si bien qu'une petite flamme d'espoir naquit dans le cœur de ce dernier.

« En venant me voir il y a deux lunes de cela, Étoile du Tigre m'avait parlé de son plan avec les chiens. » Le chat noir tourna la tête pour toiser le chef du Clan de l'Ombre. « Mais il avait omis de mentionner qu'il avait échoué.

— Peu importe, maintenant, coupa Étoile du Tigre. Nous avons passé un accord, Fléau. Bats-toi à mes côtés et tu auras ta part.

— Mon Clan et moi, nous nous battons quand je le décide, rétorqua Fléau, avant de poursuivre à l'intention du rouquin : Je vais réfléchir à tes paroles. Il n'y aura pas de combat aujourd'hui. »

La colère ébouriffa la fourrure d'Étoile du Tigre, et sa queue se mit à remuer d'un côté, puis de l'autre. Bandant ses muscles, il prit son élan.

« Traître ! » hurla-t-il en sautant sur Fléau, toutes griffes dehors.

Horrifié, Étoile de Feu s'attendait à voir le petit chat se faire tailler en pièces. Il était bien placé pour connaître la force de son ennemi. Mais Fléau esquiva l'attaque. Lorsque le guerrier massif se tourna vers son adversaire, le chat noir projeta ses deux pattes avant vers lui. Le soleil pâle de la mauvaise saison se refléta étrangement sur le bout de ses pattes. Le sang d'Étoile de Feu se figea dans ses veines lorsqu'il vit que les griffes de Fléau étaient renforcées par des crocs de chiens acérés.

Un coup à l'épaule fit basculer Étoile du Tigre. Il tomba sur le côté, exposant son ventre. Les redoutables griffes de Fléau plongèrent alors dans son cou. Le sang jaillit à gros bouillons lorsque le petit chat l'éventra de la gorge jusqu'à la queue.

Étoile du Tigre émit un cri de colère et de désespoir, puis se mit à tousser, à s'étouffer dans son propre sang. Son corps fut pris de convulsions, ses membres s'agitèrent et sa queue battit l'air. Puis il se raidit un instant, et Étoile de Feu comprit qu'il tombait dans la transe du chef qui vient de perdre une vie mais qui s'apprête à ressusciter.

Cependant le Clan des Étoiles lui-même ne pouvait soigner cette terrible blessure. Fléau recula d'un pas et observa le corps frémir de nouveau. Le sang rouge sombre n'en finissait pas de gicler, recouvrant la terre d'une vague sans fin. Étoile du Tigre poussa un autre cri. Étoile de Feu aurait voulu se couvrir les oreilles pour ne plus l'entendre, mais il restait figé sur place.

De nouveau, le corps du guerrier tacheté se raidit pendant un instant ; or, la blessure était trop grave pour que la transe curative puisse la guérir. D'autres spasmes secouèrent le corps d'Étoile du Tigre. Dans sa souffrance, ses griffes arrachèrent des mottes de terre, tandis que ses cris n'exprimaient plus de la colère, mais de la terreur.

Il va mourir neuf fois, comprit Étoile de Feu. *Oh, par le Clan des Étoiles, non...*

Il n'aurait pas souhaité un tel sort à quiconque, pas même à son pire ennemi, Étoile du Tigre. Son agonie dura une éternité.

Lorsqu'ils virent ainsi terrassé le chef qu'ils avaient cru invincible, les guerriers du Clan du Tigre poussèrent des cris horrifiés. Ils rompirent les rangs, certains bousculèrent même Étoile de Feu dans leur hâte de fuir la clairière. Étoile du Léopard lança :

« Attendez ! Restez en position ! »

Étoile de Feu n'avait nul besoin de donner cet ordre à ses propres guerriers. Ils le suivraient jusqu'au bout.

Étoile du Tigre haletait, épuisé par son combat contre la mort. Le rouquin aperçut l'éclat de ses yeux ambrés, et il y lut toute la douleur, la peur et la haine qu'il éprouvait à cet instant. Puis son corps se convulsa une dernière fois, avant de retomber, inerte.

Étoile du Tigre était mort.

Étoile de Feu n'en croyait pas ses yeux. Son plus vieil ennemi, le chat le plus dangereux de la forêt, celui qu'il avait espéré combattre jusqu'à la mort... parti, comme ça.

Le chef du Clan du Tonnerre se retrouvait seul face à Fléau. Le chat noir ne semblait en rien affecté. Le rouquin savait maintenant qu'il ne fallait pas le sous-estimer à cause de sa taille. Jamais il n'avait rencontré de guerrier plus dangereux, capable, d'un seul coup, de réduire à néant un chef de Clan doté de neuf vies.

Derrière Fléau, les chats du Clan du Sang s'avancèrent comme pour attaquer. Étoile de Feu vérifia d'un coup d'œil que ses combattants se tenaient prêts. Leurs rangs se mêlaient à ceux des guerriers du Clan du Vent. Le jeune chef se prépara à s'élancer avec eux, mais lorsque son regard revint sur l'ennemi, Fléau levait une patte ensanglantée.

Ses suivants s'immobilisèrent.

« Tu vois ce qui arrive à ceux qui défient le Clan du Sang, le mit-il en garde d'un ton égal. Ton ami, là (il fit un brusque mouvement de la tête avec mépris vers le cadavre d'Étoile du Tigre), pensait qu'il pouvait nous contrôler. Il avait tort.

— Nous ne voulons rien de tel, feula Étoile de Feu. Nous voulons simplement vivre en paix. Nous sommes désolés qu'Étoile du Tigre vous ait attirés ici avec ses mensonges. Je vous en prie, prenez le temps de chasser avant de rentrer chez vous.

— Rentrer chez nous ? répéta Fléau avec morgue. Nous n'allons nulle part, idiot de la forêt. Dans la ville où nous vivons, les chats sont très, très nombreux, et le gibier bien trop rare. Ici, dans la forêt, nous ne dépendrons pas des ordures des Bipèdes pour nous nourrir. »

Son regard quitta Étoile de Feu pour glisser vers les guerriers des Clans du Tonnerre et de la Rivière qui se tenaient prêts au combat.

« Nous nous emparons de ce territoire, poursuivit-il. Je régnerai sur la forêt comme sur la ville. Mais je comprends que vous ayez besoin d'y réfléchir. Vous avez trois jours pour partir... ou vous affronterez mon Clan. J'attendrai votre décision à l'aube du quatrième jour. »

CHAPITRE 23

Frappé de stupeur, Étoile de Feu regarda sans rien dire Fléau faire demi-tour et se retirer entre les lignes de ses guerriers. Le Clan du Sang s'engagea à sa suite et s'évanouit dans les buissons sans même un bruissement de feuilles. Étoile de Feu suivit leur progression le long de la pente grâce aux mouvements des branches soulevées sur leur passage, puis ils disparurent pour de bon.

Il baissa les yeux sur le corps d'Étoile du Tigre. Il gisait au sol, pattes écartées et crocs découverts comme pour défier l'au-delà. Les yeux d'ambre où brûlait jadis le feu de l'ambition étaient recouverts du voile blanc de la mort et ne pouvaient plus rien voir.

Étoile de Feu aurait dû se réjouir de la disparition de son ennemi juré. Il avait compris depuis longtemps que seule la mort d'Étoile du Tigre amènerait la paix dans la forêt. Mais il avait toujours pensé que le meneur tacheté mourrait de sa patte, que lui-même risquerait sa propre vie en se battant avec ce guerrier massif. Au lieu de cela, maintenant qu'Étoile du Tigre gisait devant lui, que ses pattes se teintaient de son sang, il se surprit à éprouver un bien étrange sentiment : de la tristesse. Étoile du Tigre avait reçu du Clan des Étoiles toute la force, le talent et l'intelligence qui auraient pu faire de lui un grand chef, une légende parmi les chats. Or il avait utilisé ses dons à mauvais escient, avec ses meurtres, ses mensonges et ses complots de vengeance, tant et si bien que son ambition l'avait mené à cette triste fin. De plus, rien n'était résolu. Le destin de chaque Clan était toujours menacé, et la vague de sang n'en finissait pas de se déverser.

Nous aurons besoin de ta force, Étoile du Tigre, murmura Étoile de Feu. *Et nous aurons besoin de tous les chats en âge de se battre, pour chasser le Clan du Sang de la forêt.*

Il prit conscience qu'il n'était pas seul. En se tournant, il vit que Plume Grise l'avait rejoint. Le reste du Clan du Tonnerre était toujours en formation de combat, à la lisière de la clairière, en compagnie d'Étoile Filante et du Clan du Vent.

« Étoile de Feu ? miaula Plume Grise, ses yeux jaunes écarquillés par la peur. Ça va ?

— Il faut bien, répondit-il en s'ébrouant. Ne t'inquiète pas. Viens, je dois parler à Étoile Filante. »

Avant de faire demi-tour, le guerrier gris posa les yeux sur le cadavre et frissonna.

« Je ne veux jamais plus voir une chose pareille, miaula-t-il d'une voix éraillée.

— Si l'on ne se débarrasse pas de ce Fléau, cela se reproduira sûrement. »

À pas lents, il rejoignit le chef du Clan du Vent, prenant le temps de réfléchir. Une fois devant Étoile

Filante, il constata que son aîné était tout aussi choqué que lui.

« Je n'arrive pas à y croire, déclara le vieux chef. Neuf vies gaspillées... d'un coup.

— Tu sais, personne ne te reprocherait de quitter la forêt avec ton Clan pour trouver un autre endroit où vivre. »

Il ne doutait pas du courage d'Étoile Filante, mais il lui semblait impensable qu'il veuille affronter un ennemi si terrible.

Étoile Filante se raidit et la fourrure sur sa nuque se hérissa.

« Le Clan du Vent a déjà été chassé de la forêt une fois, siffla-t-il. Plus jamais. Notre territoire nous appartient, et nous nous battrons pour le conserver. Le Clan du Tonnerre est-il avec nous ? »

Étoile de Feu n'eut pas le temps de répondre : un murmure plein de détermination s'éleva parmi ses guerriers.

« Nous nous battrons, promit-il. Et nous serons fiers de le faire au côté du Clan du Vent. »

Les deux chefs se dévisagèrent un instant. Sans l'avoir évoqué, ils partageaient la même crainte : que leur volonté de résister aux envahisseurs signifie à terme la destruction de leurs deux Clans.

« Il nous faut nous préparer, déclara enfin Étoile Filante. Nous vous retrouverons ici, dans trois jours, à l'aube.

— À l'aube, répéta Étoile de Feu. Et que le Clan des Étoiles nous accompagne. »

Il observa les guerriers du Clan du Vent grimper le coteau en direction de leur territoire, puis il se tourna vers ses propres combattants. Ils semblaient abattus, leurs yeux reflétaient l'appréhension, mais Étoile de Feu savait qu'aucun ne se déroberait avant la bataille finale. Ils l'avaient suivi jusqu'aux Quatre Chênes, résignés à se battre. Leurs nouveaux ennemis avaient beau être plus redoutables encore, ils se dresseraient devant eux pour défendre la forêt qui leur était si chère.

« Je suis fier de vous tous, miaula Étoile de Feu. S'il est un Clan capable de chasser le Clan du Sang, c'est le nôtre. »

Tempête de Sable s'approcha de lui et frotta son museau contre son épaule.

« Avec toi comme chef, nous sommes capables de tout », promit-elle.

Bouleversé par ces mots, Étoile de Feu ne sut que dire. Loin de lui remonter le moral, la confiance de ses guerriers pesait sur lui comme un lourd fardeau.

« Rentrons au camp, réussit-il à articuler. Nous avons fort à faire. Plume Grise, Flocon de Neige, vous serez nos éclaireurs. Ce Fléau serait bien capable de nous tendre une embuscade. »

Les deux guerriers bondirent en direction de leur camp. Peu après, Étoile de Feu mena le reste de ses combattants à leur suite, après avoir ordonné à Pelage de Poussière de fermer la marche. Tandis qu'ils cheminaient rapidement dans la forêt, le rouquin avait l'impression que le regard froid et mauvais de Fléau suivait leurs moindres mouvements. Par le passé, il était déjà arrivé une fois qu'il se sente comme une proie dans la forêt : lors de l'arrivée de la meute de chiens. Cette fois-ci, la situation était pire encore car le visage de son ennemi était celui d'un frère.

Si le chef du Clan du Sang les observait bel et bien, il ne se manifesta pas, et le Clan du Tonnerre atteignit le ravin sans encombre.

Étoile de Feu remarqua que Nuage Épineux s'était laissé distancer, la queue traînant au sol.

« Qu'est-ce qui ne va pas ? » lui demanda-t-il gentiment.

Lorsqu'il leva les yeux vers son mentor, celui-ci fut frappé d'y lire une horreur et un dégoût sans précédent.

« Je pensais haïr mon père, miaula-t-il. Je ne voulais pas rejoindre son Clan. Mais je ne voulais pas non plus qu'il meure de cette façon.

— Je sais, répondit son chef, pressant son museau contre son flanc. Mais c'est fini, maintenant, et tu es débarrassé de lui. »

L'apprenti détourna le regard.

« Je ne crois pas que je serai un jour débarrassé de lui, murmura-t-il. Même après sa mort, personne n'oubliera que je suis son fils. Et Nuage d'Or ? Comment a-t-elle pu choisir de le rejoindre ?

— Je l'ignore. » Étoile de Feu imaginait à quel point la trahison de sa sœur avait dû peiner le jeune chat. « Si nous réussissons à traverser cette épreuve, je te promets que nous trouverons un moyen de lui parler.

— Alors tu accepterais qu'elle revienne dans le Clan du Tonnerre ?

— Je ne peux rien te garantir, admit le rouquin. Nous ne savons même pas si elle le souhaite. Mais je prendrai le temps de l'écouter, et je ferai de mon mieux pour la satisfaire.

— Merci, Étoile de Feu. » La voix de Nuage Épineux trahissait la fatigue et l'abattement. « Je suppose qu'elle n'en mérite pas tant. »

Il s'inclina devant son mentor, puis gagna le tunnel d'ajoncs.

Du haut du Promontoire, Étoile de Feu vit ses guerriers sortir de leur tanière pour venir se masser en contrebas. Il devinait à leur expression horrifiée qu'ils savaient déjà comment Étoile du Tigre avait trouvé la mort et quelle menace représentait le Clan du Sang. Il était de son devoir de leur redonner espoir, et courage, mais il lui en restait si peu pour lui-même qu'il ignorait s'il en était capable.

Au soleil déclinant, le Promontoire projetait une ombre allongée sur le sol sablonneux de la clairière. Étoile de Feu crut voir dans la lumière écarlate du couchant une marée sanglante venue engloutir le camp. Le Clan des Étoiles voulait-il le prévenir que tous ses amis, tous ses guerriers, allaient périr ? Après tout, leurs ancêtres n'avaient montré aucun signe de colère lorsque Fléau avait éventré Étoile du Tigre, lui arrachant ses neuf vies d'un coup, souillant de son sang la terre sacrée des Quatre Chênes.

Non, se dit Étoile de Feu. Penser ainsi ne mènerait qu'au désespoir et à l'inaction. Il devait continuer à croire que le Clan du Sang pouvait être battu.

Il se racla la gorge avant de parler :

« Chats du Clan du Tonnerre, vous avez pris connaissance de la menace qui pèse sur nous. Le Clan du Sang a quitté le territoire des Bipèdes pour revendiquer la possession de la forêt. Il veut que nous partions lâchement sans livrer le moindre combat. Mais dans trois jours, nous nous dresserons devant lui au côté du Clan du Vent, et le Clan du Sang devra se battre pour conquérir la moindre motte de terre. »

Flocon de Neige se leva d'un bond et feula pour exprimer son assentiment. D'autres l'imitèrent, mais Étoile de Feu constata que certains se regardaient, comme s'ils doutaient de pouvoir survivre à une guerre contre le Clan du Sang et leur terrible chef.

« Et les Clans de la Rivière et de l'Ombre ? demanda Tornade Blanche. Ont-ils l'intention de se battre ? Et si oui, de quel côté seront-ils ?

— C'est une bonne question, reconnut Étoile de Feu. À laquelle je n'ai pas de réponse. Les guerriers du Clan du Tigre ont fui à la mort de leur chef.

— Alors il faut qu'on sache où ils sont partis, miaula Tornade Blanche.

— Je pourrais me glisser sur le territoire du Clan de la Rivière pour le découvrir, suggéra Patte de Brume, qui s'était levée. Je connais toutes les bonnes cachettes.

— Non, répliqua le jeune chef. Tu serais plus en danger là-bas que n'importe qui. Nous ne savons pas si le Clan du Tigre persécute toujours les clan-mêlés, et je ne veux pas te perdre. Le Clan du Tonnerre a besoin de toi. »

Patte de Brume fit mine de protester, mais elle inclina la tête et se rassit au moment même où Tornade Blanche reprenait la parole :

« Grâce aux patrouilles postées à la frontière, nous en saurons suffisamment.

— Je te laisse t'en occuper, Tornade Blanche, ordonna Étoile de Feu. Je veux des patrouilles supplémentaires aux frontières des Clans de l'Ombre et de la Rivière. Leur but premier : découvrir ce que mijotent les autres Clans. Ce qui ne les empêchera pas de guetter la moindre trace du Clan du Sang. Si Fléau décidait de nous attaquer avant la fin des trois jours, je ne veux pas qu'il nous tombe dessus pendant la sieste.

— C'est comme si c'était fait », déclara le lieutenant.

Étoile de Feu constata que l'efficacité du guerrier blanc avait remonté le moral des troupes. Il en profita pour poursuivre :

« Ensuite, que tous les chats du Clan se préparent au combat.

— Même les chatons ? demanda Petite Châtaigne qui bondit joyeusement sur ses pattes. On peut participer ? Devenir apprentis ? »

Malgré le danger qui planait sur eux, le rouquin dut réprimer un ronronnement amusé.

« Non, vous êtes trop jeunes pour devenir apprentis, répondit-il d'une voix douce. Et je ne peux pas vous emmener au combat. Mais si le Clan du Sang l'emporte, ils viendront ici, et vous devrez être capables de vous défendre. Tempête de Sable, tu veux bien te charger de leur entraînement ?

— Bien sûr, Étoile de Feu. » Les yeux verts de la guerrière brillèrent de satisfaction devant Petite Châtaigne et ses frères, Boule de Suie et Petite Pluie, qui l'avaient rejointe. « Lorsque j'en aurai fini avec eux, ils seront en mesure de réserver une mauvaise surprise au Clan du Sang.

— Et Cœur Blanc ? demanda Flocon de Neige. Ses techniques sont au point, maintenant.

— Je veux me battre, affirma la chatte défigurée avec détermination. Je peux, Étoile de Feu ? »

Le jeune chef hésita. Cœur Blanc avait repris des forces, et elle s'était entraînée dur avec Flocon de Neige.

« J'y réfléchirai, promit-il. Vous êtes prêts pour une inspection ?

— Quand tu voudras, répondit Cœur Blanc.

— Nous aussi, nous nous battrons », intervint Patte de Brume depuis sa place à la base du rocher. Assis près d'elle, Nuage de Plume et Nuage d'Orage se redressèrent, plus déterminés que jamais. « Nous avons regagné nos forces, grâce à toi.

— Tant mieux. Quant à tous les autres, ajouta-t-il en survolant la clairière du regard, guerriers, apprentis, anciens, vous avez trois jours pour vous préparer. Plume Grise, tu veux bien superviser le programme d'entraînement ?

— Pas de problème, Étoile de Feu, assura-t-il, les yeux illuminés et les oreilles dressées.

— Choisis deux autres guerriers pour t'aider... et prévois un roulement des effectifs pour que Tornade Blanche dispose toujours du nombre de guerriers nécessaires aux patrouilles. » Il aperçut alors du coin de l'œil la guérisseuse, assise près du tunnel de fougères menant à son antre. « Museau Cendré, es-tu prête à t'occuper des blessés ? »

En son for intérieur, il savait sa question inutile ; Museau Cendré était toujours préparée à toute éventualité, mais les chats seraient rassurés d'entendre sa réponse de leurs propres oreilles.

Le regard de la guérisseuse lui apprit qu'elle le comprenait.

« Tout est prêt, répondit-elle. Mais il y aura beaucoup à faire dès le début du combat. Si tu pouvais m'envoyer un apprenti pour me seconder, cela me soulagerait.

— Bien entendu. » Il se demandait qui choisir lorsqu'il avisa Nuage de Bruyère, si gentille et compatissante. « Nuage de Bruyère t'aidera, annonça-t-il, et l'expression soulagée de Pelage de Poussière ne lui échappa pas. Cela te convient ? » demanda-t-il à l'apprentie.

La jeune chatte grise hocha la tête. Étoile de Feu se demanda alors s'il avait oublié quelque chose, mais il ne trouva rien d'autre à faire avant l'affrontement.

Il baissa les yeux vers son Clan, vers ces silhouettes félines qui se fondaient dans le crépuscule, et prit son inspiration :

« Maintenant, allez vous restaurer, profitez d'une bonne nuit de sommeil. Demain, nous commencerons l'entraînement... et dans trois jours, nous serons prêts à prouver à Fléau et son Clan que notre forêt ne tombera jamais entre leurs griffes. »

CHAPITRE 24

Lorsque Étoile de Feu sortit de sa tanière le lendemain matin, le camp bourdonnait déjà d'activité. Il vit Poil de Souris s'en aller à la tête d'une patrouille, tandis que Tempête de Sable rassemblait les trois chatons de Fleur de Saule, qui bondissaient autour d'elle avec excitation, pour les entraîner vers le tunnel, puis vers la Combe sablonneuse. Patte de Brume et les deux apprentis les suivirent. Poil de Fougère les croisa dans le sens inverse, rapportant au camp ses prises du jour.

Ayant aperçu Tornade Blanche en compagnie de Nuage Épineux et de Nuage de Granit près du mur de ronces qui entourait le camp, le jeune chef se dirigea vers eux. Le lieutenant vint à sa rencontre.

« J'ai demandé à ces deux-là d'inspecter les défenses et de colmater la moindre faille, annonça-t-il. Si le Clan du Sang arrive jusque-là... » Il s'interrompit, l'air anxieux.

« Bien vu », le félicita son chef.

Étoile de Feu réprima un frisson à l'idée que le Clan du Sang pourrait pénétrer dans le camp. Un mouvement dans le tunnel d'ajoncs attira son attention. À sa grande surprise, il vit apparaître Nuage de Jais, suivi de Gerboise. C'était la première visite du solitaire noir et blanc au camp du Clan du Tonnerre.

Laissant son lieutenant donner les dernières instructions aux apprentis, il alla les accueillir. Nuage de Jais se précipita vers lui, mais Gerboise restait à la traîne, observant les alentours comme s'il n'était pas sûr d'être le bienvenu.

« Nous devons te parler, lança Nuage de Jais. Hier soir, nous avons croisé Moustache à la frontière de son territoire, et il nous a tout raconté sur Fléau et le Clan du Sang. » Sa fourrure aile de corbeau se dressa sur ses épaules. « Nous voulons vous aider. Plus important encore, Gerboise a des informations à te communiquer.

— Je suis content de vous revoir, tous les deux, les salua Étoile de Feu. Et nous vous remercions de votre aide. On devrait peut-être se retirer dans mon antre. »

Devant cet accueil amical, Gerboise se détendit, et les deux solitaires suivirent le rouquin dans la faille au pied du Promontoire. Les rayons obliques du soleil au petit matin pénétraient à l'intérieur de la paisible tanière. Le jeune chef en aurait presque oublié la menace représentée par Fléau et ses guerriers sanguinaires. Mais l'expression sérieuse de ses visiteurs lui rappela sans tarder qu'une ombre planait sur l'avenir de la forêt.

« De quoi s'agit-il ? » s'enquit-il une fois les deux solitaires installés confortablement.

Nuage de Jais regardait autour de lui d'un air ébahi. Il devait repenser à Étoile Bleue, et se demandait peut-être comment l'apprenti qui avait partagé son entraînement avait pu prendre la place de l'ancien chef. Quant à Gerboise, il s'était pelotonné, mal à l'aise, avant de prendre la parole :

« Je suis né chez les Bipèdes, annonça-t-il. Je ne connais que trop bien Fléau et ses combattants. On... pourrait dire que j'appartenais jadis au Clan du Sang.

— Continue, murmura Étoile de Feu, dont l'intérêt était piqué.

— Mon premier souvenir, c'est de jouer avec mes frères et sœurs sur la terre nue, expliqua Gerboise. Puis notre mère nous a appris à chasser et à trouver de la nourriture parmi les ordures des Bipèdes. Plus tard, elle nous a appris à nous défendre.

— Votre mère vous entraînait ? demanda Étoile de Feu, surpris. Tous ?

— Oui. Le Clan du Sang ne possède pas de système de mentors et d'apprentis. Ce n'est pas un Clan au sens où vous l'entendez, vous autres de la forêt. La plupart des chats obéissent à Fléau parce qu'il est le plus fort et le plus vicieux, et Carcasse est un peu son lieutenant, puisqu'il exécute le sale boulot de Fléau.

— Carcasse ? répéta le rouquin. Un chat noir et blanc énorme ? Il était là, aux Quatre Chênes.

— Ça y ressemble. » La voix du solitaire trahissait son dégoût. « Il est presque aussi méchant que Fléau. Quiconque refuse de leur obéir se fait chasser... dans le meilleur des cas.

— Qui s'occupe des chatons et des anciens ?

— Le compagnon d'une chatte chasse pour elle tant qu'elle allaite ses nouveau-nés. Même Fléau a conscience que, sans petits, tôt où tard, le Clan sera voué à disparaître. Mais les anciens, les malades ou les blessés... eh bien, ils sont livrés à leur sort. La loi du plus fort règne en maître absolu. Les faibles sont éliminés d'office. »

Étoile de Feu sentit tous ses poils se hérisser à l'idée qu'un Clan puisse délaisser des chats dans le besoin ; alors qu'ils avaient servi loyalement, ils étaient abandonnés à la mort.

« Pourquoi ces chats suivent-ils Fléau ?

— Certains prennent plaisir à tuer. » Le ton de Gerboise était froid, et son regard austère semblait contempler une scène qu'Étoile de Feu ne pouvait voir. « D'autres restent par peur. Chez les Bipèdes, si tu n'es pas un chat domestique, si tu n'as pas de nid, tu ne peux pas faire ce que tu veux. Tu es soit avec Fléau, soit contre lui... et les chats qui s'opposent à lui ont tendance à mourir jeunes. »

Nuage de Jais se glissa près de son ami pour le consoler en pressant son museau contre son flanc.

« Voilà pourquoi Gerboise est parti, déclara-t-il. Raconte ce qui s'est passé à Étoile de Feu.

— Il n'y a pas grand-chose à en dire, miaula le solitaire en se crispant comme s'il venait de repenser à un mauvais souvenir. Je ne supportais plus les agissements de Fléau, alors une nuit, je me suis échappé. Malgré la peur que lui ou ses guerriers me rattrapent, j'ai réussi à atteindre la limite du territoire des Bipèdes, et j'ai traversé le Chemin du Tonnerre. Je sentais des chats, dans la forêt, mais à cette époque je pensais qu'ils se comporteraient comme Fléau et sa clique, alors j'ai gardé mes distances. En fin de compte, je suis arrivé à la ferme, où une vie paisible semblait possible. Les Bipèdes me laissent tranquille. Et sont contents quand je chasse leurs souris. »

Lorsqu'il eut fini son récit, Étoile de Feu réfléchit à toute vitesse. Gerboise avait confirmé ce qu'il savait déjà : Fléau était un ennemi violent et dangereux.

« Fléau a forcément un point faible, lança-t-il à Gerboise. Il doit y avoir un moyen de le battre. »

Le solitaire soutint son regard en se penchant vers lui.

« Sa grande force est aussi sa grande faiblesse, répondit-il. Fléau et ses guerriers ne croient pas au Clan des Étoiles. »

Étoile de Feu se demanda ce qu'il voulait dire. Flocon de Neige ne croyait pas non plus au Clan des Étoiles, mais il était tout de même un guerrier loyal du Clan du Tonnerre.

« Le Clan du Sang n'a pas de guérisseur, poursuivit Gerboise. Comme je te l'ai déjà dit, ses membres ne se préoccupent pas des malades, et s'ils ne croient pas au Clan des Étoiles, ils ne reçoivent aucun signe de leurs ancêtres.

— Alors... ils ne suivent pas le code du guerrier ? » Question stupide, comprit le rouquin au moment même où il la posait. Les révélations de Gerboise tout comme la scène aux Quatre Chênes le lui avaient déjà appris. « Et c'est censé être une faiblesse ? Cela ne signifie qu'une seule chose : sans code de l'honneur pour les arrêter ils peuvent faire ce qu'ils veulent.

— C'est vrai, reconnut Gerboise. Mais réfléchis, Étoile de Feu. Sans le code du guerrier, tu serais peut-être aussi sanguinaire que Fléau. Tu pourrais sans doute le battre au combat. Pourtant, sans ta foi dans le Clan des Étoiles... que serais-tu vraiment ? »

Le solitaire soutint le regard du rouquin. La tête du jeune chef se mit à tourner. Après les révélations de Gerboise, il redoutait plus encore le Clan du Sang. Cependant, au plus profond de son être, une lueur d'espoir brillait, comme si le Clan des Étoiles essayait de lui dire quelque chose qu'il ne pouvait comprendre... pour l'instant.

« Merci, Gerboise. J'y réfléchirai. Et je n'oublierai pas ton aide.

— Nous ne sommes pas venus que pour ça, intervint Nuage de Jais en se levant. Moustache nous a informés de la bataille imminente. Le jour venu, nous serons à vos côtés. »

Étoile de Feu le dévisagea, bouche bée.

« Mais vous êtes des solitaires. Cela ne vous concerne pas...

— Voyons, Étoile de Feu, miaula Gerboise. Si Fléau et ses acolytes envahissent la forêt, combien de temps penses-tu qu'il leur faudrait pour trouver la grange et toutes ses souris dodues ? Un quart de lune tout au plus. Il ne nous resterait plus qu'à partir ou à nous faire tuer.

— Nous préférons nous battre au côté de nos amis, ajouta Nuage de Jais.

— Je vous remercie. » Étoile de Feu était touché par la loyauté sans faille que lui témoignaient les deux solitaires. « Tous les Clans vous honoreront.

— Peu importe, renifla Gerboise. Tout ce que je veux, c'est vivre en paix. Ce qui sera impossible tant que nous ne nous serons pas occupés du Clan du Sang.

— Nous aussi, nous voulons vivre en paix, déclara Étoile de Feu. Mais c'est sans espoir tant que Fléau menacera la forêt. »

Après avoir salué les deux solitaires, Étoile de Feu se dirigea vers la Combe sablonneuse pour observer le programme d'entraînement. En chemin, il aperçut Longue Plume et Pelage de Givre en train de descendre le long du ravin. Le rouquin les attendit.

« Du nouveau ? demanda-t-il.

— Oui, répondit Longue Plume. Nous avons suivi la frontière du Clan de l'Ombre jusqu'aux Quatre Chênes. La puanteur du Clan du Sang est partout. On la sent au-delà du Chemin du Tonnerre, impossible de la rater.

— Ils doivent se cacher là-bas, ajouta Pelage de Givre.

— C'est logique, fit remarquer Étoile de Feu, l'air songeur. Mais où est donc parti le Clan de l'Ombre ?

— J'allais y venir, poursuivit Longue Plume, les yeux écarquillés par l'excitation. Nous avons trouvé sa trace aux Quatre Chênes... l'odeur de nombreux chats cheminant dans la même direction. À mon avis, ils se sont réfugiés sur le territoire du Clan de la Rivière.

— Pour rejoindre leurs alliés », conclut Étoile de Feu.

Il se demanda quel accueil leur réserverait Étoile du Léopard. Étoile du Tigre étant mort, essaierait-elle de regagner son autorité perdue ?

Le jeune chef haussa les épaules. Il avait suffisamment de problèmes sans en plus se préoccuper de ceux d'Étoile du Léopard.

« Merci, Longue Plume. Ces informations nous sont précieuses. Allez vous restaurer. »

Le guerrier s'inclina puis se faufila dans le tunnel d'ajoncs, suivi de Pelage de Givre. Étoile de Feu les regarda s'en aller et, lorsque le bout de la queue de Pelage de Givre disparut, il reprit son chemin vers le terrain d'entraînement.

Plume grise se tenait sur un rocher qui surplombait les apprentis. Lorsque son ami le rejoignit, il agita les oreilles en signe de bienvenue.

« Comment cela se présente-t-il ? s'enquit le jeune chef.

— On ne peut mieux. Si Fléau pouvait nous voir, il retournerait aussi sec chez ses Bipèdes, la queue entre les pattes. »

Le visage du guerrier gris affichait la même expression déterminée que du temps de sa relation interdite avec Rivière d'Argent. Étoile de Feu aurait voulu lui dire qu'il avait vu la guerrière dans son rêve près de la Pierre de Lune, mais cela n'aurait fait qu'aggraver la tristesse de son ami. La jolie chatte était morte, et le rouquin espérait que Plume Grise ne la rejoindrait pas avant de nombreuses lunes au sein du Clan des Étoiles.

« En tout cas, continua Plume Grise, nous sommes les meilleurs combattants que la forêt ait jamais vus. » Son regard tomba sur un combat amical entre Nuage Épineux et Cœur d'Épines. « Attends une minute, je dois donner un conseil à Nuage Épineux sur ses coups de griffes. »

Il sauta au pied du rocher et bondit à travers la combe, laissant Étoile de Feu observer les autres. Près de lui, Perce-Neige et Petite Oreille se tournaient autour, guettant le bon moment pour attaquer. Tempête de Sable entraînait les trois petits de Fleur de Saule de l'autre côté du terrain. Il s'avança et entendit la guerrière :

« Bon, imaginons que je sois un guerrier du Clan du Sang et que je vienne de pénétrer dans votre camp. Que f... »

Le dernier mot se transforma en gémissement lorsque Petite Châtaigne bondit pour lui mordre la queue. Tempête de Sable fit volte-face, la patte levée, mais avant qu'elle ait eu le temps de se débarrasser de la petite chatte, Boule de Suie et Petite Pluie lui sautèrent sur le dos. La guerrière rousse disparut sous une masse frémissante de chatons.

Lorsque Étoile de Feu s'approcha, elle tentait toujours de se libérer, et ses yeux pétillaient de malice.

« Si j'appartenais vraiment au Clan du Sang, je me serais enfuie à toute vitesse. » Elle se tourna vers le rouquin et ajouta : « Coucou ! Tu as vu ces trois-là ? Dans quelques lunes, ils feront de grands guerriers !

— J'en suis certain. Vous vous débrouillez comme des chefs, ajouta-t-il à l'intention des petits. Et personne d'autre que Tempête de Sable aurait pu si bien vous entraîner.

— Quand je serai apprentie, je veux que ce soit elle, mon mentor, miaula Petite Châtaigne. Tu veux bien, Étoile de Feu ?

— Non, ce sera moi, son apprenti ! coupa Boule de Suie.

— Non, moi ! » protesta Petite Pluie.

Tempête de Sable secoua la tête et émit un ronronnement amusé.

« C'est Étoile de Feu qui choisira vos mentors. Maintenant, montrez-lui vos techniques défensives. »

Le jeune chef observa les chatons se bagarrer, mimant des attaques et des postures de défense. Malgré leur excitation, ils réussissaient à se souvenir des instructions de la guerrière, esquivant ou s'élançant pour mordre leur adversaire.

« Ils sont doués, fit remarquer Tempête de Sable. Surtout Petite Châtaigne. Si tu me demandais de devenir son mentor, je ne dirais pas non, ajouta-t-elle, malicieuse.

— De toi à moi, considère que c'est chose faite », promit-il en lui faisant un clin d'œil.

Même si Tempête de Sable, lui, les chatons, et tout le reste du Clan étaient au bord du gouffre, Étoile de Feu ne put s'empêcher de ressentir une bouffée de fierté et d'espoir. Il se frotta à sa compagne en murmurant :

« Nous en sortirons vainqueurs. J'ai besoin de le croire. »

La guerrière ne répondit pas, mais son regard valait tous les mots.

La laissant à sa tâche, il gagna l'autre côté de la combe, où Flocon de Neige et Cœur Blanc s'entraînaient avec Nuage de Granit et Pelage de Poussière. Cœur Blanc venait de faucher Pelage de Poussière. Il se releva, recracha du sable et miaula :

« Je me suis fait surprendre ! Recommence ! »

Cœur Blanc banda ses muscles, puis se détendit en voyant Étoile de Feu.

Flocon de Neige vint à sa rencontre, la queue bien haute.

« T'as vu ça ? demanda-t-il fièrement. Cœur Blanc est redoutable, maintenant.

— Continuez, c'est très intéressant. »

La jeune chatte jeta un regard inquiet vers lui, puis se concentra. Pelage de Poussière tentait de l'approcher du côté où elle ne voyait plus, mais elle ne cessait de se déplacer d'avant en arrière sans le perdre de vue un seul instant. Lorsqu'il bondit, elle se glissa sous lui et frappa ses pattes arrière, le faisant une nouvelle fois rouler au sol.

« Pelage de Poussière, tu portes bien ton nom, plaisanta Flocon de Neige lorsque le guerrier se releva et secoua sa fourrure.

— Bravo, Cœur Blanc », lança Étoile de Feu.

D'un frémissement des oreilles, il attira son neveu à part.

« J'espérais te trouver là, miaula-t-il à voix basse. Comme je vais voir Princesse, je me disais que tu voudrais peut-être m'accompagner.

— Tu vas la mettre en garde ?

— Oui. Avec le Clan du Sang qui rôde dans la forêt, elle doit être prévenue du danger. Je sais qu'elle ne s'aventure pas souvent hors de son jardin, mais...

— J'arrive », miaula le jeune guerrier avant de retourner dire un mot à Cœur Blanc.

L'instant d'après, Étoile de Feu signala à Plume Grise qu'il s'en allait, puis le rouquin et son neveu se dirigèrent vers les Grands Pins. Le pâle soleil de la mauvaise saison éclairait la cendre qui recouvrait le sol depuis le grand incendie. Les quelques plantes qui avaient repoussé étaient sèches et flétries, et les proies semblaient avoir totalement disparu du secteur.

En arrivant au nid de Bipèdes où vivait Princesse, Étoile de Feu fut soulagé de voir la jolie chatte assise sur la clôture. Tandis qu'il traversait en courant le terrain à découvert qui séparait la forêt du jardin, elle émit un cri de bienvenue. Flocon de Neige suivit son oncle de près.

« Cœur de Feu ! s'exclama Princesse, pressant son museau contre son flanc. Et Flocon de Neige ! Quel plaisir de vous revoir. Comment allez-vous ?

— Très bien, répondit son frère.

— Il est le chef de notre Clan, maintenant, lui apprit son fils. Tu dois l'appeler *Étoile* de Feu.

— Chef de Clan ? C'est merveilleux ! » commenta Princesse en ronronnant. Elle était fière de lui, même si elle ne comprenait pas exactement ce que cela signifiait : elle ignorait à quel point il avait souffert à la mort d'Étoile Bleue et n'avait aucune idée du fardeau qui pesait à présent sur ses épaules. « Je suis contente pour toi. Mais vous êtes tous deux très maigres, ajouta-t-elle en reculant pour examiner les deux matous. Vous mangez à votre faim, au moins ? »

Difficile de répondre à cette question. Étoile de Feu, comme tous les chats de la forêt, était habitué à ressentir la faim durant la mauvaise saison. Princesse, elle, ne pouvait se douter que le gibier se faisait rare pour eux, alors que ses Bipèdes lui remplissaient tous les jours sa gamelle avec la même quantité de nourriture.

« On se débrouille, répondit Flocon de Neige, qui s'impatientait. Nous sommes venus te dire de rester hors de la forêt. De dangereux chats traînent dans les environs. »

Étoile de Feu lança un regard courroucé à son neveu irréfléchi. Il aurait préféré une formule moins brutale pour la mettre en garde.

« Des chats d'ici viennent d'arriver dans la forêt, expliqua-t-il en se pressant contre le flanc de sa sœur pour ne pas l'affoler. Ils sont féroces, mais ils devraient te laisser tranquille.

— Je les ai vus se faufiler entre les arbres, confia Princesse à voix basse. Et des histoires courent sur leur compte. Ils auraient déjà tué des chiens, et même d'autres chats. »

Ce qui était vrai, pensa Étoile de Feu, se souvenant des dents composant le collier de Fléau. Et sous peu, d'autres seraient tués au nom du Clan du Sang.

« Tous les bons conteurs exagèrent toujours, répondit-il à sa sœur, espérant avoir l'air convaincant. Tu n'as pas à t'inquiéter, mais tu ferais mieux de rester dans ton jardin. »

Princesse soutint son regard et Étoile de Feu comprit que, pour une fois, le ton léger qu'il avait affecté ne l'avait pas trompée.

« Entendu, promit-elle. Et je préviendrai les autres chats du quartier.

— Bien, miaula Flocon de Neige. Ne t'en fais surtout pas. On va bientôt se débarrasser du Clan du Sang.

— Le Clan du Sang ! répéta-t-elle en frissonnant. Étoile de Feu, tu es en danger, n'est-ce pas ? »

Le jeune chef acquiesça. Soudain, il ne voulut plus la traiter comme une chatte domestique fragile et incapable de faire face à la réalité.

« Oui, avoua-t-il. Le Clan du Sang nous a donné trois jours pour quitter la forêt. Mais nous n'avons aucunement l'intention de partir. Il nous faudra donc nous battre. »

Princesse le regardait toujours pensivement. Le bout de sa queue s'agita puis vint effleurer une cicatrice qui courait sur le flanc de son frère – une blessure si ancienne qu'il ne savait plus de quelle bataille elle datait. Il eut soudain une vision de lui-même tel qu'il devait apparaître aux yeux de sa sœur : décharné et miteux malgré ses muscles, son pelage couturé de cicatrices, son état résumait à lui seul la dure vie de la forêt.

« Je sais que tu feras de ton mieux, miaula-t-elle avec calme. Le Clan ne pourrait rêver d'un meilleur chef.

— J'espère que tu as raison. C'est la pire menace que nous ayons eu à affronter jusque-là.

— Et vous vaincrez. Je le sais. » Princesse lui passa un coup de langue au-dessus de l'oreille et se frotta contre lui. Le rouquin sentait sa peur, mais elle n'en montra rien et son expression devint extrêmement sérieuse. « Tu dois t'en sortir indemne, Étoile de Feu, murmura-t-elle. Je t'en prie. »

CHAPITRE 25

Après avoir fait leurs adieux à Princesse, Flocon de Neige partit chasser et Étoile de Feu rentra seul au camp. Le crépuscule était tombé lorsqu'il atteignit le ravin. Il sentit Tornade Blanche avant même de le voir. Le jeune chef rattrapa son lieutenant au moment où ce dernier s'apprêtait à pénétrer dans le tunnel d'ajoncs. Lorsqu'il aperçut Étoile de Feu, le guerrier blanc posa au sol le campagnol qu'il tenait dans la gueule.

« Je voulais justement te dire un mot, lança-t-il sans même un salut. Ici, c'est très bien, personne ne nous entendra.

— Que se passe-t-il ? s'enquit Étoile de Feu, dont le cœur avait bondi. Il est arrivé quelque chose ?

— À part Fléau, tu veux dire ? » miaula le vétéran, ironique. Il s'installa sur le plat d'un rocher et fit signe à son chef de le rejoindre. « Non, tout va bien. Les patrouilles et l'entraînement se déroulent comme prévu... Mais je n'arrête pas de me demander si notre décision est la bonne...

— Comment ça ? » fit le rouquin, les yeux écarquillés.

Le lieutenant du Clan du Tonnerre prit une longue et douloureuse inspiration.

« Fléau et son Clan ont l'avantage du nombre, même si nous pouvons compter sur le Clan du Vent. Je sais que nos guerriers se battront jusqu'à leur dernier souffle pour sauver la forêt, mais le prix à payer est peut-être trop élevé.

— Tu veux dire que nous devrions abandonner ? » La voix du chef se fit plus dure. Jamais il n'aurait pensé que son lieutenant l'encouragerait dans ce sens. Si Tornade Blanche n'avait pas prouvé son courage à maintes reprises, il aurait mis ces déclarations sur le compte de la lâcheté. « Et quitter la forêt ?

— Je n'en sais rien. » Tornade Blanche semblait fatigué, et Étoile de Feu se rappela l'âge de son lieutenant. « Les choses changent, personne ne peut le nier, et il est peut-être temps de suivre le mouvement. Il doit y avoir des territoires libres par-delà les Hautes Pierres. Nous pourrions trouver un autre endroit...

— Jamais ! coupa Étoile de Feu. La forêt nous appartient !

— Tu es jeune. » Le vétéran le regarda d'un air solennel. « C'est normal que tu voies les choses ainsi. Mais des guerriers vont mourir, Étoile de Feu.

— Je le sais. » Toute la journée, il s'était appliqué à remonter le moral de ses guerriers, et le sien, en évoquant leur victoire contre Fléau. Maintenant, l'attitude de Tornade Blanche le contraignait à regarder la réalité en face : même en cas de victoire, les pertes seraient lourdes. Si le Clan du Tonnerre réussissait à chasser les intrus de la forêt, il resterait si peu de survivants qu'ils seraient aussi affaiblis qu'en cas de défaite. « Nous devons nous battre. Il le faut, reprit-il enfin. Nous ne pouvons pas nous enfuir comme des souris. Tu as raison Tornade Blanche, j'en ai conscience, mais que faire d'autre ? Je ne peux croire que le Clan des Étoiles désire notre départ.

— Je savais que tu dirais ça, répondit le vétéran en acquiesçant. Eh bien, je t'ai fait part de mon opinion. Les lieutenants sont là pour ça.

— Et je t'en remercie, Tornade Blanche. »

Le guerrier blanc se mit sur ses pattes et s'apprêtait à récupérer son campagnol lorsqu'il regarda Étoile de Feu par-dessus son épaule.

« Je n'ai jamais eu l'ambition d'Étoile du Tigre ni la tienne, miaula-t-il. Je n'ai jamais voulu être chef. Mais je suis encore plus soulagé de ne pas l'être aujourd'hui. Personne ne voudrait prendre de telles décisions à ta place. »

Étoile de Feu cligna les yeux, ne sachant que répondre.

« Tout ce que j'espère, poursuivit le vétéran, c'est que je me battrai de toutes mes forces quand l'heure sera venue. »

Une ombre d'hésitation passa sur son visage. Étoile de Feu songea que, arrivés à son âge, bien des chats auraient déjà rejoint les anciens. Il était compréhensible qu'il doute de sa force.

« J'en suis sûr et certain, le rassura-t-il. La forêt n'abrite aucun guerrier plus valeureux que toi. »

Tornade Blanche soutint longtemps son regard, sans rien dire. Puis il ramassa son campagnol et retourna au camp.

Étoile de Feu resta sur le rocher. Les paroles de son lieutenant l'avait troublé, et l'idée de retrouver sa sombre tanière lui répugnait. Il savait qu'il ne trouverait pas le sommeil.

Après avoir écouté les bruits feutrés de la nuit tombante pendant quelques instants, Étoile de Feu regagna le sommet du ravin. Dans le ciel, des striures rouge pâle indiquaient que le soleil s'était couché, et au-dessus de lui, la voûte céleste s'assombrissait, piquée ici et là de quelques guerriers du Clan des Étoiles en train de l'observer.

Le jeune chef fila à travers les sous-bois. Il se rendit compte en chemin que ses pas le menaient vers les Rochers du Soleil. Le temps qu'il arrive à l'orée de la forêt, l'obscurité était totale. Les formes arrondies des rocs se découpaient sur le ciel comme autant d'animaux endormis, recouverts de gel. Il entendait l'eau de la rivière clapoter sur les rochers et, bien plus près, un léger bruissement lui signala la présence de gibier.

L'eau lui monta à la bouche lorsqu'il discerna l'odeur d'une souris. Il rampa vers elle, effleurant à peine le sol de ses pattes, et bondit. Lorsqu'il referma les mâchoires sur sa prise, il réalisa combien il avait faim et finit goulûment sa proie en quelques bouchées.

Rassasié, il sauta de roche en roche jusqu'au sommet où il s'assit pour contempler la rivière. L'eau sombre scintillait sous les étoiles. Une brise fit frémir la surface du cours d'eau, ébouriffant sa fourrure et agitant les arbres dénudés autour de lui.

Étoile de Feu leva la tête vers la Toison Argentée. Les guerriers du Clan des Étoiles le regardaient... ils semblaient bien froids et lointains par cette nuit hivernale. Se souciaient-ils vraiment des bouleversements de la forêt ? Ou Étoile Bleue avait-elle eu raison lorsque sa colère l'avait poussée à leur déclarer la guerre ? Pendant un instant, le jeune chef perçut le terrible sentiment d'isolement de son ancien mentor. Il ne pouvait vraiment le partager car, contrairement à elle, il n'avait jamais douté des guerriers de son propre Clan. En revanche, il commençait à comprendre comment elle en était venue à douter du Clan des Étoiles.

Tant de chats étaient déjà morts à cause de la quête de pouvoir d'Étoile du Tigre. Tant de vies gâchées que les guerriers de jadis n'avaient pas sauvées. Étoile de Feu se demandait s'il était naïf de croire au soutien de ses ancêtres.

Mais sans eux, comment son Clan pourrait-il survivre ? Il leva la tête pour hurler à la gloire de la Toison Argentée.

« Montrez-moi ce que je dois faire ! Montrez-moi que vous nous soutenez ! »

Aucune réponse ne vint des cieux.

Il comprit à quel point il était faible et insignifiant comparé au Clan des Étoiles régnant sur le ciel entier. Blessé, il se trouva un creux entre les rochers à l'abri de la bise. Il pensait être incapable de s'endormir ; pourtant, il était tellement épuisé que ses yeux se fermèrent.

Il rêvait qu'il était assis près des Quatre Chênes, ses sens engourdis par la chaleur de l'air et le doux parfum de la saison des feuilles vertes. Les guerriers du Clan des Étoiles l'entouraient de toutes parts dans la clairière, comme lors de sa visite à la Pierre de Lune. Il aperçut Petite Feuille et Croc Jaune, ainsi que tous les guerriers que le Clan du Tonnerre avait perdus, et même d'autres qui avaient rejoint leurs rangs depuis peu : Pelage de Silex et Nuage d'Ajoncs, le jeune apprenti du Clan de la Rivière.

En rêve, Étoile de Feu bondit sur ses pattes et leur fit face. Pour la première fois, il n'était nullement impressionné par ses ancêtres. Il lui semblait qu'ils l'avaient abandonné, lui et toute la forêt, à leur terrible destin.

« Vous régnez sur la forêt ! feula-t-il, laissant libre cours à sa colère. Vous avez envoyé l'orage, le soir de l'Assemblée, pour m'empêcher d'informer les autres Clans des méfaits d'Étoile du Tigre. Vous lui avez permis d'amener Fléau dans la forêt ! Pourquoi nous infliger cela ? Vous voulez vraiment notre perte ? »

Une silhouette familière s'approcha : le pelage bleu-gris d'Étoile Bleue étincelait sous les étoiles, et ses yeux brillaient d'un feu bleuté.

« Étoile de Feu, tu ne comprends pas. Le Clan des Étoiles ne règne pas sur la forêt. »

Le jeune chef la regarda bouche bée. Tout était-il donc faux ? Tout ce qu'il avait appris depuis son arrivée dans la forêt, il y avait si longtemps ?

« Le Clan des Étoiles se préoccupe du sort de tous les chats de la forêt, poursuivit Étoile Bleue. Des aveugles jusqu'aux chatons sans défense, en passant par les plus anciens. Nous veillons sur eux. Nous envoyons des rêves et des signes aux guérisseurs. Mais l'orage n'était pas de notre fait. Fléau et Étoile du Tigre ont fait couler le sang pour obtenir le pouvoir car telle est leur nature. Nous observons, mais nous n'intervenons pas. Dans le cas contraire, serais-tu vraiment libre ? Étoile de Feu, toi et tous les autres, vous avez le choix de suivre ou non le code du guerrier. Vous n'êtes pas les jouets du Clan des Étoiles.

— Mais...

— Et en ce moment même, nous gardons l'œil sur toi, continua-t-elle en ignorant son intervention. Tu es l'élu. Le feu qui sauvera le Clan. Aucun guerrier du Clan des Étoiles ne t'a mené là. Tu es venu de ton plein gré parce que tu as l'âme d'un guerrier et le cœur d'un chat loyal envers son Clan. La foi que tu portes au Clan des Étoiles te donnera la force nécessaire. »

Ces paroles apaisèrent le rouquin. Il avait l'impression que la puissance d'Étoile Bleue et de tous les guerriers du Clan des Étoiles se déversait en lui. Quoi qu'il arrive lors de la bataille contre le Clan du Sang, Étoile de Feu savait désormais que le Clan des Étoiles ne l'avait pas abandonné.

Étoile Bleue posa son museau sur sa tête, comme le jour de son baptême. À son contact, le feu pâle émis par l'ensemble des guerriers commença à faiblir, et le jeune chef plongea dans les ténèbres chaudes du profond sommeil. Lorsqu'il rouvrit les yeux, les premières lueurs de l'aube tachetaient le ciel.

Le rouquin se leva et s'étira. Le souvenir de son rêve insuffla une énergie nouvelle jusqu'au bout de ses pattes. En tant que chef, il se devait de sauver son Clan. Et avec l'aide du Clan des Étoiles, il trouverait un moyen d'y parvenir.

CHAPITRE 26

ÉTOILE DE FEU SE DEMANDA si les autres avaient remarqué son absence, et s'ils s'inquiétaient. Il devait retourner au camp, mais il resta encore un moment au sommet du rocher à observer les lumières de l'aube inonder la forêt.

Tout semblait calme de l'autre côté de la rivière. Le rouquin tenta d'imaginer comment Étoile du Léopard s'en sortait. Les guerriers du Clan de l'Ombre qui s'étaient réfugiés sur son territoire seraient sans doute des hôtes indésirables, qu'ils ne pourraient nourrir durant les lunes de cette mauvaise saison particulièrement difficile.

Il s'assit bien droit, la fourrure ébouriffée et les oreilles aux aguets. Il venait d'avoir une idée, et s'étonnait de n'y avoir pas pensé plus tôt. Les combattants du Clan du Tonnerre seraient peut-être plus nombreux que prévu. Au-delà de la rivière, se trouvaient les guerriers de deux Clans. Après la mort d'Étoile du Tigre, ils n'avaient plus aucune raison de soutenir le Clan du Sang.

« Cervelle de souris ! » murmura-t-il. Il y avait donc une chance que les quatre Clans de la forêt s'unissent

313

pour chasser les chats sanguinaires qui menaçaient leur vie même. Les quatre ne deviendraient donc pas deux... les quatre deviendraient un seul. Mais pas à la façon d'Étoile du Tigre.

Tandis que les premiers rayons du soleil dardaient l'horizon, Étoile de Feu sauta du rocher et détala le long de la rivière vers le passage à gué.

« Étoile de Feu ! Étoile de Feu ! »

L'appel l'arrêta dans sa course, alors qu'il venait d'apercevoir les pierres. Il se retourna pour voir une patrouille du Clan du Tonnerre sortir des bois. Plume Grise avança le premier, suivi de Tempête de Sable, Flocon de Neige et Nuage Épineux.

« Où étais-tu ? s'enquit la guerrière roux pâle d'une voix courroucée. Nous étions morts d'inquiétude !

— Désolé, miaula Étoile de Feu avant de lui lécher l'oreille. J'avais besoin de réfléchir, c'est tout.

— Tornade Blanche nous a dit de ne pas nous en faire, intervint Plume Grise. Et Museau Cendré n'avait pas l'air inquiète. J'ai eu l'impression qu'elle en savait plus que ce qu'elle a bien voulu nous révéler.

— Eh bien, vous m'avez trouvé. Et je suis content de vous voir. Je m'apprêtais à me rendre sur le territoire du Clan de la Rivière ; j'aurais besoin que quelques guerriers m'accompagnent.

— Hein ? fit Flocon de Neige, éberlué. Qu'est-ce que tu veux à ces chats ?

— Je vais leur demander de se battre à nos côtés contre Fléau demain.

— Tu as perdu la tête ! Étoile du Léopard va te tailler en pièces !

— Je ne le crois pas. Maintenant qu'Étoile du Tigre

est mort, elle ne veut sans doute pas plus que vous et moi du Clan du Sang dans la forêt. »

Son neveu haussa les épaules ; Plume Grise ne semblait pas convaincu, mais les yeux verts de Tempête de Sable étincelaient.

« Je savais que tu trouverais un moyen de battre le Clan du Sang, ronronna-t-elle. Allons-y. »

Étoile de Feu allait se remettre en route lorsque Nuage Épineux le rattrapa.

« Étoile de Feu, pourra-t-on parler à Nuage d'Or si elle s'y trouve ? demanda l'apprenti, plein d'espoir. C'est peut-être notre dernière chance, ajouta-t-il d'une voix tremblante.

— Oui, si tu l'aperçois, répondit le jeune chef après une hésitation. Demande-lui sa version de l'histoire. Alors nous déciderons que faire.

— Merci, Étoile de Feu ! » s'exclama l'apprenti, visiblement soulagé.

Le rouquin descendit jusqu'au passage à gué, suivi de ses guerriers. Sautant de pierre en pierre, il resta aux aguets, mais ne perçut nul mouvement sur la berge opposée. Aucune patrouille du Clan de la Rivière n'était venue récemment, alors que le soleil était déjà haut dans le ciel.

Une fois de l'autre côté, Étoile de Feu longea le cours d'eau à contre-courant, vers le camp du Clan de la Rivière. En chemin, il croisa le ruisseau qui menait à la clairière de la Colline Macabre. Il fut pris de frissons en se remémorant sa dernière visite. L'odeur pestilentielle de la charogne s'était atténuée, mais il sentit la présence de nombreux chats non loin de là. Il reconnut la fragrance particulière du Clan du

Tigre, naguère tant redoutée, désormais familière comparée à la puanteur du Clan du Sang.

« Ils doivent s'être réunis dans la clairière, miaula-t-il. Certains d'entre eux, du moins. Nous allons y jeter un œil. Plume Grise, reste sur tes gardes. »

Le guerrier gris se laissa dépasser par les autres, fermant la marche, tandis qu'Étoile de Feu rampait en silence dans les roseaux, jusqu'à l'orée de la clairière. En tendant le cou, il constata que la Colline Macabre commençait à s'effondrer et ne ressemblait déjà plus qu'à un gros tas d'ordures ; le ruisseau n'était plus entravé par les carcasses pourrissantes. En revanche, on avait constitué un garde-manger de proies fraîchement tuées, comme si des chats avaient choisi ce lieu pour y établir un nouveau camp.

Plusieurs guerriers étaient blottis les uns contre les autres au centre de la clairière, la fourrure négligée et les yeux vides. Étoile de Feu fut surpris de reconnaître des chats des Clans de la Rivière et de l'Ombre. Il pensait ne trouver là que des guerriers du Clan de l'Ombre, et le Clan de la Rivière chez lui, sur leur île en amont.

Étoile du Léopard était tapie au pied de la Colline Macabre. Elle regardait droit devant elle. Le jeune chef pensa qu'elle l'avait vu, mais elle n'en montra aucun signe. Le lieutenant du Clan de l'Ombre, Patte Noire, était couché non loin. Passé la surprise, Étoile de Feu se sentit soulagé de pouvoir traiter directement avec Étoile du Léopard, qui essayait manifestement de régner sur les deux Clans.

Il coula un regard vers Tempête de Sable.

« Qu'est-ce qu'ils ont ? » murmura-t-il. Il se demandait presque s'ils étaient souffrants, pourtant l'air ne révélait aucune odeur de maladie.

Tempête de Sable secoua la tête d'un air impuissant, et Étoile de Feu se retourna vers la clairière. Il était venu chercher des combattants, et ces félins semblaient à l'agonie. Enfin, il n'allait pas repartir bredouille. Signalant à ses propres guerriers de le suivre, il sortit des roseaux.

Personne ne lui sauta dessus. Un ou deux guerriers se contentèrent de lever la tête et de le regarder d'un air blasé. Nuage Épineux fila en douce à la recherche de Nuage d'Or.

Étoile du Léopard se mit tant bien que mal sur ses pattes.

« Étoile de Feu. » Sa voix était aussi éraillée que si elle n'avait pas parlé pendant des lunes. « Que veux-tu ?

— Te parler. Étoile du Léopard, que se passe-t-il ici ? Qu'est-ce qui vous arrive ? Pourquoi n'êtes-vous pas dans votre camp ? »

Le chef du Clan de la Rivière soutint son regard un long moment.

« Je suis le seul chef du Clan du Tigre, maintenant, miaula-t-elle enfin, ses yeux mornes soudain animés d'une lueur de fierté. Notre ancien camp est trop petit pour accueillir les deux Clans. Nous avons laissé les reines et les chatons là-bas, sous la garde de quelques chasseurs. » Tout à coup, elle émit un petit rire moqueur. « Mais à quoi bon ? Le Clan du Sang va tous nous massacrer.

— Tu ne dois pas dire cela ! Si nous nous battons

tous ensemble, nous pourrons chasser le Clan du Sang.

— Espèce d'idiot ! feula-t-elle. Chasser le Clan du Sang ? Et comment comptes-tu t'y prendre ? Étoile du Tigre était le guerrier le plus valeureux que la forêt ait jamais connu, et tu as bien vu ce que Fléau lui a infligé !

— Je sais, répondit-il calmement, luttant contre la peur panique qui l'étreignait. Mais Étoile du Tigre s'est battu seul à seul contre Fléau. Nous pouvons nous unir pour l'affronter, puis nous redeviendrons quatre Clans, comme le veut le code du guerrier. »

Une expression de mépris déforma les traits d'Étoile du Léopard, qui garda le silence.

« Que vas-tu faire, alors ? Quitter la forêt ? » lui lança-t-il.

Elle hésita, secouant la tête, comme si elle ne voulait pas faire l'effort de lui parler.

« J'ai envoyé une équipe d'éclaireurs chercher un nouveau territoire par-delà les Hautes Pierres, admit-elle. Mais nous avons de très jeunes chatons, et deux de nos anciens sont malades. Tout le monde ne pourra pas partir. Et ceux qui resteront vont mourir.

— Ce n'est pas une fatalité ! s'indigna Étoile de Feu, désespéré. Le Clan du Tonnerre et le Clan du Vent vont se battre. Rejoignez-nous. »

Il s'attendait à de nouvelles moqueries, or Étoile du Léopard le regardait avec un intérêt nouveau. Près d'eux, Patte Noire se leva pour rejoindre son chef. Il entendit alors Plume Grise grogner et vit que son ami sortait les griffes. D'un mouvement de la queue, il calma son camarade. Il détestait Patte Noire autant que lui ; toutefois, pour l'instant, il leur faudrait oublier leur rancœur pour faire face à un ennemi plus dangereux encore.

« Tu as perdu la tête ? grogna le lieutenant. Tu ne penses pas sérieusement à t'allier à ces imbéciles ? Ils ne sont pas assez forts pour nous être utiles. Tout ce qu'on gagnerait, c'est se faire tailler en pièces. »

Étoile du Léopard lui lança un regard froid. Le rouquin comprit qu'elle ne l'aimait pas davantage que lui, ce qui lui redonna espoir. Pelage de Silex, qui avait été son lieutenant, avait péri sous les griffes du guerrier noir et blanc.

« C'est moi le chef, ici, Patte Noire, lui rappela-t-elle. C'est moi qui prends les décisions. Et je ne suis pas encore prête à abandonner... pas si nous avons une chance de chasser le Clan du Sang. Bon, miaula-t-elle en se tournant vers le rouquin. Quel est ton plan ? »

Étoile de Feu aurait voulu pouvoir lui répondre qu'il avait trouvé le moyen de se débarrasser des envahisseurs sans risquer la vie de tous les chats de la forêt. Malheureusement, il n'en était rien. Le chemin de la victoire, s'il y en avait un, serait tortueux et pénible.

« Demain, à l'aube, répondit-il, les Clans du Tonnerre et du Vent rejoindront le Clan du Sang aux Quatre Chênes. Si les Clans de l'Ombre et de la Rivière nous accompagnent, nous serons deux fois plus forts.

— Et tu prendrais la tête de la horde ? demanda-t-elle, avant d'ajouter à contre-cœur : Je n'ai plus l'énergie de mener mes guerriers au combat. »

Étonné, Étoile de Feu cligna les yeux. Il pensait qu'elle revendiquerait l'autorité sur les quatre Clans. Il n'était pas sûr du tout d'être lui-même assez fort pour le faire à sa place, mais il n'avait pas le choix.

« Si tu le souhaites, je le ferai, répondit-il.

— Un chat domestique à notre tête ? fit une voix sarcastique dans son dos. Tu as perdu l'esprit, Étoile du Léopard ? »

Étoile de Feu se retourna, sachant ce qui l'attendait. Éclair Noir se frayait un chemin parmi ses anciens camarades.

Le jeune chef le toisa. La fourrure jadis soyeuse du guerrier était maintenant terne, négligée. Il avait l'air décharné, et le bout de sa queue se balançait nerveusement. Seule l'hostilité froide qui habitait son regard était la même, ainsi que l'insolence avec laquelle il l'inspecta de haut en bas en s'asseyant en face des chefs.

« Éclair Noir. » Étoile de Feu le salua d'un petit mouvement de la tête.

Il savait qu'il ne pourrait jamais vraiment prendre le guerrier au pelage sombre en pitié, mais il fut frappé par son air hagard et ses yeux vides, comme s'il avait déjà été puni pour sa trahison.

Étoile du Léopard fit un pas en avant.

« Éclair Noir, cette décision ne te regarde pas, miaula-t-elle.

— On devrait te chasser d'ici, ou te tuer sur-le-champ, feula le guerrier vers Étoile de Feu. Tu as retourné Fléau contre Étoile du Tigre. C'est ta faute s'il est mort.

— Ma faute ? » répéta le jeune chef, interdit. Les

yeux d'Éclair Noir étaient chargés de haine ; Étoile de Feu comprenait qu'à sa façon ce dernier pleurait la mort de son chef. Maintenant qu'Étoile du Tigre n'était plus, Éclair Noir se retrouvait seul contre tous. « Non, Éclair Noir. C'est la faute d'Étoile du Tigre. S'il n'avait pas amené le Clan du Sang dans la forêt, rien de tout cela ne serait arrivé.

— D'ailleurs, comment est-ce arrivé ? s'enquit Plume Grise. J'aimerais bien le savoir. À quoi pensait donc Étoile du Tigre ? Se rendait-il compte de la gravité de ses actes ?

— Il croyait faire au mieux. » Étoile du Léopard tentait de défendre le défunt chef, mais ses paroles manquaient de conviction. « Il pensait que les chats de la forêt seraient davantage en sécurité en s'unissant sous son autorité, et que le Clan du Sang vous persuaderait qu'il avait raison. »

Plume Grise émit un grognement de mépris, ignoré par le chef du Clan de la Rivière. D'un mouvement de la queue, elle appela un autre chat, un matou gris décharné à l'oreille déchirée. Étoile de Feu reconnut Flèche Grise, l'un des chats errants qu'Étoile du Tigre avait recrutés dans le Clan de l'Ombre.

« Flèche Grise, raconte à Étoile de Feu ce qui s'est passé », ordonna-t-elle.

Le guerrier du Clan de l'Ombre considéra le rouquin avec des yeux fatigués.

« Jadis, j'appartenais au Clan du Sang, confessa-t-il. Je l'ai quitté il y a bien des lunes, mais Étoile du Tigre connaissait mon passé. Il m'a demandé de l'emmener chez les Bipèdes afin de rassembler davantage de chats pour contrôler la forêt. » Il baissa la tête vers ses pattes, ses oreilles frémissant d'embarras. « Je... j'ai essayé de lui dire que Fléau était dangereux. Pourtant, ni lui ni moi n'imaginions de quoi il était capable. Étoile du Tigre lui a proposé une partie de la forêt en échange de son aide. Il pensait qu'une fois le Clan du Tigre formé, il pourrait se débarrasser du Clan du Sang.

— Mais il avait tort », murmura Étoile de Feu, qui ressentait de nouveau la douleur étrange qui l'avait envahi en voyant le cadavre de son vieil ennemi.

« Lorsqu'il est mort, nous n'arrivions pas à y croire. » Flèche Grise semblait abasourdi, comme s'il partageait le souvenir d'Étoile de Feu. « Nous pensions qu'Étoile du Tigre était invincible. Quand le Clan du Sang a attaqué notre camp après sa mort, nous étions trop choqués pour nous battre. Certains sont restés là-bas, préférant rejoindre Fléau. Crocs Pointus, par exemple, ajouta-t-il avec amertume. Je suis prêt à affronter le Clan du Sang, ne serait-ce que pour plonger mes griffes dans la fourrure de ce traître.

— Alors, vous acceptez ? » demanda Étoile de Feu. Tous les chats présents dans la clairière s'étaient approchés. Seuls Patte Noire et Éclair Noir restaient à l'écart. « Vous vous dresseriez avec le Clan du Vent et nous contre le Clan du Sang ? »

Les guerriers ne pipèrent mot, attendant qu'Étoile du Léopard se prononce.

« Je ne sais pas, miaula-t-elle. La bataille est peut-être perdue d'avance. J'ai besoin d'y réfléchir.

— Le temps va bientôt nous manquer », objecta Tempête de Sable.

D'un signal de la queue, Étoile de Feu rassembla ses guerriers à l'orée de la clairière.

« Réfléchis-y maintenant, Étoile du Léopard, lança-t-il. Nous attendrons. »

Le chef du Clan de la Rivière lui lança un regard plein de défi, comme si elle allait rétorquer qu'elle prendrait le temps nécessaire. Cependant, elle ne dit rien et se contenta d'appeler quelques guerriers auprès d'elle. Elle leur parla à voix basse, d'un ton pressant. Patte Noire se fraya un passage pour la rejoindre, les yeux pleins de colère. Les autres félins restèrent murés dans leur silence, et Étoile de Feu se demanda quelle sorte de combattants ils feraient.

« Quelle bande de cervelles de souris ! feula Flocon de Neige. Pas besoin de discuter ! Étoile du Léopard a reconnu que leur sécurité n'était pas assurée s'ils quittaient la forêt... Qu'est-ce qu'ils peuvent faire, à part se battre ?

— Tais-toi, lui ordonna son oncle.

— Étoile de Feu, le coupa Nuage Épineux, qui venait de le rejoindre accompagné de sa sœur. Nuage d'Or voudrait te parler. »

La jeune chatte soutint le regard de son ancien chef sans sourciller, lui rappelant sa redoutable mère, Bouton-d'Or.

« Je t'écoute, l'encouragea-t-il.

— D'après Nuage Épineux, je devrais t'expliquer pourquoi j'ai quitté le Clan du Tonnerre, miaula-t-elle sans préambule. Mais tu le sais déjà, non ? Je voulais qu'on me juge sur mes actes, et non sur ceux de mon père. J'ai besoin de me sentir à ma place.

— Personne ne pensait que tu n'étais pas à ta place, protesta le rouquin.

— Étoile de Feu, répondit-elle, les yeux brillants, je n'en crois rien. Et toi non plus. »

Le jeune chef se sentit envahi par la culpabilité.

« J'ai commis une erreur, reconnut-il. À travers toi et ton frère, je ne voyais que votre père. Et je ne suis pas le seul. Néanmoins, je n'ai jamais souhaité ton départ.

— Toi, non, mais d'autres, si, répondit-elle calmement.

— Elle pourrait toujours réintégrer le Clan, pas vrai ? plaida Nuage Épineux.

— Attends un peu, le coupa sa sœur. Je ne suis pas en train de te demander si je peux revenir. Tout ce que je cherche, c'est à être loyale envers mon nouveau Clan. Je veux être la meilleure combattante possible. Et dans le Clan du Tonnerre, je ne m'épanouirai jamais. »

Étoile de Feu pouvait à peine supporter l'idée de perdre un membre aussi courageux et dévoué.

« Je regrette que tu sois partie, miaula-t-il. Et je te souhaite de trouver ta place dans ton nouveau Clan. Nuage d'Or, je pense vraiment que si les quatre Clans se battent ensemble demain, nous pourrons récupérer la forêt. Le Clan de l'Ombre survivra... Alors tu pourras être fière de ton Clan, et ton Clan sera fier de toi.

— Merci », répondit-elle en hochant la tête.

Nuage Épineux semblait perplexe, mais Étoile de Feu savait que tout avait été dit. Il entendit son nom : Étoile du Léopard se dirigeait vers lui.

« J'ai pris ma décision », annonça-t-elle.

Le cœur du rouquin se mit à palpiter. Tout reposait sur le choix d'Étoile du Léopard. Sans le soutien des Clans de la Rivière et de l'Ombre – malgré le piteux état de leurs combattants –, ils n'avaient aucune chance de chasser le Clan du Sang de la forêt. Le temps que la guerrière mit pour le rejoindre lui sembla aussi long qu'une lune.

« Le Clan de la Rivière se battra à vos côtés, annonça-t-elle.

— Tout comme le Clan de l'Ombre », ajouta Patte Noire, qui avait suivi Étoile du Léopard. Il la défia du regard, affirmant son autorité.

Bien que soulagé, Étoile de Feu remarqua l'expression perplexe de certains de leurs guerriers. Éclair Noir fut le seul à s'exprimer à voix haute.

« Vous êtes tous cinglés, feula-t-il. Rejoindre un chat domestique ? Et puis quoi encore ?

— Tu obéiras aux ordres, lança Étoile du Léopard.

— Ben voyons, rétorqua-t-il. Tu n'es pas mon chef. »

Étoile du Léopard le toisa un instant de son regard froid. Puis elle haussa les épaules.

« Je remercie le Clan des Étoiles de ne pas l'être. Tu es aussi utile qu'un cadavre de renard. Très bien, Éclair Noir, fais ce que tu veux. »

Le guerrier au poil sombre hésita, son regard glissant d'Étoile du Léopard à Patte Noire, puis aux autres chats de la clairière. Les guerriers murmuraient entre eux, et personne ne fit attention à lui.

Il se retourna vers Étoile du Léopard comme pour lui parler, mais le chef du Clan de la Rivière avait déjà tourné le dos. D'un bond, il fit face à Étoile de Feu.

« Bande d'imbéciles ! Demain, vous allez vous faire massacrer. »

Il partit à grandes enjambées. Les félins s'écartèrent sur son passage et le suivirent du regard jusqu'à ce qu'il eût disparu dans les roseaux. Étoile de Feu se demanda où le guerrier solitaire irait trouver refuge.

Étoile du Léopard s'avança et dit :

« Je jure devant le Clan des Étoiles que nous nous retrouverons demain à l'aube aux Quatre Chênes. Nous combattrons le Clan du Sang avec vous et le Clan du Vent. » Elle ajouta d'un ton brusque : « Pelage d'Ombre, organise des équipes de chasseurs. Demain, nous aurons besoin de toutes nos forces. »

Une chatte gris foncé du Clan de la Rivière agita la queue et se faufila parmi l'assemblée de félins pour choisir les chasseurs.

Étoile du Léopard regarda la Colline Macabre, les yeux pleins de tristesse, et un frisson parcourut sa fourrure tachetée.

« Nous devons détruire cette chose, murmura-t-elle. Elle appartient à une époque sombre et révolue. »

Elle enfonça ses griffes dans le monticule d'ossements. Petit à petit, d'un pas hésitant, comme s'ils craignaient qu'Étoile du Tigre ne réapparaisse et les accuse de trahison, ses guerriers l'imitèrent. Os après os, le monticule fut démantelé, dispersé dans la clairière. Patte Noire et quelques guerriers du Clan de l'Ombre contemplèrent la scène un peu à l'écart. Le visage du lieutenant était dissimulé par des ombres, si bien qu'on ne pouvait deviner ses pensées.

Étoile de Feu entraîna ses combattants hors de la clairière. Il avait accompli sa mission. Il ne pouvait qu'admirer le courage d'Étoile du Léopard. Pourtant, en jetant un dernier regard aux deux Clans derrière lui, il ne ressentait aucune satisfaction, plutôt un mauvais pressentiment.

Et si je les avais tous condamnés à mourir ?

CHAPITRE 27

ÉTOILE DE FEU SE RÉVEILLA juste avant l'aube. La lune s'était couchée, mais le soleil n'avait pas encore strié l'horizon de sa lumière laiteuse. Par cette nuit froide et noire comme un lac gelé, le silence était total.

Le rouquin sortit de son antre. La clairière était déserte, mais il entendait ses guerriers s'agiter dans leur repaire. Le givre scintillait sur le sol, tandis qu'au-dessus de sa tête la Toison Argentée dessinait une rivière dans le ciel.

Il prit le temps de humer l'air de la nuit, chargé de tant d'odeurs de chats familières, et sentit chacun de ses poils se hérisser. Il vivait peut-être sa dernière matinée dans le camp. Comme tous les autres membres de son Clan. Il avait l'impression que la situation échappait à son contrôle. Il voulut se rassurer en se répétant que le Clan des Étoiles décidait de son destin, sans réussir à s'en convaincre.

Il soupira et s'ébroua avant de gagner le tunnel de fougères menant à l'antre de Museau Cendré. La guérisseuse acheminait des paquets d'herbes et de baies jusqu'à la clairière, où Nuage de Bruyère était en train de constituer des petits ballots faciles à porter.

« Tout est prêt ? demanda-t-il.

— Je crois. » Les yeux de Museau Cendré s'emplirent de chagrin, comme si elle voyait déjà les blessés qui auraient bientôt besoin de son aide. « D'autres chats devront nous aider à porter tout cela jusqu'aux Quatre Chênes. Nuage de Bruyère et moi n'y arriverons pas toutes seules.

— Je te confie tous les apprentis, la rassura-t-il. Nuage de Bruyère, tu veux bien le leur annoncer ? »

La jeune chatte s'inclina avant de détaler.

« Une fois sur place, les apprentis devront participer au combat, annonça-t-il. Mais Nuage de Bruyère pourra rester avec toi. Trouve un endroit sûr. Je crois qu'il y a un abri de l'autre côté du ruisseau...

— Qu'est-ce que tu racontes ? s'énerva-t-elle. À quoi je servirais si je me tenais loin des combats ?

— Les guerriers ont besoin de toi, insista-t-il. Si tu te fais blesser, que nous arrivera-t-il ?

— Nuage de Bruyère et moi sommes capables de nous défendre. Nous ne sommes pas des chatons inoffensifs, tu sais. »

La réponse acerbe de Museau Cendré lui rappela son mentor, Croc Jaune.

Il soupira, pressant son nez contre celui de la guérisseuse.

« Comme tu veux, souffla-t-il. Je sais que, quoi que je dise, je n'arriverai pas à te faire changer d'avis. Mais, s'il te plaît... sois prudente.

— Ne t'inquiète pas, Étoile de Feu, ronronna-t-elle. Nous ferons attention.

— Le Clan des Étoiles t'a-t-il parlé de la bataille ? se força-t-il à lui demander.

— Non. Je n'ai vu aucun signe. » La guérisseuse leva les yeux vers la Toison Argentée qui pâlissait peu à peu à mesure que l'aube pointait. « Cela ne ressemble pas au Clan des Étoiles de rester silencieux avant un événement d'une telle importance.

— Ils... ils m'ont envoyé un rêve, Museau Cendré, avoua-t-il d'une voix hésitante. Mais je ne suis pas sûr de le comprendre. Faute de temps, je ne peux pas te le raconter maintenant. J'espère juste que c'était un bon présage. »

La curiosité illumina les yeux bleus de la guérisseuse, toutefois elle ne lui posa aucune question.

Étoile de Feu revint sur ses pas vers l'antre des anciens. En chemin, il passa devant Poil de Fougère qui montait la garde, et le salua d'un mouvement de la queue.

Lorsqu'il atteignit l'arbre couché, noirci par l'incendie qui avait balayé le camp à la dernière saison des feuilles vertes, tous les anciens dormaient encore, excepté Perce-Neige qu'il trouva assise, la queue enroulée autour des pattes.

La chatte se leva en le voyant arriver.

« C'est l'heure ?

— Oui. Nous allons bientôt partir... mais tu ne viens pas, Perce-Neige.

— Quoi ? fit-elle, la fourrure soudain ébouriffée. Pourquoi donc ? Tu crois vraiment qu'on va rester à l'écart et...

— Écoute-moi, Perce-Neige. C'est important. Si tu es honnête, tu admettras que Petite Oreille et Un-Œil auraient du mal à rejoindre les Quatre Chênes, sans même parler de se battre. Et Plume Cendrée est de plus en plus faible. Je ne peux pas les emmener affronter Fléau.

— Et moi ?

— Je sais que tu es une guerrière, Perce-Neige. » Le jeune chef avait longtemps réfléchi à ce qu'il allait dire, pourtant, sous le regard perçant de l'ancienne, il avait l'impression d'être de nouveau un apprenti. « Voilà pourquoi j'ai besoin de toi ici. Il n'y aura que les trois anciens et les chatons de Fleur de Saule. Ils ont appris quelques mouvements défensifs, mais ils ne sont pas prêts à se battre. Je te nomme à la tête du camp pendant que nous sommes tous là-bas.

— Mais je... Oh », s'interrompit-elle, comprenant ce qu'Étoile de Feu lui demandait. Sa fourrure s'aplatit de nouveau. « Je vois. Très bien, Étoile de Feu. Tu peux compter sur moi.

— Merci. Si la bataille tourne mal, nous tenterons de nous replier vers le camp pour te venir en aide. Mais nous n'y parviendrons peut-être pas. Si le Clan du Sang arrive jusqu'ici, tu seras toute seule pour défendre le camp. Il faudra évacuer les chatons et les anciens. S'il le faut, essayez de traverser la rivière et de gagner la ferme de Gerboise.

— Entendu. Je ferai de mon mieux. » Elle se tourna vers la litière de Cœur Blanc, où la jeune chatte dormait toujours. « Et elle ?

— Cœur Blanc est aussi forte que n'importe quel guerrier, maintenant, lui apprit-il, le cœur soudain léger. Elle nous accompagne. » Il s'approcha d'elle et la secoua gentiment du bout de la patte. « Réveille-toi, Cœur Blanc. C'est l'heure. »

Elle ouvrit son œil indemne puis se leva pour s'étirer.

« Voilà, Étoile de Feu. Je suis prête. »

Elle se dirigeait déjà vers la clairière lorsqu'il la rappela.

« Cœur Blanc, si on surmonte cette épreuve, tu pourras dormir dans le gîte des guerriers. »

Les oreilles de la jeune chatte frémirent et elle sembla soudain plus grande.

« Merci, Étoile de Feu ! » miaula-t-elle avant de filer, maintenant parfaitement réveillée.

D'un signe de tête, il salua Perce-Neige et suivit Cœur Blanc dans la clairière. Entre-temps, certains chats avaient déjà quitté leur tanière. Les apprentis, dont Nuage de Plume et Nuage d'Orage, entouraient Museau Cendré, chacun portant un ballot d'herbes. Pelage de Poussière les accompagnait, parlant à voix basse à Nuage de Bruyère.

Près du gîte des guerriers, Cœur Blanc avait rejoint Flocon de Neige, tandis que Poil de Souris et Longue Plume se tournaient autour, répétant une ultime fois leurs techniques de combat. Plume Grise et Tempête de Sable émergèrent ensemble des branches qui masquaient l'entrée de la tanière des guerriers, suivis de Cœur d'Épines et de Patte de Brume. Tornade Blanche orienta tout le monde vers la réserve de gibier.

Étoile de Feu se sentit soudain fier devant ses combattants, tous courageux et loyaux, jusqu'au dernier.

Au-dessus de lui, les branches dénudées et noires commençaient à se découper sur le ciel sombre. Il fut saisi d'une peur panique à l'idée que l'aube approchait.

Il s'obligea à marcher d'un pas confiant jusqu'au garde-manger, où se tenait Tornade Blanche.

« On y est », miaula le lieutenant.

Étoile de Feu choisit un campagnol. Malgré son estomac noué, il se força à avaler chaque bouchée du rongeur.

« Étoile de Feu, poursuivit Tornade Blanche, je voulais te dire qu'Étoile Bleue n'aurait pas mieux fait dans ces jours troublés. Je suis fier d'être ton lieutenant. »

Le jeune chef le dévisagea.

« Tornade Blanche, tu parles comme si... »

Il ne put exprimer tout haut ce qu'il redoutait tant. Le respect du vétéran signifiait tant pour lui que les mots lui manquaient. Il n'imaginait pas ce qu'il ferait si Tornade Blanche devait ne pas revenir vivant de la bataille.

Le lieutenant se concentra sur le merle qu'il dévorait, évitant le regard de son chef, et ne dit rien de plus.

Le camp était toujours plongé dans l'obscurité lorsque Perce-Neige et les autres anciens sortirent saluer les guerriers. Les chatons de Fleur de Saule se ruèrent hors de la pouponnière pour dire au revoir à leur mère et à Tempête de Sable. Ils semblaient excités... trop jeunes pour comprendre vraiment ce que le Clan partait affronter.

« Bon, Étoile de Feu, miaula Flocon de Neige, tout est prêt ? » Sa queue s'agitait nerveusement et il avoua : « Je me sentirai bien mieux quand on sera en route. »

Son oncle avala une dernière bouchée de campagnol et répondit :

« Moi aussi, Flocon de Neige. Allons-y. »

Il se leva et réunit son Clan d'un mouvement de la queue. Son regard croisa celui de Tempête de Sable, et il se sentit soudain ragaillardi par ses yeux verts pleins de confiance et d'amour.

« Chats du Clan du Tonnerre, lança-t-il, nous allons nous battre contre le Clan du Sang. Mais nous ne sommes pas seuls. Rappelez-vous qu'il y a quatre Clans dans la forêt, qu'il en sera toujours ainsi, et que les trois autres se battront à nos côtés aujourd'hui. Nous réussirons à chasser ces terribles envahisseurs ! »

Ses guerriers bondirent sur leurs pattes et feulèrent à l'unisson. Étoile de Feu fit volte-face et les entraîna dans le tunnel d'ajoncs, vers les Quatre Chênes.

Il fit une halte au sommet du ravin pour lancer un dernier regard derrière lui, ne sachant s'il reverrait un jour son camp bien-aimé.

CHAPITRE 28

Les premières lueurs de l'aube zébraient le ciel lorsque Étoile de Feu atteignit les Quatre Chênes. Il s'arrêta au bord du ruisseau et balaya du regard ses guerriers rassemblés. Son cœur se gonfla de fierté tandis qu'il les observait les uns après les autres. Tempête de Sable, sa chère compagne ; Plume Grise, le meilleur ami dont un chat puisse rêver ; Poil de Fougère, sensible et loyal ; Tornade Blanche, son sage lieutenant ; Cœur d'Épines, le plus jeune guerrier du Clan du Tonnerre, qui semblait tendu et impatient à l'idée de livrer sa première bataille ; Longue Plume, qui avait enfin découvert de quel côté penchait son cœur ; Pelage de Givre et Poil de Souris, deux chattes redoutables ; Pelage de Poussière, réservé mais digne de confiance, et son apprenti, Nuage de Granit ; son propre apprenti, Nuage Épineux, aux yeux ambrés luisants et à la fourrure ébouriffée ; et Flocon de Neige, entêté mais dévoué à son Clan, accompagné de Cœur Blanc, la chatte qu'il avait arrachée aux griffes de la mort. Il comprit à quel point ils comptaient pour lui ; en pensant aux dangers qu'ils allaient affronter, il lui sembla qu'on lui transperçait le cœur.

Il haussa la voix pour que tout le monde l'entende.
« Vous savez ce qui nous attend. Je veux seulement
vous dire une chose. Depuis que le Clan des Étoiles
a placé les quatre Clans dans la forêt, aucun chef n'a
pu se vanter d'avoir une troupe de guerriers comme
vous. Quoi qu'il arrive, je veux que vous vous en sou-
veniez.

— Et la forêt n'avait jamais connu de chef comme
toi », miaula Plume Grise.

Étoile de Feu secoua la tête, la gorge trop serrée
pour répondre. C'était bien du genre de Plume Grise,
de le comparer aux grands chefs du passé comme
Étoile Bleue, mais il savait qu'il ne souffrait pas la
comparaison. Il ne pouvait que faire de son mieux
pour mériter la confiance de ses amis.

En traversant le cours d'eau, il entendit un bruissement venant de la rivière. Les chats des Clans de
la Rivière et de l'Ombre se faufilaient en silence vers
le point de ralliement. Lorsqu'ils vinrent gonfler les
rangs de ses propres guerriers, il les salua d'un mouvement de la queue.

Il fut soulagé de voir qu'ils avaient tenu leur promesse, même si l'hostilité présente dans le regard de
Patte Noire l'avertissait que le Clan de l'Ombre se
battait à leurs côtés, mais qu'il ne serait jamais l'ami
du Clan du Tonnerre.

Le rouquin aperçut Flèche Grise parmi les guerriers
du Clan de l'Ombre. Nuage d'Or était là, elle aussi,
nerveuse mais déterminée. Patte de Brume s'avança
d'un pas hésitant pour saluer ses amis du Clan de la
Rivière, pressant son museau contre celui de Pelage
d'Ombre. Rhume des Foins et Patte de Pierre, les

deux guérisseurs, arrivèrent ensemble, chacun accompagné d'un apprenti portant leur nécessaire, et se faufilèrent dans la foule jusqu'à Museau Cendré. Les trois Clans unis gagnèrent ensemble les Quatre Chênes, Étoile de Feu et Étoile du Léopard à leur tête.

Lorsqu'ils atteignirent la crête, le silence régnait. Le vent venait d'en face, portant leur odeur vers le territoire du Clan de l'Ombre. La peur fit se dresser les poils d'Étoile de Feu : le Clan du Sang serait bientôt averti de leur présence, tandis qu'eux-mêmes ignoraient la position de leurs ennemis.

« Plume Grise, Poil de Souris, murmura-t-il. Inspectez le pourtour de la clairière. Ne vous montrez pas. Si vous voyez quelqu'un, venez me prévenir. »

Les deux guerriers filèrent dans des directions opposées, telles des ombres presque invisibles dans la lumière grise de l'aube. Étoile de Feu attendit, essayant de paraître calme et confiant. La présence de Tornade Blanche et de Tempête de Sable le rassurait. Il eut à peine le temps de penser à la suite que Plume Grise était déjà revenu, suivi d'un autre chat : Étoile Filante.

« Salutations, Étoile de Feu, murmura le félin. Le Clan du Vent est arrivé. Tous nos guerriers sont là, ainsi que tes amis, Gerboise et Nuage de Jais. »

Entendant leurs noms, les solitaires s'approchèrent.

« Nous sommes venus vous aider, comme promis, miaula Nuage de Jais. Nous combattrons avec vous, si vous le voulez bien.

— Si on le veut bien ? répéta Étoile de Feu, plein

de gratitude. Vous êtes plus que les bienvenus, tu le sais.

— Nous sommes fiers de nous battre à vos côtés », ajouta Gerboise.

Tempête de Sable vint saluer son ancien camarade, puis les deux solitaires se placèrent derrière elle.

« Sais-tu où se trouve le Clan du Sang ? demanda Étoile de Feu à Étoile Filante.

— Quelque part par-là, à mon avis. Il nous observe », répondit-il, tandis que ses yeux passaient de la clairière au territoire du Clan de l'Ombre.

Il avait parlé d'une voix assurée, et Étoile de Feu lui envia son calme, son courage infaillible. Mais il sentit soudain la peur chez le félin, et il l'entendit marmonner.

« Clan des Étoiles, aide-nous ! Montre-nous un ennemi contre lequel nous pouvons nous battre. »

Savoir qu'Étoile Filante était aussi effrayé que lui redoubla son respect envers son aîné. En tant que chef, Étoile Filante avait de l'expérience : jamais il ne laisserait son Clan deviner sa peur. Il mettrait toujours ses émotions de côté pour accomplir son devoir. Étoile de Feu espérait qu'il en serait lui aussi capable.

Il scruta les ombres, à la recherche d'un signe de Poil de Souris. Il l'aperçut alors qui bondissait vers lui et, au même moment, un mouvement attira son attention vers la clairière. Des formes sombres émergèrent des buissons au pied du versant opposé ; le Clan du Sang s'avança en une seule ligne menaçante. La peur saisit Étoile de Feu au ventre lorsque Fléau se détacha de la ligne.

« Je sais que vous êtes là ! lança le chef du Clan du Sang. Sortez, et donnez-moi votre réponse. »

Étoile de Feu regarda les chats massés derrière lui. Ils devaient être terrifiés, mais ils ne montraient que des visages déterminés. Le Clan du Lion était prêt à se battre.

« Vas-y, Étoile de Feu, l'encouragea Étoile du Léopard à voix basse, la fourrure ébouriffée et les oreilles rabattues, à la fois apeurée et déterminée. Prends la tête. »

Étoile de Feu regarda Étoile Filante, qui acquiesça.

« Tu as déjà parlé en notre nom à tous. Toi seul peux nous mener au combat. Nous te faisons tous confiance. »

Étoile de Feu dévala donc la pente à la tête des quatre Clans. Fléau l'attendait près du Grand Rocher. Il avait lissé sa fourrure noire avec soin. Ses yeux ressemblaient à des éclats de glace. Le soleil levant se reflétait sur les dents plantées dans son collier.

« Salutations, miaula-t-il en se léchant les babines comme s'il venait de goûter une proie succulente. Avez-vous décidé de partir ? Ou vous croyez-vous dignes d'affronter le Clan du Sang ?

— Le combat n'est pas une fatalité », répondit Étoile de Feu d'un ton ferme. À sa grande surprise, il se sentait d'un calme à toute épreuve. « Nous vous laisserons retourner chez les Bipèdes en paix. »

Fléau émit un ronronnement amusé.

« Nous, retourner chez les Bipèdes ? Tu penses vraiment que nous sommes des lâches ? Non, nous sommes ici chez nous, maintenant. »

La dernière lueur d'espoir d'Étoile de Feu disparut d'un coup. Il regarda par-delà Fléau, vers les rangs de ses guerriers. Ces chats étaient minces et coriaces. La plupart portaient un collier garni de dents, comme Fléau, tels des trophées de leurs précédentes batailles. Certains avaient renforcé leurs griffes avec des crocs de chiens, ce qui rappela à Étoile de Feu la façon dont Fléau avait éventré Étoile du Tigre. Leurs yeux brillaient tandis qu'ils attendaient l'ordre d'attaquer.

« La forêt est à nous, déclara Étoile de Feu. Nous régnons ici selon la volonté du Clan des Étoiles.

— Le Clan des Étoiles ! reprit Fléau d'un air méprisant. Des histoires pour chatons, oui ! Idiots de la forêt, le Clan des Étoiles ne vous viendra pas en aide aujourd'hui. » Il bondit sur ses pattes, la fourrure soudain si ébouriffée qu'il semblait deux fois plus gros. « À l'attaque ! »

La ligne de guerriers du Clan du Sang fonça en avant.

« Clan du Lion, à l'attaque ! » rugit Étoile de Feu.

Il se rua sur Fléau, mais le chef du Clan du Sang l'esquiva. Un gros chat tigré prit sa place, frappant Étoile de Feu au flanc, lui faisant perdre l'équilibre. Le silence de la clairière n'était plus. Tandis que le jeune chef battait des pattes arrière contre le guerrier tigré, il entendait des chats surgir des buissons entourant la clairière. Étoile du Léopard avait bondi hors des sous-bois avec Étoile Filante, tandis que Patte Noire fonçait à la tête d'un petit groupe de guerriers du Clan de l'Ombre et que Tornade Blanche entraînait les chats du Clan du Tonnerre au cœur du combat. Les quatre Clans de la forêt envahirent la clairière, fondant sur l'ennemi en poussant des cris.

Étoile de Feu réussit à repousser son assaillant et se remit sur ses pattes. Fléau avait disparu. Étoile de Feu était entouré d'un océan de chats. Il n'en revenait pas de la vitesse avec laquelle le chaos avait éclaté. Il aperçut Plume Grise qui se battait bravement avec un matou noir massif, et Fleur de Saule qui roulait au sol, les crocs plongés dans l'épaule d'un guerrier écaille. Non loin, Longue Plume se tortillait sous le poids de deux combattants du Clan du Sang. Étoile de Feu se lança dans la bataille et réussit à dégager un des deux matous, sentant toute la force de ce corps musclé se retourner contre lui. Tandis que des griffes lui lacéraient l'épaule, il donna un coup de patte au visage de son ennemi. Du sang jaillit, aveuglant le guerrier qui perdit l'avantage. Le rouquin lui asséna un dernier coup avant de repartir à la recherche de Longue Plume.

Le chat crème rayé de brun s'était débarrassé de son adversaire, mais il perdait beaucoup de sang de ses blessures à l'épaule et au flanc. Étoile de Feu vit Museau Cendré jaillir des buissons en claudiquant. Elle aida Longue Plume à se relever et l'entraîna hors de la zone de combat.

Étoile de Feu replongea dans la bataille. Moustache fila devant lui, à la poursuite d'un guerrier ennemi, tandis que Patte de Brume se battait aux côtés de Nuage de Plume et de Nuage d'Orage. Cœur Blanc affrontait un guerrier tigré deux fois plus gros qu'elle, et ses techniques de combat le troublaient déjà. Flocon de Neige se battait près d'elle. Cœur Blanc esquiva les pattes avant de son ennemi et lui griffa le museau. Le matou tigré fuit le combat. Flocon de Neige émit un cri de triomphe, et les deux chats firent volte-face dans un même mouvement pour se jeter dans la mêlée.

Près de là, Gerboise et Nuage de Jais faisaient face à une paire de chats gris identiques, des guerriers élancés aux colliers couverts de dents.

« Je te reconnais ! feula l'un des deux à Gerboise. Tu n'as pas eu le courage de rester avec Fléau.

— Au moins, j'ai eu le courage de partir, cracha Gerboise en se dressant sur ses pattes arrière pour abattre ses pattes avant sur les oreilles de son opposant. C'est ton tour de dégager. Tu n'as rien à faire ici. »

Nuage de Jais s'avança à son côté, et les deux matous gris furent peu à peu contraints de rejoindre les buissons. Un guerrier blanc du Clan du Sang bondit hors des sous-bois tout près d'eux, poursuivi par Belle-de-Jour qui lui entaillait les hanches. « Nuage d'Ajoncs ! Nuage d'Ajoncs ! » hurlait-elle, laissant libre cours à son chagrin de mère endeuillée. Elle sauta sur le guerrier et le plaqua au sol, arrachant avec ses griffes des touffes de fourrure blanche.

Étoile de Feu scruta la mêlée à la recherche de Fléau. La victoire était impossible tant que le chef du Clan du Sang était vivant. Le temps d'une inspiration, il se dit qu'il était étrange que la bataille finale ne le confronte pas à Étoile du Tigre, mais à l'assassin de ce dernier.

Le chef ennemi n'était nulle part en vue. Le rouquin se fraya un chemin à coups de pattes et de dents vers le pied du Grand Rocher, où il tomba nez à nez avec une guerrière chétive. Ses yeux verts pétillaient de haine lorsqu'elle bondit vers lui, plantant profondément ses griffes et ses crocs dans l'épaule de son adversaire. Étoile de Feu sentit le collier plein de dents écraser son visage. Il se tortilla, libérant sa fourrure de la mâchoire de la chatte, et se jeta sur le ventre exposé pour y planter ses griffes. La guerrière recula d'un saut avant de fuir dans les buissons.

Étoile de Feu haletait, du sang jaillissait de son épaule. Il se demanda combien de temps il tiendrait à ce rythme. Les guerriers du Clan du Sang semblaient toujours aussi nombreux dans la clairière, tous forts, en parfaite santé, et aguerris au combat. La bataille prendrait-elle fin un jour ?

Une guerrière écaille se dressa devant lui, le visage déformé par la haine. Au même moment, une silhouette sombre jaillit des buissons et fonça tête la première sur son assaillante, l'envoyant rouler au loin. Abasourdi, Étoile de Feu reconnut Éclair Noir. Le guerrier avait-il décidé de se rallier au Clan du Tonnerre ?

Étoile de Feu comprit bientôt à quel point il se trompait. Éclair Noir fit volte-face et cracha vers lui :

« Tu es à moi, petit chat domestique. Tu vas mourir. »

Le jeune chef se prépara à recevoir l'attaque adverse.

« Alors comme ça, tu te bats du côté de l'assassin d'Étoile du Tigre ? le railla-t-il. Tu n'as donc aucune loyauté ?

— Non, plus maintenant, feula Éclair Noir. Tous

les chats de la forêt peuvent bien finir dans le bec des charognards, je m'en fiche. Tout ce que je veux, c'est ta peau. »

Étoile de Feu se glissa de côté pour parer l'attaque du traître, mais les pattes ennemies le touchèrent à la joue, si bien qu'il perdit l'équilibre. Éclair Noir atterrit sur lui, le plaquant au sol. Le rouquin se démena pour libérer ses pattes arrière. Il griffa furieusement le ventre de son agresseur mais ne réussit pas à le repousser. Le guerrier au poil sombre découvrit ses dents, visant le cou d'Étoile de Feu. Le jeune chef fit une tentative désespérée pour se dégager.

Soudain, le corps d'Éclair Noir roula sur le côté. Étoile de Feu se leva d'un bond et vit Plume Grise affronter son adversaire : ils ne formaient plus qu'une boule gémissante de poils et de griffes. Plume Grise perdit des touffes de fourrure ; il saignait de l'épaule, où il avait été blessé plus tôt. Avant qu'Étoile de Feu ait pu lui venir en aide, il projeta Éclair Noir au sol et bondit sur lui, haletant.

« Sale traître ! » feula-t-il.

Éclair Noir se débattait, creusant de profondes entailles dans la terre, mais sans parvenir à se débarrasser du guerrier gris.

« Crotte de renard ! » cracha-t-il, tordant la tête pour plonger ses crocs dans la gorge de Plume Grise.

Ce dernier lui donna un violent coup de patte. Ses griffes transpercèrent le cou d'Éclair Noir et le sang jaillit. Le guerrier au pelage sombre se convulsa sous l'effet de la douleur. Ses mâchoires s'entrouvrirent tandis qu'il luttait pour respirer.

« Il n'y a plus rien... s'étrangla-t-il. Que les ténèbres... Tout a disparu... »

Étoile de Feu vit ses yeux se voiler, ne reflétant
plus qu'un vide terrible. Les soubresauts s'arrêtèrent
et le corps se raidit.

Plume Grise se mit péniblement debout, crachant
tout son mépris :

« Un traître de moins dans la forêt. »

Étoile de Feu pressa son museau contre l'épaule de
son ami. Soudain, Plume Grise se crispa, les yeux
rivés sur la clairière.

« Étoile de Feu... » glapit-il.

Se tournant d'un bond, Étoile de Feu aperçut Tempête de Sable et Pelage de Poussière qui se battaient
côte à côte en marge de la mêlée. Ils ne semblaient
pas en difficulté, si bien qu'il ne comprit pas la réaction de Plume Grise. Puis la marée de chats lui laissa
soudain voir Carcasse, l'énorme lieutenant du Clan
du Sang, penché sur un autre chat qui bougeait à
peine sous lui. Tant de sang recouvrait la fourrure de
la victime qu'Étoile de Feu en voyait à peine la couleur d'origine, et il lui fallut un instant pour reconnaître Tornade Blanche.

« Non ! » hurla-t-il, se jetant sur Carcasse, imité par
Plume Grise.

Carcasse recula, puis se rua sur Nuage Épineux et
Nuage de Granit, qui chargeaient de l'autre côté au
même moment. Étoile de Feu vit son apprenti sauter
sur le dos du lieutenant, tandis que Nuage de Granit
lui mordait une patte arrière.

Pensant que Carcasse serait distrait un moment,
Étoile de Feu se coucha près de Tornade Blanche,

oubliant presque la bataille qui faisait rage autour de lui. Une lueur illumina les yeux du guerrier blanc lorsqu'il reconnut Étoile de Feu, et le bout de sa queue frémit.

« Adieu, Étoile de Feu... gémit-il.

— Tornade Blanche, non ! » Le jeune chef sentit une longue plainte monter en lui. Il n'aurait jamais dû emmener son lieutenant au combat, alors que, depuis le début, le guerrier semblait savoir qu'il n'en reviendrait pas. « Plume Grise, va chercher Museau Cendré !

— Trop tard, souffla Tornade Blanche. Je pars chasser avec le Clan des Étoiles.

— Tu n'as pas le droit ! Le Clan a besoin de toi ! Moi, j'ai besoin de toi !

— Tu en trouveras d'autres... » Le regard du blessé, qui se voilait peu à peu, se porta un instant vers Plume Grise. « Fais confiance à ton cœur, Étoile de Feu. Tu as toujours su que le Clan des Étoiles destinait Plume Grise à devenir ton lieutenant. »

Il poussa un long soupir et ferma les yeux.

« Tornade Blanche... »

Étoile de Feu aurait voulu hurler sa douleur comme un chaton. L'espace d'un instant, il plongea son museau dans la fourrure trempée de sang de son lieutenant, le seul hommage que permettait la bataille.

Puis il se tourna vers Plume Grise, qui regardait le corps du vétéran, l'air choqué.

« Tu as entendu ses dernières paroles ? miaula Étoile de Feu. Il t'a choisi. » Il se mit sur ses pattes et, haussant la voix pour couvrir le vacarme des combats, il lança : « Je fais cette déclaration devant le corps de Tornade Blanche, pour que son esprit m'entende et approuve mon choix. Plume Grise sera le nouveau lieutenant du Clan du Tonnerre. »

Une vague de cris de soutien s'éleva derrière lui. Regardant par-dessus son épaule, il avisa Tempête de Sable et Pelage de Poussière, qui cessèrent un instant de combattre pour adresser un signe de tête à Plume Grise.

Ce dernier restait immobile, les yeux rivés sur son ami.

« Tu... tu en es sûr ?

— Plus que jamais, feula-t-il. Maintenant, Plume Grise ! »

Du coin de l'œil, il avait vu le lieutenant du Clan du Sang se libérer de Nuage Épineux et de Nuage de Granit. Mais avant qu'il ait pu se jeter sur lui, un cri véhément se fit entendre malgré le tumulte, et d'autres apprentis se ruèrent sur Carcasse, maintenant dissimulé par la masse griffue des jeunes chats furieux. Il y avait là Nuage Épineux et Nuage de Granit, ainsi que Nuage de Plume et Nuage d'Orage, et, oui, Nuage d'Or qui se battait au côté de son frère. Au bout de quelques instants, Carcasse cessa de se débattre. Une série de spasmes secoua son corps du museau à la queue, puis il retomba, inerte. Nuage de Granit poussa un cri de triomphe.

Au même moment, Crocs Pointus surgit de nulle part. Étoile de Feu sentit chaque poil de son pelage se dresser. Jadis chat errant, puis recruté par le Clan de l'Ombre, voilà qu'il appartenait au Clan du Sang, ce Clan qui insultait le code du guerrier ! L'imposant matou se jeta sur les apprentis et plongea ses dents dans la nuque du plus proche, Nuage Épineux, pour l'arracher au corps de Carcasse. Aussitôt, Nuage d'Or se précipita sur le guerrier.

« Lâche mon frère ! » feula-t-elle.

Les autres apprentis l'imitèrent et Crocs Pointus relâcha brutalement Nuage Épineux avant de faire demi-tour et de fuir, les jeunes félins sur les talons.

Le souffle court, Étoile de Feu regarda autour de lui, l'estomac noué, tandis qu'il essayait de déterminer qui avait le dessus. Malgré la mort d'Éclair Noir et de Carcasse, et la fuite de Crocs Pointus, la clairière semblait fourmiller de guerriers du Clan du Sang, et il en arrivait encore. Le Clan du Tonnerre avait perdu Tornade Blanche, et Étoile de Feu entrevit le corps immobile d'Oreille Balafrée, du Clan du Vent. Poil de Fougère et Poil de Souris combattaient ensemble, mais le premier boitait et le flanc de la guerrière était zébré de griffures sanglantes. Au bord de la clairière, Pelage de Givre se traînait vers les buissons, avec l'aide de Nuage de Bruyère. Près d'elles, Rhume des Foins, le guérisseur du Clan de l'Ombre, appliquait des toiles d'araignée sur l'épaule blessée de Patte Noire. Impatient, le guerrier finit par le repousser pour rejoindre la mêlée. Puis, dans un éclair, Étoile de Feu aperçut Étoile du Léopard, qui encouragea ses guerriers d'un cri avant de disparaître sous une vague de combattants du Clan du Sang.

Nous sommes en train de perdre, pensa Étoile de Feu, réprimant un accès de panique. *Je dois trouver Fléau !* La bataille prendrait fin avec la mort du chef du Clan du Sang, il le savait. Les chats venus du camp des Bipèdes ne respectaient aucune tradition et ignoraient le code du guerrier. Ils s'étaient ralliés à Fléau et, sans lui, ils ne seraient plus rien.

Étoile de Feu sentit sa fourrure se hérisser lorsqu'il aperçut enfin le petit chat noir. Il était accroupi au pied du Grand Rocher, ses griffes entaillant le guerrier qu'il avait piégé là. L'estomac noué, Étoile de Feu reconnut Moustache.

Avec un cri de défi, il traversa la clairière en quelques bonds. Fléau fit volte-face, abandonnant Moustache, qui s'éloignait en rampant dans son propre sang.

Le chef du Clan du Sang montra les dents et s'écria : « Étoile de Feu ! »

Sans prévenir, il s'élança. L'impact fit rouler Étoile de Feu sur le côté et celui-ci se retrouva au-dessus du chat noir, une patte appuyée sur son cou. Mais avant qu'il puisse le mordre, Fléau lui glissa entre les pattes à la vitesse d'un serpent. Les dents de chiens sur ses griffes étincelèrent avant de se planter dans l'épaule du jeune chef.

Une douleur indescriptible transperça le corps du rouquin. Il encaissa sans ciller, avant de repartir à l'assaut. Il projeta Fléau contre le Grand Rocher, et le petit chat noir retomba inerte, assommé pour un instant. Étoile de Feu en profita pour plonger ses crocs dans sa patte avant. Un éclair de douleur le frappa à nouveau lorsque Fléau lui donna un terrible coup de griffes, qui le fit lâcher prise.

Le chef du Clan du Sang se dressa sur ses pattes arrière, ses pattes avant prêtes pour le coup de grâce. Étoile de Feu tenta de l'esquiver, mais ne fut pas assez vif. Une douleur atroce lui traversa le crâne. Des flammes dansèrent devant ses yeux, puis disparurent pour ne laisser que du vide. Une vague noire et soyeuse menaçait de l'emporter. Dans un ultime effort, il parvint à se relever, mais ses pattes cédèrent sous lui, et il sombra dans les ténèbres.

CHAPITRE 29

ÉTOILE DE FEU OUVRIT LES YEUX. Il était couché sur
l'herbe des Quatre Chênes, au clair de lune, et les
feuilles des arbres bruissaient au-dessus de lui.
L'espace d'un instant, il se détendit, savourant la douceur de la saison des feuilles vertes.

Puis il se souvint des Quatre Chênes tels qu'il les
avaient vus la dernière fois, leurs branches noires et
nues à cause de la mauvaise saison, et de la clairière
envahie par une horde de chats en guerre.

Il s'assit brusquement. Il n'était pas seul. Les guerriers du Clan des Étoiles peuplaient la clairière, l'illu-
minant grâce à l'éclat de leur fourrure et de leurs
yeux. Au premier rang, Étoile de Feu avisa ceux qui
lui avaient accordé ses neuf vies. Étoile Bleue, Croc
Jaune, Petite Feuille, Cœur de Lion... ainsi qu'un
nouveau venu, Tornade Blanche. Il avait retrouvé sa
force d'antan et son pelage scintillait comme celui de
tous les membres du Clan des Étoiles.

« Bienvenue, Étoile de Feu », miaula le guerrier
blanc.

Le rouquin s'efforça de se lever.

« Pour... pourquoi m'avoir amené là ? demanda-t-il.

Ma place est au cœur du combat, je dois me battre pour sauver mon Clan.

— Regarde, Étoile de Feu », répondit Étoile Bleue.

Il aperçut un espace à côté d'elle. Il crut d'abord qu'il était vide, puis discerna le contour à peine visible d'un chat couleur de flamme. Ses yeux verts luisaient si faiblement qu'ils reflétaient à peine la lumière des étoiles inondant la clairière, mais Étoile de Feu le reconnut aussitôt.

« Tu viens de perdre ta première vie », miaula doucement Étoile Bleue.

Le jeune chef fut parcouru de frissons. Voilà ce que l'on ressentait en mourant, pensa-t-il. À la fois curieux et apeuré, il contempla son double. Lorsque leurs regards se croisèrent, il se vit recroquevillé, perdant du sang, la fourrure arrachée et les yeux emplis de désespoir.

Étoile de Feu détourna la tête pour en finir avec cette vision. Il n'avait pas le temps de s'apitoyer. À l'évidence, l'intérêt d'avoir neuf vies, c'était de pouvoir continuer le combat malgré tout, non ?

« Renvoyez-moi, implora-t-il. Si nous perdons, le Clan du Sang régnera sur la forêt ! »

Étoile Bleue s'avança d'un pas.

« Patience, Étoile de Feu. Ton corps doit prendre le temps de se remettre de ses blessures. Tu y retourneras bien assez tôt.

— Mais il sera peut-être trop tard ! Étoile Bleue, fais quelque chose ! Le Clan des Étoiles refuse donc de nous aider, au moment le plus important ? »

L'ancien chef du Clan du Tonnerre ne lui répondit

pas directement. Elle se contenta de s'asseoir, la sagesse brillant au fond de ses yeux.

« Aucun autre chat n'aurait pu faire davantage pour le Clan du Tonnerre, miaula-t-elle. Même si tu n'es pas né dans la forêt, ton cœur est celui d'un chat de Clan... plus encore qu'Étoile du Tigre ou Éclair Noir... Ils te reprochaient d'être un chat domestique, mais ce sont eux qui, par ambition, ont fini par trahir leur Clan natal. »

Impatient, Étoile de Feu tenait à peine en place. Quel intérêt de le complimenter maintenant ? Il ne pouvait détacher son esprit de ce qui se passait dans l'autre clairière, où des chats loyaux se battaient jusqu'à la mort.

« Étoile Bleue... » supplia-t-il.

D'un geste de la queue, elle lui intima le silence.

« L'inimitié entre Étoile du Tigre et toi t'a peut-être donné la force nécessaire. Depuis toujours, tu fais ce qui te semble juste, parfois malgré le désaccord de tes camarades de Clan. Tu as souffert de la solitude, de l'incertitude, et cela a contribué à te forger tel que tu es aujourd'hui... un chef doué, intelligent, qui a le courage de mener son Clan au cœur de la nuit.

— Mais je ne les aide pas ! feula-t-il. Et je ne peux pas les sauver... je ne suis pas assez fort. Nous allons perdre cette guerre. Étoile Bleue, je refuse de penser que telle est la volonté du Clan des Étoiles ! Nous avons toujours cru que nos ancêtres voulaient qu'il y ait quatre Clans dans la forêt. Nous sommes-nous donc trompés ? »

Les uns après les autres, les guerriers du premier rang se mirent en mouvement. Étoile Bleue se leva, imitée par les huit autres chats qui avaient accordé une vie à Étoile de Feu. Ils s'approchèrent tous les neuf pour former un cercle autour du jeune félin qui se dressait comme pour les défier au milieu de la clairière.

Une voix s'éleva ; ce n'était pas celle d'Étoile Bleue, mais un écho qui se répercutait dans la tête d'Étoile de Feu, comme si les neuf chats lui parlaient en même temps.

« Étoile de Feu, tu te trompes. Il n'y a jamais eu quatre Clans dans la forêt. » Tandis que le jeune chef les regardait, abasourdi, la voix reprit : « Il y en a toujours eu *cinq*. »

Étoile de Feu sentit neuf paires d'yeux, emplies de sagesse, se poser sur lui.

« Bats-toi avec courage, Étoile de Feu. Maintenant, tu peux retourner au combat, et les esprits du Clan des Étoiles t'accompagnent. »

Les silhouettes des guerriers de jadis semblèrent se dissoudre dans la lumière. Étoile de Feu sentit leur force se glisser en lui comme la pluie s'infiltre dans la terre desséchée. Son courage, porté par sa foi, lui revint intact.

Il ouvrit les yeux. Le tumulte des combats résonna dans ses oreilles et il se leva d'un bond. Droit devant lui, Flocon de Neige affrontait Fléau. Le jeune guerrier blanc avait roulé au sol et du sang s'échappait de ses blessures. Fléau referma ses mâchoires sur la peau de son cou et le secoua avant de lui griffer le flanc. Mais Flocon de Neige avait planté ses crocs dans la patte de son adversaire et, malgré ses terribles blessures, il refusait de lâcher prise.

« Fléau ! cria Étoile de Feu. Viens m'affronter ! »

Le petit chat lui fit face. Sous le choc, il lâcha Flocon de Neige.

« Que... Je t'avais tué !

— Oui, feula Étoile de Feu. Mais je suis un chef de Clan aux neuf vies, et je me bats au côté du Clan des Étoiles. Peux-tu en dire autant ? »

Pour la première fois, il lui sembla percevoir une lueur d'hésitation dans les yeux froids de Fléau. Étoile de Feu comprit enfin ce que Gerboise lui avait dit. Le chef du Clan du Sang ne croyait pas au Clan des Étoiles, c'était là son point faible. Sans foi, sans les lois et les coutumes des Clans de la forêt, Fléau ne pouvait posséder les neuf vies d'un véritable chef. Il mourrait une fois, et une seule, pour de bon.

L'hésitation du chat noir ne dura qu'un instant. Il asséna un dernier coup à Flocon de Neige avant de le projeter contre le Grand Rocher.

Étoile de Feu s'élança vers son ennemi. À chaque foulée, il sentait la présence des guerriers du Clan des Étoiles courant à son côté : la force dorée de Cœur de Lion, le corps souple et musculeux de Vif-Argent ; le pelage sombre de Plume Rousse, sa queue touffue voletant derrière lui ; Croc Jaune, toutes griffes dehors ; Petite Feuille, rapide et déterminée ; Étoile Bleue, qui avait retrouvé toute sa vigueur et son agilité.

Étoile de Feu avait l'impression de survoler la clairière. Ses griffes lacérèrent le flanc de Fléau, puis il esquiva un coup dirigé vers sa tête, identique à celui qui lui avait coûté sa première vie.

Mais Fléau était vif. Il se glissa entre les pattes tendues d'Étoile de Feu et visa son poitrail pour l'éventrer du même mouvement qui avait marqué la fin d'Étoile du Tigre.

Le rouquin se recula juste à temps. Il se trouvait maintenant sur la défensive, essayant d'éviter les griffes acérées tout en restant assez proche de Fléau pour le frapper. Il réussit à agripper le chef du Clan du Sang à la base de la queue, et les deux chats roulèrent sur l'herbe en un tourbillon de griffes et de dents. Lorsqu'ils se séparèrent, Étoile de Feu vit son propre sang éclabousser le sol : il devait en finir au plus vite avant de s'affaiblir de nouveau.

Lorsque la vieille astuce lui vint à l'esprit, il eut du mal à croire que Fléau se laisserait surprendre. Mais il ne trouvait rien d'autre. Il enfonça donc ses pattes avant dans l'herbe ensanglantée et s'inclina, comme pour signifier qu'il abandonnait, mais sans relâcher le moindre de ses muscles.

Fléau émit un cri victorieux et lui sauta dessus. Au même instant, Étoile de Feu bondit, percutant le ventre du chat noir et le plaquant sur le dos. Ses griffes s'enfoncèrent dans la fourrure de son ennemi et ses dents plongèrent dans sa gorge jusqu'à ce qu'il sente le goût du sang dans sa bouche. Étoile de Feu avait à peine conscience des griffes de Fléau qui lui déchiraient les épaules. Il tint bon en frappant le ventre adverse de ses pattes arrière et attendit que les coups qui s'abattaient sur lui diminuent en intensité.

Étoile de Feu secoua la tête, chassant d'épaisses gouttes de sang de ses yeux. Il relâcha la gorge de Fléau et leva une patte pour lui asséner le coup de grâce inutile. Les yeux de Fléau étaient fixés sur lui tels de profonds puits noirs emplis de haine, et son corps était secoué de convulsions. Il tenta de feuler, n'émettant qu'un gargouillis de sang. Ses membres cessèrent de s'agiter et ses yeux plongèrent dans le ciel sans le voir.

Hors d'haleine, Étoile de Feu baissa la tête vers le cadavre de son ennemi. Qui savait où son esprit de chat se rendait ? Pas dans les rangs du Clan des Étoiles, c'était certain.

Un guerrier noir et blanc et plutôt maigre du Clan du Sang se battait avec Étoile Filante à quelques longueurs de queue de là. Lorsqu'il aperçut le corps sans vie de son chef, il se figea, bouche bée, à peine conscient que son adversaire lui lacérait le visage.

« Fléau ! hoqueta-t-il. Non ! Non ! »

Il fit un pas en arrière, puis se tourna pour fuir, percutant un autre guerrier du Clan du Sang dans sa course vers les buissons. Le deuxième guerrier cracha furieusement avant de se lancer vers Étoile de Feu, mais il vit lui aussi le corps de son chef et stoppa son attaque.

Une plainte horrible s'échappa de sa gorge : « Fléau ! Fléau est mort ! »

Tandis que le cri s'élevait au-dessus des combats, Étoile de Feu vit les guerriers du Clan du Sang sursauter, puis cesser de se battre. Lorsqu'ils comprirent que leur chef avait péri, ils s'enfuirent les uns après les autres. Sous les yeux stupéfaits d'Étoile de Feu, les chats venus du camp des Bipèdes se comportèrent comme des petites bêtes craintives et désemparées. Ils n'étaient plus des guerriers redoutables, mais des chats ordinaires qui n'avaient pas leur place dans la forêt. Plus lents que ceux du Clan du Vent, plus faibles que ceux du Clan de la Rivière, plus maigres que ceux du Clan de l'Ombre. Ils ne représentaient plus aucune menace. Avec un cri triomphal, les chats de la forêt s'élancèrent à leur poursuite et les chassèrent de la clairière.

Engourdi par la fatigue, Étoile de Feu avait à peine la force de comprendre que ses guerriers, le Clan du Lion, avaient gagné. La forêt appartenait de nouveau au Clan des Étoiles.

CHAPITRE 30

❧

Le silence envahit la clairière. La froide lumière du soleil filtrait entre les arbres, faisant miroiter le sang répandu sur l'herbe. Flocon de Neige se leva tant bien que mal et claudiqua jusqu'à Étoile de Feu pour contempler le corps sans vie de Fléau.

« Tu as réussi, Étoile de Feu, haleta-t-il. Tu as sauvé la forêt.

— Nous avons tous sauvé la forêt », corrigea-t-il en donnant un coup de langue à son neveu. Il repensa aux problèmes que le guerrier blanc avait posés en arrivant dans le Clan. À cette époque, Étoile de Feu n'aurait jamais imaginé qu'il serait un jour aussi fier de son neveu entêté. « Va chercher Museau Cendré, et demande-lui quelque chose pour tes blessures. »

Le jeune guerrier hocha la tête et partit d'un pas chancelant.

En balayant du regard la clairière, il constata que les guerriers de chaque Clan se rassemblaient autour de leur guérisseur. Il n'y avait plus un mais quatre groupes ; le Clan du Lion n'était plus.

Il fut d'abord incapable de repérer Tempête de Sable, et une vague de panique s'empara de lui. Il ne supporterait pas de la perdre.

Puis il la vit s'avancer vers lui en trébuchant. La fourrure de son flanc s'était amalgamée sous le sang séché, mais Étoile de Feu constata que ses blessures n'étaient pas graves.

« Que le Clan des Étoiles soit loué ! » soupira-t-il.

Il la rejoignit en deux bonds. Les yeux verts de la guerrière reflétaient son soulagement.

« Nous avons réussi, murmura-t-elle. Nous avons chassé le Clan du Sang. »

Étoile de Feu se sentit soudain étourdi, comme si les Quatre Chênes tournoyaient autour de lui.

« Laisse-moi t'aider, intima Tempête de Sable en le soutenant de son épaule. Tu as perdu beaucoup de sang. Viens, on va voir Museau Cendré. »

Le rouquin tituba tout le long du chemin, savourant l'odeur de Tempête de Sable, réconforté par la douceur de sa fourrure. Lorsqu'ils eurent rejoint la guérisseuse, il s'effondra au sol, se demandant s'il allait perdre une autre vie. Puis il s'aperçut qu'il entendait toujours les bruits alentour et sa douleur s'intensifia au lieu de diminuer lorsque Nuage de Bruyère appliqua des toiles d'araignée sur ses blessures les plus profondes.

« Il va bien ? demanda Plume Grise. Eh, allez, Étoile de Feu... tu ne peux pas abandonner maintenant !

— Mais non. Je suis fatigué, c'est tout. Ne t'inquiète pas, tu as encore quelques lunes devant toi avant de devenir chef.

— Étoile de Feu, l'appela Tempête de Sable. D'autres chats arrivent. »

Le jeune chef s'assit. Un groupe de guerriers du Clan de la Rivière, Étoile du Léopard à sa tête, se dirigeait vers lui. Le chef du Clan de la Rivière s'inclina devant Étoile de Feu. Des traces de griffures striaient son pelage, mais ses yeux étaient clairs et sa queue dressée bien haut.

« Félicitations, Étoile de Feu, miaula-t-elle. On m'a dit que tu avais tué Fléau.

— Tout le monde s'est bien battu, répondit-il. Nous n'aurions pas gagné sans unir les quatre Clans.

— Tu as raison. Mais il nous faut maintenant nous séparer. Je vais reconduire mon Clan à notre camp. Nous devons nous occuper des blessés et pleurer nos morts.

— Et le Clan de l'Ombre ? s'enquit-il.

— Il doit retourner chez lui, déclara-t-elle d'un ton ferme. J'ai un nouveau lieutenant, et suffisamment de guerriers pour défendre notre territoire si le Clan de l'Ombre ne respecte pas nos frontières.

— Qui est ton nouveau lieutenant ? voulut-il savoir, curieux.

— Patte de Brume », miaula-t-elle, les yeux brillants.

Sous ses yeux ébahis, Patte de Brume sortit soudain du groupe de guerriers du Clan, suivie de Nuage de Plume et de Nuage d'Orage.

« Je vais suivre Étoile du Léopard, expliqua la guerrière en fixant Étoile de Feu avec le regard bleu glacé de sa mère. Je te serai éternellement reconnaissante pour ce que tu as fait... néanmoins, mon cœur va au Clan de la Rivière. »

Le rouquin acquiesça. Il ne s'était jamais attendu à ce qu'elle oublie complètement son Clan natal.

« Mais... en tant que lieutenant ? Après ce qui est arrivé à Pelage de Silex ? »

Les yeux de Patte de Brume s'emplirent de tristesse ; pour autant, sa détermination ne faiblit pas.

« Étoile du Léopard me l'avait proposé avant la bataille, expliqua-t-elle. Je lui ai répondu que j'y réfléchirais. Maintenant, je sais que je dois le faire à la mémoire de Pelage de Silex, et pour le bien du Clan. »

Étoile de Feu inclina la tête, respectueux de la dure décision qu'elle avait prise.

« Que le Clan des Étoiles t'accompagne, lança-t-il. Et puisse l'amitié qui te lie au Clan du Tonnerre durer à jamais. »

Le regard hésitant des deux jeunes guerriers près de Patte de Brume passait d'Étoile de Feu à Étoile du Léopard.

« Nous partons aussi, déclara Nuage d'Orage. Le Clan de la Rivière a perdu beaucoup de combattants. Il a besoin de nous. »

Nuage de Plume s'avança près de Plume Grise et pressa son museau contre le sien.

« Tu viendras nous voir, pas vrai ? demanda-t-elle.

— J'espère bien, soupira-t-il, la voix rauque, peiné de voir repartir ses enfants. Faites de votre mieux, je veux être fier de vous.

— Il faudra être digne de votre père, ajouta Étoile de Feu. Il est le nouveau lieutenant du Clan du Tonnerre. »

Les deux apprentis se pressèrent contre leur père, enroulant leur queue autour de la sienne. Étoile du Léopard leur accorda un instant de répit avant de donner le signal du départ. Les jeunes chats la suivirent, puis le Clan de la Rivière disparut dans les buissons.

Étoile de Feu avisa ensuite les guerriers du Clan de l'Ombre, qui se tenaient non loin de là. Nuage Épineux se trouvait parmi eux, il parlait à sa sœur. Le rouquin s'efforça de se lever et claudiqua jusqu'à eux. Patte Noire vint à sa rencontre.

« Étoile de Feu, le salua le lieutenant du Clan de l'Ombre. Finalement, nous l'avons gagnée, cette guerre.

— En effet. Que vas-tu faire maintenant ?

— Ramener mon Clan à la maison et préparer mon voyage jusqu'aux Hautes Pierres. Je suis leur nouveau chef. Nous avons beaucoup à faire pour nous remettre de tous ces événements, mais la vie dans la forêt finira par reprendre son cours.

— Je te verrai donc à la prochaine Assemblée. Et tu ferais mieux d'apprendre des erreurs de tes prédécesseurs. J'ai vu ce que tu as fait à Pelage de Silex, près de la Colline Macabre. »

Une ombre traversa le regard de Patte Noire, mais il ne répondit pas.

D'un mouvement de la queue, il fit signe à Nuage Épineux, qui frotta brièvement son museau contre le flanc de sa sœur avant de se faufiler entre les guerriers du Clan de l'Ombre pour rejoindre son mentor. Patte Noire rassembla son Clan et l'entraîna hors de la clairière. Rhume des Foins ferma la marche en coulant un dernier regard vers Étoile de Feu. Le rouquin espérait que le guérisseur aurait plus de chance avec son nouveau chef, après tout ce qu'il avait enduré auprès d'Étoile Noire et d'Étoile du Tigre.

Étoile de Feu retourna vers son propre Clan et se retrouva nez à nez avec Gerboise et Nuage de Jais.

« Patte Noire ne m'inspire pas confiance, murmura Nuage de Jais en regardant les derniers guerriers du Clan de l'Ombre disparaître dans les buissons. C'est un fauteur de trouble.

— Je sais, répondit Étoile de Feu. Ne t'inquiète pas. Le Clan du Tonnerre sera prêt s'il tente quoi que ce soit.

— Au moins, maintenant que Fléau est mort, les chats du territoire des Bipèdes auront une chance de vivre en paix, déclara Gerboise. Leur existence sera plus facile.

— Tu comptes y retourner ? voulut savoir le rouquin.

— Jamais de la vie ! s'exclama le solitaire, la queue haute. Nous rentrons directement à la maison.

— Mais ce fut un plaisir de se battre pour le Clan du Tonnerre, ajouta Nuage de Jais.

— Le Clan du Tonnerre vous en sera toujours reconnaissant, leur assura Étoile de Feu avec chaleur. Vous êtes libres d'aller et venir sur notre territoire.

— Et toi, n'oublie pas de nous rendre visite chaque fois que tu iras vers les Hautes Pierres, lança Gerboise en partant. On te trouvera bien une souris ou deux. »

Maintenant que les Clans de l'Ombre et de la Rivière étaient partis, Étoile de Feu voulut prendre des nouvelles du Clan du Vent avant de rassembler ses propres guerriers pour le départ. Un petit groupe de chats du Clan du Vent s'était formé autour d'Écorce de Chêne, leur guérisseur, mais bien moins important que ce à quoi il s'attendait. Étoile Filante lui-même restait introuvable. Un frisson de terreur parcourut la fourrure d'Étoile de Feu.

Puis il vit le chef du Clan du Vent émerger des buissons de l'autre côté de la clairière. Griffe de Pierre et Belle-de-Jour le suivaient de près, ainsi que deux apprentis. Les cinq félins semblaient hors d'haleine, comme s'ils venaient de courir. Étoile de Feu bondit vers eux, s'attendant à voir une horde ennemie surgir des buissons à leurs trousses.

« Que se passe-t-il ? demanda-t-il. Le Clan du Sang vous poursuit ? »

Étoile Filante émit un ronronnement amusé :

« Non, Étoile de Feu. C'est nous qui les avons talonnés, jusqu'au Chemin du Tonnerre. Ils ne sont pas près de revenir.

— Bien », fit Étoile de Feu, rassuré.

Il distingua une lueur de satisfaction dans les yeux de Belle-de-Jour et comprit qu'elle avait vengé la mort de Nuage d'Ajoncs.

Prenant une grande inspiration, Étoile de Feu s'inclina devant Étoile Filante et déclara :

« Nous n'avons plus besoin du Clan du Lion. Il y a de nouveau quatre Clans dans la forêt. »

Le vétéran comprit ce que cela signifiait : ils n'étaient plus alliés, mais rivaux, et seule la prochaine Assemblée leur permettrait de se retrouver en toute amitié.

« Nous vous devons notre liberté », miaula le chef du Clan du Vent. Il s'inclina à son tour et rejoignit ses guerriers à l'autre bout de la clairière.

Une fois seul, Étoile de Feu s'efforça de grimper jusqu'au sommet du Grand Rocher. L'odeur du sang montait jusqu'à lui mais, de son point de vue, il pouvait contempler la forêt. Il s'autorisa enfin à penser que la guerre ne serait bientôt plus qu'un lointain souvenir.

Il imaginait les esprits du Clan des Étoiles tout autour de lui, partageant l'autorité sur son Clan. Ils l'accompagneraient dans le moindre de ses actes jusqu'à ce qu'il abandonne sa dernière vie pour aller les rejoindre.

« Merci, Clan des Étoiles, murmura-t-il. Merci d'être resté avec nous, vous, le cinquième Clan de la forêt. Comment ai-je pu penser un seul instant que je livrerais cette bataille tout seul ? »

Il sentit soudain une odeur familière lui chatouiller les narines, ainsi que la douceur du pelage de Petite Feuille contre le sien. Son souffle chaud lui caressa l'oreille.

« Tu n'es jamais seul, Étoile de Feu. Ton Clan survivra, et je veillerai sur toi pour toujours. »

L'espace d'un instant, son chagrin se raviva, comme si sa chère guérisseuse n'était pas morte de nombreuses lunes auparavant mais au cours de ce combat. Puis ses oreilles frémirent au crissement des griffes sur le rocher. Tandis que l'odeur de Petite Feuille s'évanouissait, il vit Plume Grise et Tempête de Sable grimper jusqu'à lui, suivis de Nuage Épineux.

La guerrière se frotta contre lui.

« Étoile Bleue avait vu juste, chuchota-t-elle. Le feu a bien sauvé le Clan.

— Et nous sommes de nouveau quatre Clans, ajouta Plume Grise. Comme il se doit. »

Non, nous sommes cinq Clans, pensa Étoile de Feu. Ses yeux balayèrent la clairière en contrebas et les arbres qui s'étendaient aussi loin que son regard portait, tandis que ses sens retrouvaient les bruits et les parfums de sa forêt. Un millier de murmures secrets lui soufflaient que la saison des feuilles nouvelles s'éveillait sous la terre froide, encourageant les jeunes pousses à sortir du sol et le gibier à quitter le long sommeil de la mauvaise saison.

Soudain, la lumière du levant perça entre les arbres et inonda la clairière de ses chauds rayons. Jamais Étoile de Feu n'avait vu aube aussi radieuse.

Découvrez bientôt

le nouveau cycle de

LA GUERRE DES CLANS

La nouvelle prophétie

Livre I

À paraître en octobre 2008

Cet ouvrage a été imprimé par

FIRMIN DIDOT

GROUPE CPI

Mesnil-sur-l'Estrée

pour le compte des Éditions Pocket Jeunesse
en avril 2008

12, avenue d'Italie

75627 PARIS Cedex 13

N° d'impression : 90189
Dépôt légal : mars 2008
Suite du premier tirage : mai 2008

Imprimé en France